Zupa z ryby
Fugu

Monika Szwaja

Zupa z ryby fugu

Wydawnictwo SOL

Redakcja:
Elżbieta Tyszkiewicz

Redakcja techniczna, typografia, skład, łamanie:
Dominik Trzebiński Du Châteaux
atelier@duchateaux.pl

Korekta:
Elżbieta Lipińska

Okładka:
Leszek Żebrowski

ISBN 978-83-62405-03-9
Warszawa 2010

Wydawca:
Wydawnictwo SOL
Monika Szwaja
Mariusz Krzyżanowski
05-600 Grójec, Duży Dół 2a
wydawnictwo@wydawnictwosol.pl
www.wydawnictwosol.pl

Dystrybucja:
Grupa A5 sp. z o.o.
92-101 Łódź, ul. Krokusowa 1-3
tel. 42 676 49 29
handlowy@grupaa5.com.pl

Druk i oprawa: opolgraf
www.opolgraf.com.pl

Powieść tę pozwalam sobie zadedykować Pani, która przyszła do mnie kiedyś po spotkaniu autorskim i przedstawiła mi swego ślicznego kilkuletniego synka, mówiąc, że jest on dzieckiem „in vitro".

Serdeczne podziękowanie składam Panu Profesorowi Sławomirowi Wołczyńskiemu za to, że tak cierpliwie poszerzał moją wiedzę na temat zagadnień opisanych w tej książce. Dziękuję również wszystkim życzliwym, którzy udzielali mi przy pisaniu cennych rad.

– A żeby to najjaśniejszy szlag trafił!

Ta mało oryginalna inwokacja zabrzmiała wprawdzie niezbyt głośno, ale naładowana była dużą ekspresją. Anita Dolina-Grabiszyńska, zwana również Niteczką, wyjęła z szafki paczkę ołłejsów ze skrzydełkami i, wzdychając, użyła jednego z nich zgodnie z przeznaczeniem. Usiadła na sedesie, usiłując powstrzymać płacz.

Biedny Cypek. Będzie bardzo rozczarowany.

Dobrze, że teściowa o niczym nie wie, byłaby wściekła. Ona zresztą cały czas jest wściekła...

Zaczęło jej się to od momentu, kiedy poznała nazwisko Anity. Było to wczesną wiosną dwa tysiące czwartego roku, podczas uroczystego śniadania wielkanocnego. Pierworodny i jedyny syn Kaliny z Muszyńskich i Bożysława hrabiego Dolina-Grabiszyńskiego, spadkobiercy całkowicie wirtualnej fortuny ziemiańskiej w głębokiej Lodomerii, Cyprian hrabia Dolina-Grabiszyński, zwany w kręgach przyjacielskich Cypkiem, postanowił przyprowadzić rodzicom swoją narzeczoną, Anitkę, koleżankę z ostatniego roku studiów na architekturze. Było to możliwe między innymi i z tego powodu, że u państwa D-G śniadanie wielkanocne jadało się tuż po powrocie z rezurekcji, czyli wczesnym rankiem, podczas gdy zmęczeni życiem zawodowym państwo Pindelakowie śniadali w okolicach czternastej. Anita była w stanie z powodzeniem obskoczyć obydwie ceremonie. Ostatecznie raz mogła wstać jak jakiś stuknięty skowronek.

Żeby tylko nie wyleciała za wcześnie z tym swoim nazwiskiem – niepokoił się hrabia Cypek D-G, przewidując niezadowolenie mamusi. Mamusia żywiła nadzieję, że on, syn jedyny, dziecko doskonałej, arystokratycznej rodziny, przyprowadzi do domu co najmniej księżniczkę. Anitka zaś była proletariuszką z dziada pradziada, a jej jedyne związki z arystokracją polegały na tym, że pradziadek po mieczu był szoferem u pana dziedzica. Pierwsi wykształceni w rodzinie byli rodzice, i to tylko dlatego, że tata, studentem budownictwa będąc, zaciągnął na te same studia mamę, szykującą się już do błyskotliwej kariery barmanki mlecznej w słynnym szczecińskim barze „Bambino". Bar ów, jak wiadomo, znajdował się w bliskim sąsiedztwie Wydziału Budownictwa i Architektury Politechniki Szczecińskiej.

I oto stała śliczna jak kwiatek Anitka, córka dwojga budowlańców lądowych, studentka tego samego wydziału (a bar zlikwidowano!) – stała przed swoją przyszłą teściową i wcale się nie trzęsła, w przeciwieństwie do narzeczonego.

– Anita Pindelak – powiedziała swobodnie, wyciągając rękę do pani Kaliny.

– O matko! – Z umalowanych usteczek wyrwało się coś jakby zduszony jęk i hrabina omal nie cofnęła ręki.

Tu nadmieńmy może nieco złośliwie, że arystokratyczna wrażliwość madame była charakterystyczna dla nuworyszy... pochodzeniem własnych rodziców nie mogłaby się specjalnie pochwalić; jej matka była sprzedawczynią w sklepie meblowym, którego kierownikiem był z kolei ojciec. Matka Bożysława, Dobrochna Grabiszyńska, miała tam przody i załatwiała meble wszystkim znajomym w zamian za produkty spożywcze z pegeeru męża, stary Bożydar bowiem, jak wielu byłych ziemian, ukończył SGGW i był świetnym dyrektorem wielkiego gospodarstwa rolnego. Któregoś dnia syn rodu, Bożysław, odbierał tapczanik i spotkał w sklepie urocze dziewczę – tak im się zaczęło, ku cichej zgrozie Dobrochny. Podobna zgroza stała się teraz udziałem Kaliny.

Pohamowała się jednak i przywołała na twarz nieco wymuszony uśmiech.

– Bardzo nam przyjemnie, drogie dziecko.

Śniadanie minęło bez wielkich burz, w dużej mierze dzięki panu Bożysławowi (nie znosił swego imienia i kazał się nazywać Sławkiem), któremu przyszła synowa nadzwyczaj spodobała się z urody. Po śniadaniu nadeszła jednak pora poszukiwania w ogrodzie jajeczek z prezentami – pani Kalina była wielce przywiązana do podobnych tradycji – i zanim Cyprian zdążył znaleźć jakiekolwiek jajko, matka zaciągnęła go w cień ogromnego krzaka zimozielonej laurowiśni.

– Cyprianie – wyszeptała dramatycznie, chwytając syna żelazną ręką za nadgarstek. – Czy ty poważnie myślisz o tej dziewczynie?

– Poważnie, mamusiu – odrzekł syn grzecznie, zastanawiając się, czy mamusia zacznie od nazwiska, czy od manier. Zastanawiał się też, czyby profilaktycznie nie strzelić w rodzicielkę historią jej własnej rodziny, ale dał sobie spokój. Reakcja matki była nieprzewidywalna.

W matce przez chwilę coś bulgotało, jakby nie mogła się zdecydować, co bardziej ją zaszokowało w potencjalnej synowej.

– Pindelak – powiedziała wreszcie z rozpaczą. – Pindelak. Hrabina Dolina-Grabiszyńska de domo Pindelak.

– Mamusiu – odezwał się nieśmiało. – Nie wiem, czy zauważyłaś, ale mamy wiek dwudziesty pierwszy. Dla mnie nie ma najmniejszego znaczenia, czy Anita jest...

Nie dokończył, spiorunowany wzrokiem o wielkiej sile rażenia.

– Czy jest kim?! Majstrem budowlanym? Jak ona mówi? Ty słyszałeś, jak ona mówi?

– Słyszałem – mruknął syn, który posługiwał się dokładnie tą samą współczesną polszczyzną kulturalną, co jego dziewczyna.

Tylko przy mamusi starał się uzasadnić jakoś swoje imię, które dostał na cześć Norwida. – Mamusiu, zapewniam cię, że Anita jest bardzo wartościową osobą, najlepszą studentką na roku, a w ogóle na wydziale też...

– No i co z tego, co z tego? Przy poziomie tych waszych studiów to też nic dziwnego. Mówiłam ci, że powinieneś jechać na studia do Warszawy albo do Krakowa... nieważne. Ona mi się nie podoba, synku! Ona nie da ci szczęścia!

Synek powstrzymał się od zawiadomienia mamusi, że Anita owszem, JUŻ daje mu szczęście... od jakiegoś roku. Bystre matczyne oko dostrzegło jednak, co miało dostrzec.

– Matko Najświętsza! Wy jesteście razem? Tylko mi tego nie mów! Ona jest w ciąży? Będziesz musiał się z nią ożenić? Przecież ona złamie ci życie! Jest w ciąży?

Pani Kalina przerwała wydawanie przeraźliwych szeptów i znieruchomiała, hipnotycznie wpatrzona w synowskie oblicze.

– Mam dwa jaja!

Z tym nieco frywolnym komunikatem w cieniu rozrośniętej laurowiśni pojawił się znienacka sam pan hrabia. Wypada nam w tym momencie napomknąć, że profesor doktor Bożysław, czyli Sławek Grabiszyński, nie znosił nie tylko swojego imienia, ale też tytułu hrabiowskiego, którego starał się nigdy nie używać, oraz przydomka Dolina, który też konsekwentnie pomijał. Był o wiele mniejszym snobem niż własna małżonka, największa miłość jego życia, dla której zostawił drugą największą miłość, czyli chirurgię dziecięcą. Przerzucił się na chirurgię plastyczną, bo dawała o wiele większe dochody. Pani Kalina miała nieliche wymagania. Ostatnio jednak coraz częściej profesor myślał z pewną niechęcią o modelowaniu kolejnych damskich cycków i podbródków. Być może nigdy nie przepadał za tym naprawdę, tylko dorabiał ideologię do zarobków – a po drugiej operacji plastycznej wykonanej na własnej żonie może i motywacja tego dorabiania mu sklęsła.

Potencjalna synowa ujęła go wdziękiem, jak najbardziej. Podczas wspólnego szukania jajeczek opowiedział jej dwa tłuste dowcipy chirurgiczne, ona zrewanżowała mu się dwoma soczystymi budowlanymi (ulubione taty Pindelaka) i przyjaźń między nimi została przypieczętowana gromkim, choć mało wytwornym śmiechem. Zostawił ją teraz (Anitę, nie przyjaźń) na ogrodowej huśtawce i udał się na poszukiwanie rodziny. Oraz na odsiecz synowi. Znał żonę i wiedział, jaką sytuację znajdzie za laurowiśnią.

– Sławku! – wyszeptała dramatycznie małżonka. – Ta dziewczyna jest w cią...

Tu zatchnęło ją ostatecznie, ale pan Sławek bez trudu dopowiedział sobie resztę i rozpromienił się jak wielkanocne słońce.

– Gratulacje, synu! Jakże się cieszę! Chodź, chrzanić jajeczka, musimy wznieść toast! Który to miesiąc?

– Jaki toast, chyba zajzajerem! – warknęła małżonka. – Chcesz mieć jakąś Pindelaczkę za synową? Oszalałeś?

– Pindelaczka jest śliczna – oświadczył hrabia małżonek i ojciec rodu. – I ma głowę na swoim miejscu. Bardzo się cieszę, Cypek, naprawdę. Który miesiąc, mówiłeś?

– Nie mówiłem. – Cyprian pozwolił się uściskać i wydobył z ramion ojca. – Tato, mamo, ona nie jest w ciąży. A pobieramy się w maju. Wszystko już załatwione. Ślub konkordatowy, w kościele. Skromny i cichy, tu, na Wyspiańskiego.

Mama D-G przez chwilę wpatrywała się ponuro w kępę fiołków. Znała Cypriana od dwudziestu czterech lat i wiedziała doskonale, że jeśli synuś na coś się uprze, to ona mu tego z pewnością nie wyperswaduje. Wykonała błyskawiczną pracę myślową. Pindelaczka. Budowlaniec. Sposób bycia budowlany, jak najbardziej. Uroda, no, owszem, ujdzie. Nawet pasuje do Cypriana.

Westchnęła.

Może im będzie dobrze razem, kto to wie? Nazwisko dziewczyna w końcu przyjmie po mężu, nie będzie denerwować porządnych ludzi panieńskim.

Ślub.

No, to jest coś. Oczywiście żadne tajniaczenie nie wchodzi w grę. I nie na Pogodnie. Ślub zaplanuje się w katedrze, zaprosi rodzinę, przyjaciół, skromnie, góra sto osób. Miejmy nadzieję, że państwo Pindelactwo nie narobi kłopotów. No nie, będą się przedstawiać tym strasznym nazwiskiem. Boże, już niczym nie można się cieszyć tak po prostu!

Będzie za to okazja do włożenia olśniewającej, zielonosrebrnej kiecki od Versace, do której zakupu zmusiła Bożysława podczas zeszłorocznego pobytu w Mediolanie... Sławek podziwiał katedrę, a ona sklepy. Każdy miał to, co lubił. Ach, no i chyba można wyjąć z kuferka szmaragdowy naszyjnik prababci Grabiszyńskiej (pradziadek szarpnął się na prezent, kiedy wygrał w Monte Carlo... zanim przerżnął tam w ruletkę i bakarata dużą część rodowych posiadłości). Naszyjnik sam w sobie jest dość ostentacyjny, wymaga wielkich uroczystości... No więc będzie uroczystość.

Myśl o ślubie i weselu pocieszyła znacznie panią Kalinę, która ostatecznie pogodziła się z losem. Dała swoim mężczyznom znak do opuszczenia krzaków i wszyscy troje udali się w stronę huśtawki. Jajeczka i inne niespodzianki pochowane w zakamarkach ogrodu poszły chwilowo w niepamięć.

Kiedy Anita usłyszała o skromnym weselu na sto osób, omal się nie udusiła. Oczami duszy zobaczyła natychmiast tę kupę pieniędzy, które trzeba będzie wydać na przystawkę z homara w majonezie, zupę rakową i jesiotra w sosie koperkowym. Nie wiadomo dlaczego akurat taki morski jadłospis przyszedł jej na myśl. Z pewnością był wytworny, choć może nieco jednostajny, za to na pewno cholernie drogi. Wszystko podane na srebrze, złocie i kryształach, pojedyncze brylanty walały się po stole jako dekoracja, a w charakterze serwetek występowały elegancko zwinięte banknoty studolarowe.

Zamknęła oczy, otworzyła i nabrała powietrza, żeby wygłosić swoje zdanie w kwestii własnego przyjęcia weselnego.

Cyprian zdążył ją chwycić za rękę w ostatniej chwili. Zaskoczona, spojrzała na niego i wyraz jego niewinnych, ciemnoniebieskich, a teraz prawie granatowych z przerażenia, oczu powiedział jej wszystko. Zrozumiała, że jej narzeczony, a jednocześnie pewny siebie, swobodny, wesoły i niezależny kolega ze studiów, w domu jest tylko bezradnym przedszkolaczkiem. Przestraszonym kociakiem. Szczeniaczkiem w deszczu pod wiatr. Co to było w deszczu pod wiatr? A, kondukt, u Starszych Panów. Anita uwielbiała Starszych Panów, idoli własnych rodziców. À propos – co na to starszy pan?

Starszy pan Grabiszyński („mów mi Sławek, dziecko, nie będziemy się chyba wygłupiać z jakimś tatusiem") spoglądał na niemą scenę wzrokiem, w którym widoczne było głębokie zrozumienie. No, teść przynajmniej wygląda na porządnego faceta. Ma poczucie humoru, prawdopodobnie dystans... Musi mieć dystans, inaczej by nie wytrzymał.

– Niteczko najdroższa, błagam, nie sprzeciwiaj się jej – szeptał gorąco Cyprian godzinę później, kiedy rodzice udali się na wiosenny spacer, co młodzi szybciutko wykorzystali jak najbardziej prawidłowo. – Boże, jaka ty jesteś śliczna...

– Nie zmieniaj tematu. – Anita energicznie usiadła w rozgrzebanej pościeli. – W życiu nie zgodzę się na jakieś idiotyczne widowisko, i to ze mną w roli głównej! Sto hrabin, które będą się na mnie gapić! Zapomnij!

– Ale jakie sto hrabin! Co ty mówisz...

– No, może i nie sto, bo jeszcze hrabiowie muszą się zmieścić i z pięć osób z mojej rodziny. Cypek, ty pomyślałeś, ile to będzie kosztować? Wolałabym dostać mały samochodzik. Albo duży samochodzik. Hulajnogę z wodotryskiem!

– Kupię ci hulajnogę z wodotryskiem, Anitko. Zarobię i kupię, słowo honoru. A tych pieniędzy, które matka wyda na wesele, i tak przecież nie dostaniemy do garści. Nie dadzą nam, przykro mi bardzo...

– Skąd wiesz?

– Znam mamusię. – Cyprian westchnął rozdzierająco. – Mamusia straszliwie przeżyje odmowę. A konsekwencje poniesie ojciec. Mama gotowa dostać zapaści albo czegoś gorszego. Robiła już takie numery. Skończy się na tym, że to on przyjdzie do nas i będzie nas prosił, żebyśmy dali spokój. Niteczko, błagam, dajmy spokój...

– Cypek, nie bądź pierdołą – powiedziała niecierpliwie Anita i zanurkowała pod satynową kołdrę, co dało natychmiastowy skutek w postaci skierowania rozmowy na zupełnie inne tory. Rozmowa zresztą dość szybko zanikła.

O trzynastej trzydzieści potencjalna panna młoda w bieli opuściła jakże gościnny dom państwa Dolina-Grabiszyńskich, żeby zjeść śniadanie we własnym domu, ze swymi kochanymi i kochającymi, choć budowlanymi, rodzicami i braciszkiem, dobrze zapowiadającym się studentem filozofii – jedyną humanistyczną zakałą rodziny. Opowiedziała im o pomyśle przyszłej teściowej na wesele, czym ubawiła ich setnie. Została też pochwalona za wykazanie zdrowego rozsądku i asertywność. Potem z kolei ona musiała iść na spacer, miała bowiem wrażenie, że za chwilę pęknie od nadmiaru jedzenia. Dodajmy, że Cyprian nie towarzyszył jej, bo dla jego matki nie do pomyślenia byłoby, aby kogoś z rodziny przy takim święcie zabrakło w domu, chociażby na chwilę. Planowany był natomiast powrót Anity na Pogodno w porze kolacyjnej, następnie znów jej oddalenie się w pielesze, gdzie z kolei Cyprian miał ją i jej rodzinę odwiedzić nazajutrz.

W sumie – raczej skomplikowany i zdecydowanie perypatetyczny sposób spędzania świąt.

Przy kolacji – przy doskonałych sałatkach i pieczonym mięsiwie – Anita zebrała się w sobie i odmówiła efektownego ślubu w katedrze grzecznie, ale stanowczo. Wesela na sto osób również. Wyjaśniła powody swojej niezłomnej decyzji: jest osobą skromną, nie znosi blichtru, tłumy ją krępują, jej rodzina nie jest przyzwyczajona do fet na taką skalę. Argument finansowy nie został w ogóle podniesiony: Anita uznała, że nie byłoby to eleganckie.

Podczas jej kunsztownej przemowy Cyprian znowu dostał granatowych oczu, przyszły teść nie powiedział nic, a teściowa westchnęła i złapała się za serce, ale ostatecznie też nic nie powiedziała.

Anita spojrzała na Cypriana z dyskretnym tryumfem. Tak się załatwia trudne sprawy.

O czwartej rano w świąteczny poniedziałek pod willę przy Wojska Polskiego podjechała karetka pogotowia i zabrała panią Kalinę z potężną arytmią do szpitala na Unii Lubelskiej. Strapiony małżonek pojechał razem z nią.

Syn doczekał do ósmej i zadzwonił ze sprawozdaniem do narzeczonej. Początkowo była trochę zła, bo ją obudził, ale zaraz zaczęła słuchać uważnie, a potem kazała mu przyjechać. Szybko był, bo dzięki zapobiegliwości dziadka Pindelaka, pioniera Szczecina w trudnych latach powojennych, rodzina Anity również mieszkała w willi na Pogodnie, na małej, przytulnej ulicy Jana Styki.

– Cypek – zaczęła nieco strapiona Anita. – Ty myślisz, że to z powodu tego ślubu?

Cyprian ponuro pokiwał głową.

– Mama strasznie się przejmuje, kiedy nie może dopiąć swego. Zawsze tak było. Podobno zaczęło się, jak była jeszcze mała. Jest bardzo wrażliwa.

– I co, jeśli się zgodzimy, to jej przejdzie?

Cyprian bez słowa pokiwał głową.

Anita poczuła się do pewnego stopnia zaszantażowana. Wszystko w niej buntowało się przeciw takiemu obrotowi sprawy. Z drugiej jednak strony – jeśli starsza pani (madame Grabiszyńska zabiłaby Anitę, gdyby się dowiedziała, że jest dla niej „starszą panią") przypłaci zdrowiem albo, nie daj Boże, życiem, jej, Anity, stanowczość... Czy warta skórka wyprawki?

Oczami duszy Anita ujrzała jasno oświetlone wnętrze katedry, zebrany w ławkach tłum gości, Cypriana w smokingu... nie, we fraku, przystojnego do obłędu... i siebie, w chmurze tiuli i koronek, z bukietem białych kwiatów w dłoni...

Ileż jest kobiet, które tak naprawdę nie chcą raz w życiu być królową w bieli?

Cyprian wpatrywał się w nią z napięciem.

– Zgadzasz się? Niteczko, skarbie? Zgadzasz się?

Jeżeli się nie zgodzi, a pani Kalina umrze... tfu, odpukać! No, to by już było po wielkiej miłości. Cyprian nie będzie umiał żyć z kobietą, która wykończyła jego matkę.

– No zgadzam się... I co, mam teraz lecieć do szpitala z komunikatem?

Cyprian impetycznie chwycił ją w objęcia, równie impetycznie wypuścił i złapał z kolei telefon komórkowy.

– Ojciec? Anita się zgadza!

Blada i znękana, podłączona do kroplówek z potasem i Bóg wie czym jeszcze pani Kalina obserwowała spod oka swojego męża, odbierającego lakoniczny komunikat.

– Już wszystko wiem – powiedziała słabym głosem, bardzo zadowolona. – Teraz odpocznę.

Zamknęła oczy i najspokojniej w świecie zasnęła. Pan Bożysław osunął się na okropnie niewygodne krzesło, sam bliski stanu przedzawałowego. Kalina kilka razy w życiu urządzała mu takie numery, których jako kochający mąż bał się śmiertelnie, a jako lekarz nie rozumiał. Wyglądało mu na to, że ona potrafi jakimś niewytłumaczalnym nakazem woli rozregulować sobie pracę serca. Na życzenie.

Było tak, istotnie. Kalinka odkryła swoją niezwykłą umiejętność w wieku lat dwunastu, na koloniach letnich, których nienawidziła jak zarazy i na których fatalnie się czuła, zbyt mało podziwiana. Rodzice uważali, że ma fanaberie i że pobyt w górach doskonale jej zrobi. Kalinka pokombinowała, wyobraziła sobie plastycznie całą rodzinę, z mamusią, tatusiem i ukochanym psem na czele, leżącą pokotem i dokładnie nieżywą, wczuła się z całej siły we własne wizje i po pięciu minutach jej serce skakało jak szalone, a gorączka rosła lawinowo. No, może lawina rośnie w przeciwną stronę. W każdym razie następnego dnia tata Muszyński, ciężko przerażony, pędził pożyczonym samochodem (własna syrenka odmówiła współpracy) czterysta kilometrów do jeleniogórskiego szpitala, niepewny, czy zastanie córeczkę żywą. Lekarz mówił mu wprawdzie przez telefon, że zastanie, ale jednocześnie opisał sytuację dość dramatycznie. Dziesięć minut po radosnym powitaniu serce Kaliny przestało się wygłupiać. Rodzice nigdy już nie wysłali jej na kolonie.

Nie powiedziała im, że sama sprowokowała swój stan. Troszkę się przy tym przestraszyła, ale tylko troszkę. O wiele bardziej bawiła ją reakcja otoczenia. Zrozumiała, że ma do dyspozycji tajną broń. Zastosowała ją jeszcze z powodzeniem w kilku sprawach pozornie beznadziejnych. Zawsze okazywały się wcale nie tak beznadziejne, jak wyglądały na początku. Rodzice nie wyobrażali sobie, że mogliby narazić zdrowie ukochanej córeczki. A może nawet i życie! Podobnie jej pierwszy narzeczony, okropny, jak się okazało, nudziarz, którego zmuszona była porzucić. Nawet próbował o nią walczyć, ale pokazała co potrafi i facet wymiękł natychmiast.

W stosunku do męża starała się swojej ulubionej metody nie nadużywać. Ostatecznie był lekarzem i mógł się zorientować. No i prawie się zorientował, co i tak nie zmieniało sytuacji: figle z własnym sercem nie były tak do końca bezpieczne.

– Och, Kalinko – powiedział teraz z potężnym westchnieniem. – Igrasz z ogniem. Kiedyś ja przez ciebie dostanę zawału.

Otworzyła jedno oko i natychmiast zamknęła je w powrotem.

– Bzdury gadasz – mruknęła i po chwili mąż usłyszał znajome i jakże ukochane ciche poświstywanie przez nos. A proponował żonie operację przegrody nosowej, to nie chciała.

Kwadrans później serce pani Kaliny biło równo i spokojnie.

Cyprian tymczasem został przechowany w znanej już sobie dosyć dobrze sypialni Anity do kolejnego świątecznego śniadania. Zanim jednak ono nastąpiło, biedny Cypek przeżył następny wstrząs. Anita zresztą również. Otóż młody Stasinek Pindelak, z upodobaniem kultywujący niektóre staropolskie tradycje, wszedł na paluszkach do sypialni siostry, odchylił z rozmachem kołdrę na jej łóżku i zanim zdążył zauważyć, że znajdują się tam dwie osoby, chlusnął hojnie z trzymanego w ręce garnka, wrzeszcząc jednocześnie:

– Śmigus-dyngus!

Drugi okrzyk tego typu uwiązł mu w krtani. Anita i Cypek wrzasnęli za to z całej siły.

– Idiota! – To Anita.

– Jezus, Maria! – To Cyprian.

– O, w mordę jeża – wymamrotał Stasinek, nie mogąc powstrzymać chichotu. – Sorry, ludzie, nie wiedziałem... swoją drogą, nieczujni jesteście, trzeba było drzwi zamknąć... Już idę, już mnie nie ma...

Kochankowie zrezygnowali z ciągu dalszego w kompletnie zmoczonej pościeli, wygrzebali się z niej i usiedli na suchym brzegu łóżka. Po chwili zza drzwi dobiegł ryk Stasinka, dopadniętego jednocześnie przez tatusia i mamusię, też wesołych wyznawców tradycji.

– Dlaczego nie zabiłaś go, kiedy był jeszcze malutki – pożalił się Cyprian. – Nie wiem, czy przez tego idiotę nie straciłem... tego... potencji. Z przestraszenia.

– No. I nie wiadomo, czy będziemy mogli mieć dzieci po takim szoku.

Spojrzeli po sobie i wybuchnęli śmiechem.

Czasami mówi się różne rzeczy w tak zwaną złą godzinę.

⁂

Pierwsze słowa na temat nieodzowności posiadania potomka, który odziedziczyłby szlachetne nazwisko Dolina-Grabiszyńskich, usłyszała Anita w dzień ślubu z Cyprianem. Wcześniej pani Kalina uważałaby takie aluzje za wulgarne, ale natychmiast kiedy młodzi odeszli od ołtarza – w katedrze, ma się rozumieć, w obecności półtorej setki zaproszonych – wzruszona do łez matka i teściowa życzyła nowiutkiej synowej gromadki prześlicznych dzieciaczków.

– Zrobi się – powiedziała beztrosko Anita, szalenie zadowolona ze swojego wyglądu królowej. Koronkową suknię zafundował jej osobisty ojciec, który uważał, że jeśli już musi oddać ukochaną córeczkę obcemu facetowi, to odda mu ją w pełnej krasie, a niech mu gały wyjdą na wierzch. Zięciowi, znaczy. Wypruł więc z siebie żyły, a konkretnie poświęcił dawno hodowanego zaskórniaka, i zaprosił szczęśliwą narzeczoną do stosownego domu mody.

– Dziecko – powiedział na jego progu. – Dziecko moje kochane. Nie będą cię te wszystkie hrabiowskie pociotki palcami wytykać. Nic nie mów. Ja wiem, że szkoda pieniędzy. Ale tak naprawdę nie szkoda. – Tu trochę się zapętlił. – Nieważne, wiesz, co mam na myśli. I tak jest nam głupio, że to całe weselisko oni fundują, a nie my, jako rodzice panny młodej. Więc chociaż kieckę musisz mieć odpowiednią. Prawda, Loniu?

– Prawda, Mareczku – odrzekła lojalna małżonka, która właśnie porzuciła nadzieję na mały remont małego domku przy małej uliczce Jana Styki. Mężowski zaskórniak plus jej własne boki powinny jak raz wystarczyć. Ale co tam, chałupa jeszcze się nie rozlatuje, a Anitka musi mieć prezencję.

Dodajmy tu, że państwo Pindelakowie w najmniejszym stopniu nie byli snobami, nie mieli też kompleksów. Mieli natomiast doskonale rozwinięte poczucie proporcji i przy tym ułańską fantazję. Byli w stanie bez żalu zamienić perspektywy remontowe na ślubną suknię dla ukochanej córki.

No więc Anitka miała prezencję. Rodzice, ujrzawszy córkę w kościele w charakterze białego anioła (dokładniej: anioła ecrú), popłakali się zgodnie, ale szybko się pozbierali, bo przecież ojciec musiał ją poprowadzić do ołtarza. Na tę okoliczność pożyczył frak od zaprzyjaźnionego waltornisty filharmonicznego, który akurat tego dnia miał wolne. Anita była z niego dumna – wyglądał o wiele piękniej od teścia, który też był we fraku, ale miał gorszą figurę.

– Mamo, tato, wyglądacie bosko, lepiej od tych wszystkich Grabiszyńskich – wymamrotała pospiesznie, kiedy przyszła kolej na składanie życzeń i rodzice objęli ją domowym zwyczajem oboje naraz. – Z Cypusiem włącznie...

– Nie grzesz, dziecko – odmamrotała zdławionym głosem matka. – Cypek jest w porządku. Kochana, wiesz, czego mogą ci życzyć twoi starzy rodzice...

– Mów za siebie, Lonieczko – obruszył się jej mąż. – Ja tam stary nie jestem. Dziecinko kochana, szczęścia, szczęścia i jeszcze raz szczęścia. Jeśli on ci go nie da, ja mu dam po mordzie...

– Tylko nie bądźcie zanadto wyrywni w sprawie dzieci – przestrzegła kochająca matka. – Bo ja nie mam zadatków na dobrą babcię, a przecież musicie najpierw pożyć trochę, nacieszyć się sobą... Nie spieszcie się, ja wam to mówię!

Tu wzruszeni państwo Pindelakowie musieli ustąpić miejsca świeżo upieczonym teściom kochanej Anitki, których życzenia, wyrażone przez panią Kalinę, rzecznika prasowego rodziny, były, jak wiemy, diametralnie różne. Teść Bożysław zwany Sławkiem ograniczył się do standardowych uścisków, za to niewątpliwie szczerych i serdecznych.

Wesele odbyło się w wynajętym pałacu w Maciejewie. Anita, raz odżałowawszy tę kosmiczną forsę, którą musiało kosztować (nie ją zresztą), bawiła się doskonale, zwłaszcza że udało się przemycić w skład zaproszonych gości kilkunastu kolegów z architektury. Cypek był szczęśliwy, czuły i pełen zapału. W noc poślubną śpiewały im zza otwartego okna całe stada słowików, zapewne stanowiących stałe wyposażenie okolicznych krzaków bzu. Bez pachniał, ma się rozumieć. Księżyc świecił. Wszystkie wróżby na przyszłość wyglądały wspaniale.

I rzeczywiście – wyglądało na to, że ślub Anity i Cypriana zapoczątkował szereg pomyślnych wydarzeń w życiu tych młodych ludzi.

Przede wszystkim kilka miesięcy później oboje *summa cum laude* zakończyli studia na Politechnice Szczecińskiej. Dyplomy mieli bardzo przyzwoite, Anita dostała nawet propozycję pozostania na uczelni, ale praca naukowa to nie było to, o czym oboje myśleli. Od roku czekało na nich troje starszych kolegów, z którymi już dawno zamierzali założyć własne biuro projektów.

Postanowili skoncentrować się na projektowaniu domków jednorodzinnych różnej wielkości i o różnym standardzie, wychodząc ze słusznego założenia, że lud polski (a przynajmniej znacząca jego część) się bogaci, a zatem będzie chciał się również budować. Zapał twórczy młodych ludzi oraz ich niechęć do konwencji i niewątpliwe talenty zawodowe sprawiły, iż firma o wdzięcznej, nieco japońskiej w brzmieniu nazwie „Mata chatę" dość szybko zaczęła przynosić dochody. Może nie była to jeszcze magnacka fortuna, ale robiło się coraz przyzwoiciej.

Byłoby zupełnie wspaniale, gdyby nie to, że firma mieściła się w połowie obszernej willi, której drugą połowę zamieszkiwali teściowie Grabiszyńscy. Anita miała nadzieję, że w miarę szybko przeniosą się z Cyprianem do jakiegoś własnego domu, tylko że na to potrzebne były pieniądze, których jeszcze nie mieli. Kredytu nie chcieli brać. Gdyby ich sytuacja zmusiła, pewnie by wzięli, ale byłoby głupotą nie skorzystać z tej połówki po dziadkach... odkąd dziadek zmarł, babcia Dobrochna i tak mieszkała u syna, w pokoju na parterze. Willa miała rewelacyjną lokalizację, w dobrej dzielnicy, na pryncypialnej ulicy miasta Szczecina. Doskonały adres dla firmy.

Ciężko wzdychając, Anita pogodziła się z sytuacją i na piętrze owej połówki urządziła rozkoszne gniazdko dla siebie i swojego nowego, nad wyraz przyjemnego męża. Na parterze działało biuro architektoniczne „Mata chatę", zdobywające już pierwsze intratne zlecenia i pierwsze uznanie na rynku. Pani Kalina przyszła kiedyś na małą inspekcję, pokręciła noskiem na nowoczesne meble i resztę urządzenia biura, niemniej zmilczała. Na piętrze jednak trudniej jej było nic nie powiedzieć, kiedy zobaczyła to całe powietrze hulające w miejscach, gdzie jeszcze niedawno stały gromady rodzinnych szaf, kanap i foteli. Fałszywe ludwiki i prawdziwe bidermajery wyniesiono na strych, ustawiono w grzecznym rządku w towarzystwie torebek antymolowych i ładnie przykryto pokrowcami. Na pokojach zostało kilka naprawdę niezbędnych sprzętów. Z okien poznikały ciężkie story, zastąpione obecnie przez zwiewne i minimalistyczne firanki z jasnobłękitnej organzy. Nie było ani jednego dywanu!

– Ojej... – Pani Kalina złożyła buzię w ciup. – Nic tu nie ma... Dzieci kochane, a pomyśleliście, jak przykro będzie babci Dobrochnie, jeśli was kiedyś przypadkiem odwiedzi?

– Babcia Dobrochna była zachwycona – odpowiedziała bezczelnie synowa. – Omówiłam z nią wszystkie zmiany bardzo dokładnie i prosiłam ją o radę. Powiedziała, że nigdy nie miała odwagi, żeby rozwalić ten cały skład meblowy, bo jej kochany Bożydarek był przywiązany do każdego krzesła i każdej żardinierki z osobna. Tak powiedziała. Słowo daję, mamo. I była u nas kilka razy. I to ona poradziła, żeby wszystkie story oddać do schroniska dla bezdomnych kotów...

– Bezdomnych kotów – powtórzyła jak echo pani Kalina.

– No właśnie. – Anita zamrugała długimi rzęsami. – Niektóre całkiem się rozlatywały. Nie koty. Zasłony.

Pani Kalina poddała się. Nie w każdej dziedzinie jednak!

– Anitko, kochana – zagadnęła z miłym wyrazem twarzy. – Ja tu przecież nie przyszłam z inspekcją. Zresztą jest bardzo ładnie. A poczęstowałabyś mnie kawą? Chciałabym pogadać...

– Jasne, z przyjemnością!

Anita ruszyła do kuchni i wzięła się do parzenia kawy. Uczucia miała cokolwiek mieszane. Teściowa potrafiła być urocza i najczęściej taka właśnie była. Czasami jednak dawała popalić. Ciekawe, o co jej tym razem chodzi. Może uważa, że ona, Anita, nie dba o jej ukochanego synusia. Cypek ostatnio ładnie zeszczuplał na lekkostrawnym wikcie swojej nowoczesnej żony, która nie robiła zawiesistych sosów ani pożywnych zupek, za to pchała w niego wielokolorowe sałatki i warzywa w każdej postaci.

Pani Kalina nie miała zamiaru – tym razem! – pouczać synowej w sprawie jedzenia, chociaż brak ciasteczek do kawy zauważyła natychmiast. A Cyprianek tak lubił ciasteczka! W domu zawsze były. Były, są i będą!

Do pani Kaliny nie dotarła jeszcze świadomość, że Cyprian od jakiegoś czasu ma własny dom, a do rodziców może, najwyżej, przychodzić w odwiedziny.

– Anitko... chciałam z tobą porozmawiać o jednej bardzo ważnej rzeczy. I dobrze, że Cypriana nie ma, bo to by było trochę krępujące, a tak między nami kobietami... Swoją drogą, gdzie on jest? Chyba powinien już być w domu o tej porze?

Dochodziła dziewiętnasta.

– Cypek poszedł na wódkę, mamo. Męski wieczorek. Jego ukochany kumpel z liceum na dniach się żeni i dzisiaj chłopcy będą to czcić po swojemu.

– Ukochany kumpel? Który? Na pewno go znam!

– Pewnie tak. Karaluch.

– Ach, Mireczek Karolak, oczywiście, że znam. Zawsze miałam wrażenie, że on jest upośledzony umysłowo, ale Cyprian twierdził, że nic podobnego. Anitko, przecież nie będziemy rozmawiać o Karolaku. Słuchaj, kochana moja, chciałabym cię zapytać, dlaczego ty jeszcze nie jesteś w ciąży?

W Anitę jakby piorun strzelił. Teściowa potrafiła być bezpośrednia.

Teściowa kontynuowała dobrotliwym tonem:

– Bo wiesz, skarbie, jesteście małżeństwem już dziewięć miesięcy. Dziewięć miesięcy – powtórzyła z naciskiem. – Za chwilę powinnam piastować mojego pierwszego wnuka. Jeżeli nie już. Czy ty, kochanie, nie masz, Boże broń, jakichś kłopotów z zajściem w ciążę?

– Nie mam żadnych kłopotów, mamo. Stosujemy antykoncepcję.

– Jezus, Maria!

Teściowa aż się żachnęła. Synowa spojrzała na nią z lekkim zaniepokojeniem, ale na atak arytmii jeszcze to nie wyglądało.

– Dlaczego „Jezus, Maria", mamo? Uważamy, że jeszcze nie pora na dziecko. Dopiero co się pobieraliśmy. Rozkręcaliśmy firmę. Budowaliśmy nasz wspólny dom. Nie dosłownie, mama rozumie.

– Rozumiem. – Pani Kalina postanowiła nie dostawać arytmii, tylko przemówić synowej do rozumu. – Ale teraz, kochana, już się pobraliście, rozkręciliście firmę, aż dziw bierze, jak sprawnie... no i ten dom też chyba zbudowaliście, prawda?

Na gruzach rodzinnego domostwa przodków – chciała dodać, ale się powstrzymała. Ta Dobrochna! Stara a głupia. To jest, tego, nierozsądna. Kalina nigdy jej tak naprawdę nie polubiła. Swojego czasu, kiedy wychodziła za Bożysława, teściowa Dobrochna tylko wznosiła oczy do nieba ze zgrozą. Dla niej to Kalina była mało dobra dla synusia! No tak, może teraz Anita jest jakąś formą kary boskiej. Tak czy inaczej trzeba jej przetłumaczyć to i owo.

Synowa siedziała na fotelu wyprostowana jak struna i patrzyła na teściową wyzywająco. W tym jej spojrzeniu wyraźne było pytanie: no to co?

– Powiem prosto i krótko, moja droga. Gdybyś wyszła za któregokolwiek swojego kolegę ze studiów albo z liceum, albo nie wiem skąd, z podwórka, to może nie miałoby znaczenia, czy chcesz mieć dziecko czy nie. Ale jesteś żoną Cypriana. Cypriana hrabiego Dolina-Grabiszyńskiego. Nie wyobrażasz sobie nawet, jakie posiadłości miała rodzina swojego czasu na kresach, jakie majątki!

– Miała, ale nie ma – nie wytrzymała Anita. – Ustrój się zmienił geopolityczny. Nawet gdybym natychmiast urodziła tu dziecko, to i tak nie miałoby co odziedziczyć, proszę mamy.

Specjalnie tak powiedziała – proszę mamy, z lekką drwiną. Teściowa łypnęła na nią groźnie.

– Nazwisko – syknęła. – Nazwisko czeka na swojego dziedzica! Tobie się może wydaje, że taka jesteś młoda, a ty wcale młoda już nie jesteś. Dwadzieścia pięć lat. Ostatni gwizdek, żeby urodzić zdrowego potomka!

Anita doskonale wiedziała, że to bzdura z tym gwizdkiem, ale i tak zrobiło jej się nieprzyjemnie.

– Cyprian jest jedynym młodym mężczyzną w rodzinie, spadkobiercą nazwiska – kontynuowała teściowa. – Ma obowiązek wobec swoich przodków, senatorów Rzeczypospolitej! Ma obowiązek spłodzić syna, żeby nazwisko nie zginęło, jak wiele innych znakomitych nazwisk. A jego żona ma obowiązek tego syna urodzić!

Anita, trafiona senatorami Rzeczypospolitej, uznała, że teściowa posunęła się za daleko.

– Jakie mam obowiązki, to sama wiem najlepiej, proszę mamy. Jesteśmy dorośli oboje z Cypkiem i sami zadecydujemy, kiedy będziemy mieli dzieci. Oraz czy w ogóle będziemy je mieli!

Ostatnie zdanie dodała dla zasady, bo tak naprawdę planowali z Cypkiem rozmnożenie się – w jakiejś niedającej się przewidzieć, lecz niezbyt dalekiej przyszłości.

– Ach, tak! – zawołała teściowa cokolwiek zduszonym głosem. – Bierzesz na siebie odpowiedzialność za to, że ród zginie bezpowrotnie? Taka jesteś? Biedny Cyprian! Biedny mój syn!

Wydało jej się, że trochę przeholowała z ekspresją, ale już nie pora było cokolwiek naprawiać. Spektakularnie złapała się za okolice serca i chwiejnym krokiem opuściła mieszkanie na piętrze. Kiedy była pewna, że Anita jej nie widzi, krok jej znormalniał. Takim normalnym przemaszerowała przez ogródek, weszła do własnego mieszkania, upewniła się, że mąż Bożysław jest już obecny, po czym zachwiała się i dostała ataku.

– To są jakieś jaja – orzekła autorytatywnie nieco rozśmieszona Eliza Trumbiak. Eliza była osobą z natury autorytatywną. – Jeśli ona wam wykituje, będziesz winna jej śmierci.

– Odpukaj natychmiast i spluń trzy razy przez lewe ramię! Bo powiem ci, Elizka, że tym razem było dość strasznie, nie mogli jej z tej arytmii wyprowadzić w szpitalu! Teść osiwiał do reszty. Jemu zresztą jest bardzo przystojnie z taką siwizną. W ogóle fajny ten mój teść Sławek.

Przyjaciółki siedziały w najciemniejszym kącie restauracyjki „Bohema" i walczyły z długim makaronem. Przy okazji Anita opowiadała Elizie swoje ostatnie przeżycia rodzinne. Eliza błyskała okularami, jadła makaron z krewetkami i innym morskim badziewiem (tak to nazywała) i zastanawiała się, co by tu koleżance doradzić.

Swojego czasu, a konkretnie w latach licealnych, były papużkami nierozłączkami. Eliza wraz z rodzicami, parą sympatycznych nauczycieli, przyjechała do Szczecina z Dąbrowy Górniczej, kiedy była w pierwszej klasie liceum. Bardzo to przeżyła, zostawiając za sobą dawną szkołę i przyjaciół, nie miała jednak żadnej możliwości manewru. Zarówno matka, jak i ojciec poważnie zaniemogli na płuca, co stało się, oczywiście, w wyniku całego życia i życia poprzednich pokoleń w kopalnianym i przemysłowym środowisku. W familii Trumbiaków jedynie najmłodsza córeczka nie biegała jeszcze z inhalatorem przy ustach. Państwo Trumbiakowie postanowili jej tego oszczędzić, przy okazji ratując nędzne resztki własnego zdrowia i życia. Zamieszkali w Zdunowie, zielonej dzielnicy Szczecina, wreszcie w cieniu wysokich sosen, a nie w cieniu kominów. Pracę oboje znaleźli w Dąbiu. Eliza jednak nie chciała chodzić do tej samej szkoły i w rezultacie znalazła się w słynnej szczecińskiej Jedynce. Podobnie jak Anita Pindelakówna.

Polubiły się prawdopodobnie na zasadzie przyciągania kontrastów. Były różne nawet fizycznie. Anita – hoża ciemnopopielata blondyneczka o rozwichrzonej czuprynie, i Eliza – drobna, ciemna, gładka, w okularach skrywających spojrzenie. Anita kochała wszystkich i wszystko, Eliza była nieufna i niezbyt lubiła ludzi, poczynając od swoich rodziców. Anita nie mogła tego zrozumieć, państwo Trumbiakowie bowiem byli naprawdę mili i ona sama za nimi przepadała. Podobnie jak za własnymi rodzicami, z którymi była głęboko zaprzyjaźniona.

Uczyły się doskonale, były zdolne i miały rozliczne talenta. Po maturze siłą rzeczy musiały się rozstać; Anita poszła na swoją wymarzoną architekturę, podczas gdy Eliza wybrała polonistykę i wyjechała do Poznania, szukać uniwersytetu lepszego niż młody szczeciński. Anicie tutejsza politechnika wystarczała w zupełności.

Spotykały się rzadziej, ale przyjaźń wciąż kwitła. No i teraz wyglądało na to, że znowu będą blisko siebie, bo Eliza po dyplomie wróciła do Szczecina, pracować na tym samym uniwersytecie, którym kiedyś pogardziła. Wyglądało na to, że Poznań zrobił jej jakąś krzywdę. Nie chciała o tym mówić. Anita podejrzewała, że jest to raczej sprawa męsko-damska aniżeli uczelniana.

W istocie, była to sprawa męsko-damska, w seksownej i eleganckiej postaci pewnego asystenta z wydziału historii. Niestety, amant ów po kilku cudownych spotkaniach stwierdził, że własna żona daje mu więcej satysfakcji niż Eliza, i tak się owa trywialna do bólu przygoda zakończyła. Komplikacją ze strony Elizy była prawdziwa, wielka, obezwładniająca miłość, w jaką dziewczyna zdążyła się wpakować. Komunikat o istnieniu żony był dla niej nie lada szokiem. Znienawidziła seksownego asystenta tak bardzo, jak bardzo go kochała. Znienawidziła też Poznań i przy okazji pogłębiła się w niej nienawiść do ludzkości ogólnie.

Z wyjątkiem Anity i może jeszcze kilku osób. Niewielu.

Chociaż, prawdę mówiąc, odkąd Anita została szczęśliwą żoną ciężko zakochanego w niej Cypriana, Eliza lubiła ją jakby mniej. No, bądźmy naprawdę uczciwi: nie lubiła jej wcale. Była na nią wściekła. Przyjaciółka, której powiodło się w miłości, podczas kiedy ona, Eliza, przeżyła tak koszmarne rozczarowanie, taki zawód – stanowiła dla niej osobistą obrazę. Hamowała jednak uczucia i nie dawała po sobie poznać, co ją nurtuje. Postanowiła poczekać, aż Anita też się na czymś pośliźnie. Nie miała aż tak wielu przyjaciółek, żeby nimi rozrzutnie szafować.

– Słuchaj, Nitka – powiedziała teraz z namysłem, estetycznie zagarniając resztę sosu pomidorowego. – No to może po prostu zróbcie sobie to dziecko i będziecie je mieli z głowy.

– Zastanawialiśmy się nad tym – jęknęła Anita. – To by mnie na jakiś czas wykluczyło z roboty. I z życia w ogóle. Ja nie chcę jeszcze zakopywać się w zupkach!

– W zupkach to chyba topić – zauważyła logicznie Eliza. – Może tak od razu byś się nie utopiła. Chociaż kaszka to chyba może wessać, jak bagno! – Zachichotała. – Podobno fajnie jest mieć dziecko. Ja tam nie wiem, mnie nie ciągnie. Ale ja nie mam męża ani rodziny. Ja sobie mogę być sawantką.

– Co to znaczy, bo nie pamiętam?

– Kobietą uczoną – wyjaśniła Eliza, trzepocząc ciemnymi rzęsami. – Ty nie masz do tego predyspozycji...

– Ja jestem prostym inżynierem – jęknęła Anita. – Wiesz, jak nam się fajnie teraz pracuje? Mamy zlecenia! Zespół nam się ładnie zgrał! Odkąd Zbysio odszedł, a Krzysio przyszedł, to już po prostu wszyscy z dzióbków sobie jedzą! Konkurs chcemy wygrać na osiedle domków jednorodzinnych, takie rozwojowe, wiesz, że można dobudowywać i doklejać te kolejne domki, i nie robi się przez to brzydko. Mamy naprawdę piękną koncepcję! No, bosko jest po prostu!

Eliza wiedziała, że jest bosko, bo słyszała to od przyjaciółki na bieżąco. To ją też denerwowało. Ona nie miała w pracy bosko. Studenci byli po prostu beznadziejni, beznadziejni, prawie tak beznadziejni jak jej płaca! O kolegach lepiej nie mówić. Naukawcy – jak ich pogardliwie nazywała. Beztalencia. No i głównie baby. Żeby chociaż pieniądze były jakie takie!

– Chcę się wyprowadzić od rodziców – zmieniła niespodziewanie temat. – Nie wiesz czegoś o niekrępującym mieszkanku? Nie za drogim, ale gdzieś w centrum?

– Nic nie wiem. Popytam. Jak się dowiem, to ci powiem.

⁂

– Kalinko droga, jak się czujesz?

– Lepiej – wyszemrała pani Kalina, już w domowych pieleszach, na własnej kanapie, otulona własnym cieniutkim i cieplutkim pledem w koty. – Naprawdę lepiej. Już nie musisz się martwić, Sławku. Jesteś bardzo kochany – dodała, mrużąc oczy.

Ten numer zawsze działał pozytywnie na męża, który miał zobaczyć, jak dzielna jest jego żona, chociaż tak naprawdę słania się na nogach. O ile można się słaniać w pozycji półleżącej. Bożysław powinien teraz wzruszyć się do głębi i obdarzyć małżonkę ostrożnym pocałunkiem oraz uściskiem.

Jakość otrzymanego całusa i pewna zdawkowość ucisku zaniepokoiły nieco panią Kalinę. Miała nadzieję, że Sławek nie zacznie jej teraz piłować w sprawie tych kardiologicznych objawów na życzenie. Próbował już wiele razy, ale zawsze przysięgała z prawdą w głosie, że TO się samo robi.

Niestety, znowu zaczął. Usiadł naprzeciwko niej na krześle, pochylił się ku niej, a wyraz twarzy miał poważny.

– Kalinko, słuchaj, chciałbym porozmawiać...

Westchnęła głęboko.

– Sławku, proszę cię... Ty mi nie wierzysz, ale ja naprawdę nie robię sobie TEGO sama. Czy ja wyglądam na fakira, który potrafi wydawać polecenia swoim narządom wewnętrznym?

– Kochana, ja już nic nie wiem. Może jesteś fakirem. Ale jeśli nie jesteś, to uważaj. Oni potrafią wprowadzić się w różne stany i potrafią się z nich wyprowadzić. Weź pod uwagę, że kiedyś może ci się nie udać powrót. Powrót, mówię. Wpakujesz się w kłopoty, z którymi lekarze mogą sobie nie poradzić.

Pani Kalina przybrała pozę więdnącej lilii.

– Jak ty w ogóle możesz tak do mnie mówić? Uważasz, że gram komedię? Czy ciebie w ogóle nie obchodzi, że ród może wygasnąć bezpotomnie? Setki lat! Setki lat tradycji! Ja nie mogę do tego dopuścić! Ta dziewczyna kompletnie nie ma świadomości, jaką wzięła na siebie odpowiedzialność! No więc ja się przejmuję – zakończyła dobitnie tę płomienną przemowę.

– Kobieto, dajże im pożyć! – Pan Bożysław na swój łagodny sposób wyraził zniecierpliwienie. – O tym też chciałem z tobą porozmawiać. Ile czasu są małżeństwem? Kilka miesięcy. Założyli tę firmę. Ładnie wystartowali. Niech okrzepną. Na dziecko mają jeszcze mnóstwo czasu.

Pani Kalina przez dwie sekundy zastanawiała się, czyby nie dostać kolejnego ataku, ale jej małżonek wstał z krzesła i wyszedł, zanim zdążyła podjąć decyzję.

– Chciał porozmawiać – mruknęła do siebie ironicznie. – Powiedział dwa zdania i poszedł sobie.

Odrzuciła pled w koty i spojrzała z zadowoleniem na własne nogi. Były najzupełniej w porządku. Wyjątkowo w porządku, można by powiedzieć. W tym wieku mało która baba ma takie nogi.

– Chłopcy i dziewczynki, nie wiecie czegoś o mieszkaniu w centrum miasta i najlepiej za darmo?

Z tym pytaniem na ustach Anita weszła do pracowni i natychmiast została wyśmiana przez cały zespół z wyjątkiem własnego męża, który był nieobecny, bo miał coś do załatwienia w Urzędzie Miejskim.

– Rozumiem – rzekła pogodnie Anita, odpalając komputer. – Jednakowoż gdybyście się czegoś dowiedzieli, to miejcie na uwadze moją przyjaciółkę, kulturalną osobę, polonistkę z uniwerku. Cicha, spokojna, nie wadzi nikomu.

– Będziemy szukać – zapewnił ją w imieniu wszystkich Krzysztof Idzikowski, nie przerywając klikania myszą. – Rozumiem, że ta twoja kumpelasia zarabia jakieś grosze? Jak to na uczelni? Tanio ma być?

– No właśnie. O matko, co to jest?

W pokoju rozległo się coś jakby głośne miauknięcie. Nikt oprócz Anity nim się nie przejął, tylko Krzysztof porzucił myszkę i wstał od komputera.

– Młody Idzikowski się obudził – wyjaśnił i wytoczył zza biurka wózeczek. – Ja dzisiaj jestem tatuś karmiący. Justyna musiała jechać do lekarza, bo złamała sobie mały palec u nogi. Albo zwichnęła.

– Kopnęła kociątko? – spytał niewinnym tonem Henio Ryba, nadzieja polskiej architektury.

– Kopnęła kółko od wózka, bo się nie chciało odblokować – odrzekł Krzysio i fachowym gestem sprawdził pampersa.

– Zlał się? – Henio był bezpośredni.

– Nie, na szczęście. Dam mu żarcia, to zaśnie. Prawdziwy mężczyzna z niego.

Troskliwy tatuś wydobył z głębi wózka buteleczkę i pomachał synowi przed nosem. Dziecko rozpromieniło się natychmiast i wyciągnęło rączki.

– Patrz, jaki komunikatywny, skubaniutki – zachwycił się Henio. – Fajny taki stworek mały. Mordasek! Nitka, widziałaś?

Anita podeszła do wózka i zajrzała do środka. Młody Idzikowski wyglądał pogodnie i papuśnie. Na widok nowej damskiej twarzy mlasnął smakowicie.

– Mówiłem, że to prawdziwy facet. Spodobałaś mu się, Anitko. Chodź, Dżunior.

Krzysztof sprawnie wydobył syna z wózka, umieścił go na swoim lewym ramieniu i podał mu butelkę. Młody przyssał się do niej natychmiast. Henio, zafascynowany, obserwował tę rodzinną scenkę z zaciekawieniem i aprobatą. Heniowa Sylwia uśmiechała się od swojego komputera. Anita spoglądała to na Dżuniora, całkowicie zajętego butelką, to na dwóch mężczyzn, całkowicie zajętych Dżuniorem. Kurczę, do twarzy facetom z takim maluchem. Ciekawe, jak wyglądałby Cypek z podobnym Dżuniorem? Swoim, oczywiście.

Jakiś czas później Anita zarządziła naradę rodzinną.

– Mam lecieć po rodziców i babcię czy pójdziemy do nich? – spytał Cypek, przebierając się w miękki domowy sweter koloru szaroniebieskiego. Wyglądał w nim bardzo przystojnie i milutko jednocześnie. Anita czasem go pożyczała i wtedy ona wyglądała milutko, chociaż musiała zawijać rękawy.

Gapiła się teraz na niego i rozmyślała. Jego pytanie dotarło do niej z pewnym opóźnieniem, dopiero kiedy je powtórzył.

– Nie, nie. Nic z tych rzeczy. My się musimy ponaradzać. Sami. Zrobię herbaty z soczkiem malinowym, chcesz? I zabierz łapy. Na pieszczoszki przyjdzie czas. Musimy się poważnie sprężyć umysłowo.

– Weź te ręce, nie rób tego więcej! – zaśpiewał Cypek, okropnie fałszując. – Nie dotykaj mnie TUTAJ! Weź te ręce, nie rób tego więcej, na twe ręce czeka HUTAAAAA!

Oboje uwielbiali Czerwonego Tulipana i znali na pamięć wszystkie, co do jednej, Tulipanowe piosenki, te zabawne i te liryczne. Anita powinna była teraz podłączyć się do pieśni, ale nie zrobiła tego, co było dla Cypriana znakiem, że sprawa, o której żona chce z nim rozmawiać, jest naprawdę poważna.

– Nowa Huta pod Krakowem... – dośpiewał niepewnie i zamilkł.

Anita postawiła filiżanki na stole. Nie obok kanapy, na której pewnie dość szybko dyskusja straciłaby swoją powagę. Na dużym stole obiadowym.

– Już się zaczynam bać – powiedział Cypek, lejąc herbatę z uroczego bawarskiego dzbanka, podarowanego im przez babcię Dobrochnę. – Mam nadzieję, że nic się złego nie stało...

– Nie. W ogóle nic się nie stało. Myślę i myślę.

– No to się jednak stało! – Cypek podniósł figlarnie jedną brew, ale Anita nie zareagowała na subtelny dowcip.

– O dziecku.

Cyprian zamarł z filiżanką przy ustach. Zrezygnował z łyknięcia herbaty i ostrożnie postawił filiżankę na spodku. Anita patrzyła na niego dużymi oczami. Wciąż uwielbiał te jej oczy i zastanawiał się, czy będzie je tak uwielbiał do śmierci czy może jednak nieco krócej.

– Ty o tym nie myślałeś?

– Myślałem. W zasadzie przez mamę, bo tak w ogóle to... Rozumiesz, Niteczko, ja mam świadomość, że mama stosuje taki swój szantaż, terror, nie wiem, jak to nazwać. Miałem męską rozmowę z ojcem i on uważa, że mama steruje własnym sercem, jak chce. I on się boi, że kiedyś może nad nim nie zapanować.

Że to się skończy zawałem albo nie wiadomo czym. Ale przecież nie planowaliśmy teraz dziecka, więc ja nie wiem...

– Ja też nie wiem. Zaczęłam się zastanawiać. Patrz, Krzyśki mają niemowlaka i jakoś żyją i pracują. Jak byli w sytuacji awaryjnej, to się Krzysio pozajmował Dżuniorem i nic złego się nie stało. My przecież pracujemy w tej samej firmie, co Krzysiek. Możemy sobie pozwolić na elastyczność. Bo wiesz, ja się jeszcze zastanawiałam, czy to przypadkiem nie jest prawda z tym wiekiem. Rozmawiałam z moją ginekolożką. Ona mówi, że jestem w najlepszym wieku. Cypek, ty chciałbyś mieć dziecko?

Cyprian ponownie odstawił filiżankę, z której nie zdążył się napić. Coś go złapało za gardło. Kiedy Idzikowski Dżunior wizytował ich pracownię, on sam, Cypek, wpadł do firmy dość późno i dość wkurzony, po kilkugodzinnym załatwianiu prostej sprawy w urzędzie – no i zobaczył tego śmiesznego małego facecika w seledynowym wdzianku kontrastującym z różowymi policzkami, zezującego dokoła z zadowoleniem. Wkurzenie jakoś mu minęło. Pomyślał wtedy o własnym dziecku po raz pierwszy nie jak o przeszkodzie w karierze i życiu przyjemnym. Pomyślał o dziecku jak o dziecku. Krew z krwi i kość z kości. Jego i Anity.

– Myślałem o tym – powiedział teraz i wreszcie napił się herbaty, podczas gdy żona przyglądała mu się uważnie i nie mówiła nic. – Sama wiesz, że argumenty mojej matki stoją w mojej osobistej hierarchii wartości na ostatnim miejscu. Nazwisko nie ma dla mnie znaczenia. Mógłbym się nazywać Jakub Szela albo Kubuś Puchatek i być potomkiem Króla Lula albo Ojca Wirgiliusza, wisi mi to, generalnie rzecz biorąc. Mam wrażenie, że tobie też.

Kiwnęła głową. Kiedy zdecydowała się wyjść za niego, to wychodziła nie za hrabiego, tylko za Cypka, który miał tajny tytuł ciacha roku trzykrotnie przyznany przez gremium studentek Wydziału Budownictwa i Architektury, uroczego kolegę, inteligentnego człowieka z cudnym poczuciem humoru, talenciarza i boskiego amanta. To były sprawy ważne. I rzeczywiście mógłby się nazywać Kubuś Puchatek, chociaż z drugiej strony trzeba przyznać, że teść Bożysławek jest nadzwyczaj sympatyczny i w zasadzie miło, że się na niego trafiło. Rym-cym-cym. W przeciwieństwie do teściowej, która jest pretensjonalną starą pudernicą.

Jak widzimy, Anita nie tylko mówiła, ale również myślała w jędrnym języku budowlanym odziedziczonym po własnych rodzicach

– No więc – kontynuował mąż Cypek. – No więc wiemy, co nie jest ważne. A co jest ważne?

– Cypciu – roześmiała się Anita. – Czyś ty się czasem nie zapętlił?

– Może trochę – przyznał Cyprian. – Ale ja strasznie nie lubię tego zadęcia, które czasem uwielbia moja mamusia. A mam wrażenie, że już za moment wpadłbym w jakiś straszny patos. To może ja to uproszczę, co? No więc tak. Ostatnio wydaje mi się, że nawet chciałbym, żebyśmy mieli jakieś dziecko. Albo dwa.

– Dwa dziecka naraz, co? Chłopczyka i dziewczynkę. To by było najpraktyczniej, ale może nam się nie udać.

– A co, ty też dojrzałaś?

– Ja też myślałam o tym. Niewykluczone, że nawet pod wpływem twojej mamy. Ona zasiała ziarno, rozumiesz. Początkowo nie chciałam o tym słyszeć, z samej przekory, rozumiesz. Potem jednak zaczęłam zadawać sobie różne pytania. Podejrzewam, że raczej banalne te pytania były i że miliony kobiet w każdej chwili na świecie też je sobie zadają. A teraz jeszcze pojawił się młody Idzikowski... Zastanawiałam się nad naszym życiem i wyszło mi, że myśmy już się całkiem sporo nabawili na studiach. Pracować mogłabym nawet z dzieckiem przy piersi, mamy taki układ zawodowy, że to by się mogło udać. Nawet jeśli tylko na pół gwizdka. Za to potem małe byłoby już spore, a ja jeszcze bym miała szansę pożyć.

– No właśnie. Dziecka by miały młodych rodziców – zauważył Cyprian, stosując tę archaiczną formę gramatyczną, która nie wiedzieć czemu bardzo mu się spodobała. – Patrz, Niteczko, one by już były spore, a my jeszcze wciąż młodzi. I chętni do figielków.

– To jakaś aluzja?

Cyprian przesiadł się na kanapę i pociągnął żonę za sobą.

– Możemy to potraktować jako aluzję. W takim razie co robimy z naszym problemem rodzinnym? Podejmujemy jakąś decyzję?

Anita usiadła mężowi na kolanach.

– Ja bym salomonowo podjęła taką, że nic nie robimy specjalnie. Powyrzucam te antykoncepcyjne wynalazki. Niech się dzieje, co się ma dziać. Tyle że nie będziemy przeszkadzać naturze. I niech już ona robi swoje..

– Czy zawiadomimy o naszym postanowieniu rodziców, a zwłaszcza mamę, żeby już nie miała swoich zawałów?

– Oszalałeś! To by nam mogło przynieść pecha. Mama niech się ćwiczy w cierpliwości i przyzwyczaja do myśli, że jesteśmy asertywni! Mówiłeś coś o figielkach?

Mniej więcej w tym samym czasie, kiedy Anita i Cyprian Dolina-Grabiszyńscy zaczynali wcielać w czyn swoją strategiczną decyzję, Miranda Wiesiołek zastanawiała się, co by tu zrobić z własnym życiem.

Na pierwszy rzut oka nie miała zbyt wielkiego pola manewru. Liczyła sobie siedemnaście lat i właśnie otrzymała promocję do drugiej klasy liceum. Teoretycznie więc zaczynały jej się wakacje. W praktyce rozpoczynał się okres, którego nienawidziła: dwa i pół miesiąca harówy w pensjonacie rodziców w Łukęcinie. Pensjonat był raczej byle jaki, ale niepojętym cudem ludzie do niego chętnie przyjeżdżali. Może dlatego, że tato Wiesiołek pijał wódeczkę z jednym zdolnym informatykiem, który zrobił mu świetną stronę internetową i goście dawali się na kolorowe fotki nabrać, a potem to już działała siła przyzwyczajenia. Miranda, mimo swego młodego wieku, od kilku lat bywała ogólną pensjonatową sprzątaczką

– poza tym, że na doskok robiła wszystko, co w danej chwili robić było trzeba. W tym roku awansowała na pokojówkę. Oznaczało to kompletny brak czasu wolnego, bo zmienniczki nie miała. Rodzice tłumaczyli, że ich po prostu nie stać na zaangażowanie dodatkowej pracownicy. Pewnie była to prawda, co wcale nie pocieszało nieszczęsnej niewolnicy. Oczywiście, pieniądze, których mogła się spodziewać z tytułu dziesięciotygodniowej harówki, były gorzej niż mizerne.

Och, jak nienawidziła pensjonatu, który nosił jej własne imię – „Miranda"! Imienia też nie znosiła, uważając je słusznie za okropnie pretensjonalne, i kazała nazywać się Mirką. Matka nie mogła jej się nadziwić. Takie piękne imię! Nie pamiętała już, gdzie je usłyszała. A może było w jakiejś książce? Jej syn Wiesio, skaranie boskie, cholerny dauniak, jak go nazywał ojciec w momentach dobrego humoru – otóż ten właśnie Wiesio Wiesiołek twierdził, że Miranda była rajskim ptakiem w książce o jakimś doktorze dla zwierząt. Możliwe. Pani Wiesia Wiesiołkowa (fajny zbieg okoliczności z tym nazwiskiem, nie? Bo Wiesio to już był specjalnie, ale ona wyszła za Wiesiołka przez czysty przypadek!) nie pamiętała, co czytała potomstwu, kiedy było małe (oprócz Mirandy i Wiesia była jeszcze najstarsza córka, Dosia, znaczy Dorota). Może i był tam jakiś lekarz od zwierzaków, a czy to ważne jest w ogóle?

Miranda, rajski ptak... No, Mirka Wiesiołkówna czuła się raczej jak brzydkie kaczątko. Matka twierdziła, że Mirka ma wybujałe ambicje. Dosia, która dwa lata temu skończyła liceum i teraz zatrudniała się w rodzinnym pensjonacie, ambicji nie miała żadnych, a co za tym idzie nie marudziła, a nawet chwaliła sobie to, co dostała od losu. Mirka mogłaby wziąć z niej przykład, ale nie, Mirce się wydawało, że coś więcej jej się należy... tylko nie wiadomo co! Zamiast robić coś pożytecznego w domu albo chociaż odrabiać lekcje, albo ostatecznie książki czytać, Miranda wymykała się na całe popołudnia i szwendała po rozmaitych zakątkach Kamienia. Bo trzeba zaznaczyć, że w Łukęcinie był tylko pensjonat, państwo Wiesiołkowie z trojgiem dzieci mieszkali w Kamieniu Pomorskim, w bloku nieopodal ratusza (wynikało to trochę ze skąpstwa pana Wiesiołka, który nie zamierzał instalować w pensjonacie ogrzewania, nie można więc było mieszkać tam cały rok). Ukochane miejsca ucieczek Mirandy od rzeczywistości znajdowały się przeważnie w bezpośredniej bliskości wody; nad brzegami zalewu, na przystani, gdzie cumowały białe jachty, na moście łączącym stały ląd z zarośniętą krzakami wyspą. Wadą tych miejsc była łatwość, z jaką można tam było Mirandę wypatrzyć. Jej ojciec uważał, że dziewczyna wałęsająca się samotnie po mieście to automatycznie półkurwię, wysyłał więc za nią brata, polecając mu groźnym tonem natychmiastowe odnalezienie i sprowadzenie do domu siostry. Wiesio chyżym krokiem przebiegał ulice oraz nadbrzeżne ścieżki i z reguły dopadał spragnioną samotności uciekinierkę. Bywał przy tym tak autentycznie uradowany, witał ją z taką radością i serdecznością, że Mirka nie miała siły gniewać się na niego. Starała się tylko nie pozwalać mu na spektakularne ataki czułości braterskiej. Nie chciała, żeby widzieli to szkolni koledzy, którzy i tak aż nazbyt często pytali ją, dlaczego starzy Wiesiołkowie nie oddali jeszcze downa do jakiegoś domu dla niepełnosprytnych.

Czasami Miranda miała wrażenie, że tylko Wiesio kocha ją naprawdę. Kiedy myślała o nim i jego przyszłości, serce jej się ściskało i postanawiała sobie, że gdyby zabrakło rodziców, to ona się bratem zajmie. Nie pozwoli na to, żeby znalazł się w jakimś upiornym zakładzie, w towarzystwie Bóg wie jakich wariatów. Bo Dosia w jego sprawie nawet palcem nie kiwnie. Tego Miranda była pewna. Ale jaka będzie przyszłość – kto to wie?

Miranda Wiesiołek miała jeszcze jedno ulubione miejsce, najściślej tajne i jak dotąd niezawodne. Rodzicom, zadeklarowanym ateistom i przeciwnikom Kościoła, nie przyszłoby nigdy do głowy szukać córki w katedrze. Ona tymczasem bywała tam nader często, zresztą wcale nie po to, żeby się modlić. Musiała czasami pobyć w samotności, spokoju i ciszy – wszystko to znajdowała w kąciku za barokową kazalnicą, gdzie przysiadała na całe godziny, oddając się marzeniom. Kiedy przychodziła wiosna i na dworze robiło się ciepło, Miranda zyskiwała kolejną kryjówkę, tę najbardziej ukochaną. Otwierano bowiem wewnętrzne drzwi w głównej nawie, a drzwi owe prowadziły do otoczonego murem wirydarza, niewielkiego ogrodu, gdzie rosły drzewa i krzewy, i kwiaty na klombach. Można było w nieskończoność wędrować wokół klombów, w cieniu gotyckich arkad... albo przysiąść na jakiś czas i czekać na przylatujące tu ptaki. Pojawiało się tu również mnóstwo wycieczek, przez wirydarz przebiegali Niemcy z aparatami fotograficznymi, rozlegał się gwar rozmów prowadzonych w różnych językach – dla Mirandy wszystko to było elementem przyrody ożywionej. Wycieczki w końcu znikały, klomby zasnuwał cień, trzeba było wracać do domu. W duszy jednak pozostawał spokój. Łatwiej było znieść marudzenie matki, pokrzykiwanie ojca, drwiny siostry i nadmierną czułość brata.

Ciekawe, ile razy w czasie tych wakacji uda się wpaść na chwilę do wirydarza?

Jeszcze tylko trzeba jakoś doczekać do matury. Miranda miała nadzieję, że kiedy zacznie studia, wyrwie się raz na zawsze z domu i nie da nigdy więcej zagonić do pracy w pensjonacie. Niech rodzice zatrudnią kogoś za uczciwe pieniądze. Ona wtedy będzie już wolnym człowiekiem.

– Architekci powinni mieć znajomości w sferze mieszkaniowej. – Eliza Trumbiak była niezadowolona.

Uważała, że kto jak kto, ale koledzy Anity powinni jej znaleźć jakieś sympatyczne i niekrępujące mieszkanko. Tymczasem odkąd na dobre wyprowadziła się z rodzicielskiego mieszkania w zielonym Zdunowie, zmieniała już drugą wynajętą kawalerkę. Pierwsza okazała się za droga jak na uniwersytecką pensję młodszego pracownika naukowego i Eliza pomieszkała tam dwa miesiące. Wprawdzie cena była jej znana od początku, ale Eliza miała nadzieję, że jak zamieszka, to wynegocjuje. Nic z tego nie wyszło, oczywiście. Kolejne lokum, w willi należącej do pewnej starszej damy, miało tę wadę, że dama wpadała na pogawędki, żywo przypominające inspekcje połączone z przesłuchaniami. To ostatnie mogło być wynikiem ugruntowanych przyzwyczajeń pani domu, wieloletniego zasłużonego prokuratora w czasach Peerelu.

– Gdzie teraz będziesz mieszkać? – spytała nieśmiało Anita. Eliza wpędzała ją w jakieś kompletnie bezsensowne poczucie winy. Ani ona, ani nikt z jej kolegów nie ma obowiązku szukania Elizie kwatery! No. I żeby jeszcze miała odwagę jej to powiedzieć...

Przyjaciółki od godziny krążyły po centrum handlowym „Galaxy", odwiedzając różne sklepy, bez specjalnych planów zakupowych. Eliza nazywała to shoppingiem, co Anita przetłumaczyła jako „sklepowanie". W sumie wyszedł im z tego „skleping". Eliza uwielbiała to zajęcie, Anitę ono raczej nużyło, ale postanowiła się poświęcić w imię przyjaźni.

– Jedna studentka, z nie mojego wydziału zresztą, zaproponowała mi wspólne mieszkanie. Na Krzywoustego. Jej samej nie stać, a w każdym razie ona nie chce aż tyle wydawać. A może zresztą życzy sobie mieć damę do towarzystwa, bo coś mi się wydaje, że rodzice mają forsy jak lodu. Albo liczy na to, że ja będę sprzątać chatę. No to się przeliczy. Zawsze można spróbować, najwyżej się wyprowadzę, nie nowina dla mnie. Ty, słuchaj, gdzie są te torby, kiedyś tu były niedaleko...

– Za winklem są, znaczy za rogiem. A potem skoczymy do Empiku, co? Zobaczymy, co mają nowego.

Polonistka zatrzymała się i spojrzała na architektkę z obrzydzeniem w twarzy.

– Oszalałaś. Nie mogę już patrzeć na książki. Sama sobie pójdziesz, a ja poczekam na ciebie tu na dole, na kawie. Książki mam przedawkowane. Torby nie. Torbę potrzebuję, możliwie dużą.

Torby za winklem były, istotnie, ale Eliza nie znalazła żadnej, która mogłaby ją usatysfakcjonować. Tak w każdym razie powiedziała przyjaciółce. W rzeczywistości podobały jej się dwie czy trzy, ale kosztowały zbyt wiele jak na jej aktualne możliwości. Z zepsutym samopoczuciem poszła do baru kawowego, podnieść sobie ciśnienie jeszcze bardziej.

Kiedy Anita wróciła z Empiku, Eliza obrzuciła spojrzeniem pełnym politowania jeden romans i jeden kryminał, po czym zamówiła sobie drugą kawę.

– Napijesz się też, czy może już ci nie wolno używać używek?

– Wolno, wolno – westchnęła Anita i zamówiła sobie podwójne espresso. – Boże, co za dzień, jak ścierka do podłogi zupełnie. Nie mogę żyć bez słońca.

– Nie zmieniaj tematu. Co z twoim dzidziusiem, dziedzicem fortuny magnackiej?

– Dziedzicem nazwiska magnackiego, fortuna została w Związku Radzieckim i szlag ją dawno trafił. A dzidziusia nie ma. Przynajmniej na razie.

– No coś ty. Staracie się porządnie?

– Jak najbardziej. Wyrzuciłam te wszystkie piguły, od razu mi się lepiej zrobiło, Cypek cały szczęśliwy, rozpusta w domu kwitnie, a ja nie zachodzę. Jestem zupełnie jak to słońce w Imperium Brytyjskim. Nie zachodzę, w mordę jeża.

Anita rzuciła tym dość łagodnym, ulubionym w rodzinie przekleństwem, ale nie przyniosło jej ulgi, więc westchnęła ponownie. Na jej twarzy malowało się tak wymowne strapienie, że Eliza poczuła nagły przypływ życzliwości. Jak wiemy, sympatia Elizy była odwrotnie proporcjonalna do stopnia powodzenia będącego udziałem jej przyjaciół. W tym przypadku przyjaciółki.

– Byłaś już u lekarza? – W tonie tego pytania zabrzmiała niemal autentyczna troska.

– Jeszcze nie. To znaczy byłam, na normalnej kontroli, ale moja lekarka mówi, że na razie nie ma powodów do niepokoju. Mamy przestać się naprężać.

– Znaczy co? Macie je robić od niechcenia?

– Tak jakby.

– Od niechcenia – powiedziała wolno Eliza. Spodobało jej się to określenie. – Od niechcenia. Bzyku, bzyku... Tu obiadzik, a tu bzyku. Projektujemy domek i hyc za szafę, i znowu bzyk, bzyk! Mimochodem!

Zaśmiewała się, rozbawiona własnym subtelnym dowcipem.

Anita popadła w zamyślenie nad swoją filiżanką. Zastanawiała się już kiedyś, czy przypadkiem nie dali się zwariować i czy nie za bardzo chcą z Cypkiem, żeby ona zaszła w ciążę. I czy to nadmierne chcenie nie wpływa negatywnie na jej narządy wewnętrzne. Kobiece. Albo na plemniki Cypka. Czy plemniki mogą się stresować? Nieważne. Z całego tego seksualnego rachunku sumienia wychodziło jej, że tak naprawdę, kiedy przychodzi co do czego (względem tego, co i owszem, jak powiadał niedościgniony Boy, uwielbiany przez wszystkich Pindelaków od kołyski), otóż w tym momencie biorą górę uczucia czy, jak kto woli, hormony i wszystkie kalkulacje przestają się liczyć. Powiedziała o tym swojej lekarce, a ta bąknęła coś o podświadomości. Postanowili więc z Cyprianem w ogóle nie rozmawiać i nie myśleć o dziecku. Będzie to będzie, a nie...

To nie?

No, nie!

~

Miranda Wiesiołek przechadzała się pod arkadami w przykatedralnym wirydarzu w Kamieniu Pomorskim i snuła ponure myśli. Arkady dawały latem piękną ochronę przed słońcem; w ich cieniu było zawsze chłodno i nieco tajemniczo. Teraz jednak wszędzie było chłodno i ciemnawo, nad światem zapanowała późna jesień. Wirydarz bywał przeważnie zamknięty, dzisiaj jednak otwarto podwójne drzwi, aby dwie niemieckie wycieczki mogły obejrzeć tę osobliwość architektury. Miranda, która wpadła do katedry jak zwykle bez specjalnego celu, wykorzystała pomyślny zbieg okoliczności. Znajoma zakonnica uśmiechnęła się do niej życzliwie, gdy dziewczyna zaproponowała, że dopilnuje momentu, kiedy ostatni gość opuści wirydarz, zamknie go i przyniesie klucze na plebanię. Robiła tak już wiele razy i wiadomo było, że można jej zaufać.

Stanęła teraz przy kamiennym filarze i zapatrzyła się w zarośniętą bluszczem ścianę, nad którą wiatr gonił ciemne chmury pełne deszczu.

Będzie lało.

Smutek i beznadzieja.

Dobrze, że jest szkoła, bo inaczej wciąż musiałaby tyrać w koszmarnym pensjonacie. Jakimś cudem wciąż było tam kilkoro gości. W tym układzie miało to nawet dobrą stronę – rodzice siedzieli w Łukęcinie, Dosia też, tylko Wiesio powrócił razem z Mirandą do mieszkania w Kamieniu, bo musiał chodzić do szkoły. Radził sobie jakoś, choć dwa razy powtarzał klasę. Było pewne, że liceum nie dla niego, rodzice będą musieli znaleźć mu coś innego. Miranda myślała o tym z przykrością. Brat, chociaż czasem okropnie namolny, był jednak do niej naprawdę przywiązany i ona odpłacała mu siostrzaną miłością. Siostrzaną, a czasem nawet matczyną, bo niejeden raz musiała mu regularnie matkować, kiedy pani Wiesiołkowa zajęta była czymś innym. Przeważnie pensjonatem. Wiesio był Mirce tak wdzięczny, że rozczulenie brało u niej górę nad zniecierpliwieniem. Na Wiesia nie potrafiła się gniewać. Czasem zachowywał się jak młody psiak: miał za dużo łap i wymagał nieustannej uwagi.

Nie powinnam przyrównywać brata do psa, pomyślała. To nie przystoi. Niepełnosprawny intelektualnie (tak teraz na to mówią w telewizji?) jest przecież człowiekiem takim samym jak my wszyscy. Z drugiej strony – czy są stworzenia milsze niż młode psiaki? Dla Mirandy zwierzęta były zawsze równie ważne jak ludzie, a na pewno bardziej warte miłości. Ludzi kochała coraz mniej.

Po ostatnim sezonie w pensjonacie jeszcze jej się to pogłębiło. Ta niechęć do ludzi. Niektórzy wczasowicze byli nawet sympatyczni, ale sporo najechało okropnego buractwa, które w pokojówce nie widziało człowieka. Miranda odwzajemniała się buractwu rzetelną nienawiścią, chociaż nie była z siebie wtedy zadowolona. Czuła, że ta nienawiść w jakiś sposób obciąża ją samą. Tak naprawdę chciałaby lubić wszystkich ludzi, ale cóż – nie dawali szansy!

Pracę w pensjonacie osładzało jej do pewnego stopnia jedno, całkowicie zrozumiałe w młodym wieku, marzenie. Jak łatwo się domyślić, w marzeniu owym występował ktoś w rodzaju księcia z bajki, który na doraźny użytek przybierał różne postacie: bruneta, blondyna, szatyna, o włosach długich lub krótkich, oczach dowolnego koloru; studenta, młodego biznesmena, artystę, a nawet komandosa jednostki GROM. Wszystkich tych panów łączyło jedno: zakochiwali się i zabierali ją *do pałacu bram*.

Ojciec Mirandy przy całym swoim ciężkim do zniesienia charakterze miał piękny głos i nieźle śpiewał, miał też swoją ulubioną piosenkę o Rebece.

A mała Rebeka w zamyśleniu czeka,
aż przyjedziesz po nią sam
i zabierzesz ją jako żonę swą
aż do pałacu bram.

Piosenkę tata Wiesiołek śpiewał zawsze w okolicznościach alkoholowych, których jako właściciel pensjonatu miał co niemiara. Miranda uważała, że to jakiś okropny szmonces, ale sama, sprzątając pokoje, podśpiewywała czasami pod nosem:

Ten gwałt, ten krzyk, ten szum,
Ja sobie wyobrażam, Boże mój!
Na rynku cały tłum,
A na mnie błyszczy biały, weselny strój...
O mój wymarzony, o mój wytęskniony,
Czy ktoś tak kocha cię jak ja?

Lecz ja jestem biedna i to mój sen,
Co całe życie trwa... *

Kiedy Miranda dochodziła do tego miejsca, przeważnie zalewała się łzami, odkładała odkurzacz i ścierkę, zamykała się w najbliższej łazience i szlochała jakiś czas. Doprowadzała się potem do porządku i wracała do roboty. Czasem zdarzało jej się snuć różne plany mające na celu wyrwanie się spod rodzicielskiej kurateli i stworzenie własnego życia. Aby to jednak osiągnąć, potrzebowała pieniędzy, a z tymi było gorzej niż źle.

Dwie czy trzy jej szkolne koleżanki miały pewien patent na pozyskiwanie środków, ale Miranda czuła w sobie opory przeciwko wałęsaniu się po galeriach i zaczepianiu mężczyzn. Potem szybki seksik w toalecie albo samochodzie, prezencik albo jakaś stosowna, nie przesadnie zresztą wielka suma, ot dwieście, trzysta złotych... jeszcze gorzej, jeszcze bardziej nie do przyjęcia! Pomijając już to, że galerie były w Szczecinie, a ona nie miała czasu na jeżdżenie do Szczecina.

Raz zdarzyło jej się przyjąć propozycję wczasowicza i zaryzykowała z nim... w jego własnym pokoju pensjonatowym. Facet nie był nawet taki najgorszy wizualnie, liczył ze czterdzieści lat, a jeśli więcej, to dobrze się trzymał. Miranda nie rozumiała, po co on w ogóle chciał to z nią robić, skoro miał bardzo ładną żonę. W typie Edyty Górniak. Może zresztą była zimna, ta żona. Wskazywałaby na to pasja, z jaką gostek się do niej, Mirandy, dobrał. Mniej więcej pół godziny obracał ją na łóżku, a ona umierała ze strachu, że ta żona mogłaby wrócić wcześniej z plaży. Oczywiście, żadnej przyjemności nie miała, chociaż, prawdę mówiąc, trochę na to liczyła. Koleżanki galerianki owszem, chwaliły

---

* Piosenka „Rebeka" ze słowami Andrzeja Własta i muzyką Zygmunta Białostockiego, szlagier przedwojennych kabaretów, różni się w źródłach kilkoma słowami. Tak jednak jak wyżej śpiewała ją starszyzna w moim domu. Uznałam, że starszyzna u Wiesiołków mogła znać tę samą wersję.Nawiasem mówiąc: napisałam „szlagier", żeby uniknąć aliteracji, a powinnam napisać „przebój"; właśnie dzięki Włastowi polski wyraz „przebój" zastąpił niemiecki „szlagier"... ciekawostka taka mała.

się jakością swoich przygód seksualnych. A tu nic. Wyglądający na inteligenta wczasowicz okazał się dość tępym brutalem. Po wszystkim kazał jej się jak najszybciej ubierać i spadać. Dał jej sto złotych, chociaż umawiali się na pięćset, i zagroził, że opowie o jej wybryku (tak to określił) rodzicom. Nie przyszło jej do głowy, że gdyby spełnił swoją groźbę, to i jemu tata Wiesiołek mógłby spuścić lanie – za bardzo się bała. Bała się zresztą nadal, że może zajść w ciążę, bo się nijak nie zabezpieczyła. Teoretycznie nie powinna, po trzech dniach dostała okresu, ale przecież zdarza się, że okres jest i ciąża też jest...

Czuła wstyd i żal. Nie wstydziła się samego seksu, zresztą cnotę udało jej się stracić już w gimnazjum, z jednym prawie zakochanym kolegą, który jednak potem wyjechał z Kamienia do Irlandii, gdzie jego rodzice dostali pracę. Wspominała to dość miło, choć w sumie bez sentymentów. W jej klasie po prostu należało tę cnotę jakoś stracić, bo można było zyskać opinię cnotki albo takiej, której nikt nie chce.

To jednak, co się wydarzyło w pensjonacie, było obrzydliwe. Facet ją sponiewierał i oszukał.

Postanowiła już nigdy, przenigdy nie dać się oszukać.

Wieczór wigilijny dwa tysiące szóstego roku miał szansę być dla rodzin Pindelaków i Dolina-Grabiszyńskich wieczorem miłym, świątecznym, z ogromnym drzewkiem i obfitością tradycyjnych dań. Babcia Dobrochna zaktywizowała się, jak co roku w tym okresie, i z pomocą zachwyconej Anity, z natury domatorki, wyprodukowała wszystko, co pamiętała z własnego dzieciństwa: zupę grzybową z domowymi łazankami, pierogi, karpia w galarecie i smażonego, szczupaka po polsku, kilka rodzajów śledzi, postną kapustę z fasolą i równie postną kapustę z grzybami, kutię, łamańce, struclę z makiem, sernik, piernik i małe, słodkie pierniczki w kształcie aniołków, gwiazdek i choinek, ozdobione kolorowym lukrem. Matka

Anity nie miała szans wykazać się niczym, ale też nie martwiła się tym specjalnie, postanawiając, że za rok to ona pokaże co potrafi. Babcia Dobrochna oprócz gór jedzenia produkowała mnóstwo trójwymiarowych gwiazdek, kunsztownie splecionych z kilku poskładanych pasków białego papieru, a także dobry nastrój. Zupełnie jakby była damską wersją Świętego Mikołaja. Twierdziła zresztą z odrobiną kokieterii, że jest równie stara.

Ożywiona działalność najstarszej pani Dolina-Grabiszyńskiej sprawiła, że Anicie udało się niemal zapomnieć o smutkach i kłopotach mijającego roku. Było ich sporo, a wszystkie sprowadzały się właściwie do jednego: młodzi wciąż nie mieli dziecka... ani widoków na dziecko. Od ślubu w maju dwa tysiące czwartego roku minęło dwa i pół roku. Półtora roku, odkąd postanowili sobie sprawić młode i przestali się zabezpieczać. Pół roku, odkąd po wielu nieprzyjemnych i wyczerpujących badaniach lekarze stwierdzili u Anity endometriozę, niepozwalającą na zajście w ciążę. Od pół roku faszerowała się lekami i denerwowała coraz bardziej.

Rodzina reagowała różnie. Cypek martwił się okropnie, na wszelki wypadek sam zrobił sobie badania, ale wyszło mu, że ma plemniki jak smoki i wszelkie warunki, aby zostać ojcem. Niemal się zawstydził z tego powodu. Pocieszał Anitę, jak potrafił, znajdując na forach internetowych liczne wpisy pań, które mimo endometriozy w ciążę jednak zaszły. Obiecywał jej, że z nią będzie tak samo, mało tego, ciąża jej tę endometriozę wyleczy (o tym też przeczytał w internecie i uznał, że jeśli nawet to nie jest prawda, to brzmi dobrze).

Podobnie pocieszycielską postawę przyjęła cała rodzina Pindelacza, włącznie z cynicznym Stasinkiem, obecnie studentem trzeciego roku filozofii. Te trzy lata studiów upewniły Stasinka, że jedynie cynizm daje szansę przetrwania w dzisiejszym świecie, jednakowoż kochał on siostrę i przykro mu było patrzeć, jak się męczy. Matka i ojciec, uwielbiający jawnie swoją córeczkę, martwili się jeszcze bardziej.

Teść Sławek podszedł do sprawy pragmatycznie i uruchomił kilku swoich wybitnych kolegów ginekologów. Usiłowali wyleczyć Anitę, ale jakoś im nie do końca wychodziło. Mieli, oczywiście, swoje wytłumaczenia, które na dobrą sprawę w całej rodzinie jedynie pan Bożysław naprawdę rozumiał. Taktownie jednak nie narzucał się synowej, wychodząc z założenia, że wskazał jej drogę, a ona niechaj nią podąża.

Podążała. Cóż, kiedy na razie bez większych skutków.

Babcia Dobrochna, której Anita zwierzyła się kiedyś znękana, kazała jej ufać w łaskę boską i robić swoje, to znaczy projektować domy, kochać Cypka i przyjmować nakazane leki. Sama uważała, że jeśli Pan Bóg nie da dziecka, to pewnie taka jego wola i nie ma co wierzgać przeciw ościeniowi. Ona swego czasu nie wierzgała. Chciała mieć jak największą gromadkę, ale troje dzieci poroniła i udało się tylko z Bożysławem. Dlatego nadała mu to imię, żeby Boga sławić. Wcale nie po jego ojcu, Bożydarze, choć mogłoby tak się wydawać. Bożydar miał dwie siostry i brata, a imię dostał jako najmłodszy, spłodzony po kilkunastu latach przerwy. Dobrochna chętnie opowiadała te historie. Anita czasem zastanawiała się, dlaczego Cypek nie ma na imię na przykład Bożymir. Albo może Bożywój.

Tak czy inaczej, babcia Dobrochna stanowiła wielką pociechę dla strapionej Anity.

Teściowa Kalina nie wiedziała o niczym. Rodzina nie uzgadniała tego z sobą, ale jakoś wszyscy indywidualnie doszli do wniosku, że tak będzie lepiej. Po co narażać mamę na atak? Niech się niepotrzebnie nie denerwuje. Będzie spokojniej w domu...

W rezultacie tej nieświadomości Anita znalazła pod choinką, między innymi prezentami, zapakowane w zgrabny pakiecik malutkie śpioszki, podręcznik chowania niemowlaka i kilka testów ciążowych. Efekt był, jakby w nią piorun strzelił. Rzuciła rozpakowaną paczuszkę na stół i wybiegła z pokoju, tłumiąc szloch. Rodzina Pindelaków zamarła w niemym oburzeniu: jak można było Anitce zrobić coś takiego?! Cypek natychmiast poleciał za nią, teść zmartwił się strasznie, bo wcześniej nie wiedział, co było w paczuszce – gdyby wiedział, toby zapobiegł, babcia westchnęła i podniosła oczy ku niebu, a teściowa zażądała wyjaśnień. Małżonek nie miał innego wyjścia, jak ją uświadomić w temacie. Kazała sobie powtórzyć wszystko dwa razy, a potem ciężko się obraziła na wszystkich. Pomysł z kolejną arytmią, na szczęście, nie przyszedł jej do głowy. Czuła, że tym razem nie ją spotkała największa przykrość.

Anita po jakimś czasie wróciła, ze spłakanym makijażem, ale w miarę normalna. Cypek włożył w ukojenie żony sporo wysiłku i zapewnień o swojej niewzruszonej miłości, niezależnie od tego, czy będą jakieś dzieci czy nie, a w ogóle to przecież będą, tylko trzeba poczekać, aż leki zrobią swoje, jak nie te, to inne, medycyna czyni cuda. Nie wiadomo, czy Anita uwierzyła we wszystkie jego zapewnienia, niemniej pozbierała się do kupy.

Wieczerza toczyła się teraz w atmosferze sztucznej jak uroda większości pacjentek teścia Bożysława, przypomnijmy – chirurga plastycznego. Na wszelki wypadek zaniechano nawet śpiewania kolęd, w których co i rusz mówi się przecież o narodzinach i o dzieciątku, dzieciąteczku, paniąteczku, pacholątku... Obie rodziny skoncentrowały się na spożywaniu łakoci, łupaniu orzechów i opowiadaniu starych anegdot rodzinnych. Jakoś jednak to wszystko nie miało właściwej atmosfery, więc po niezbyt długim czasie młodzi, wymówiwszy się bólem głowy Anity, zabrali swoje prezenty (bez owego trefnego, który został starannie ukryty w kredensie) i udali się do siebie.

Najbardziej nieudana Wigilia w życiu obu rodzin dobiegła końca.

– Jezu, ty to masz naprawdę pecha w życiu, Anita. – Eliza Trumbiak kręciła głową, popijając szampana z wysokiego kieliszka. – Straszna baba z tej twojej teściowej. Straszna megiera. Jak ona mogła?

– Nie wiedziała, że mamy takie kłopoty. – Anita chciała być uczciwa, ale przyjaciółka nie przyjmowała tłumaczeń, poza tym lubiła proste i jednoznaczne osądy, niekoniecznie sprawiedliwe, za to surowe.

– Jak, nie wiedziała? Anita, ty przytomna jesteś? Ona cię nie znosi od początku i chciała ci dopiec. Z tego, co mówisz, wnioskuję, że jej się nieźle udało. Ten twój teść też dobry...

– Czego ty chcesz od mojego teścia? – zdziwiła się Anita. – Teść jest w porządeczku. Daj jeszcze trochę tego szampana.

– Nie ma, trzeba przynieść. Krzysiu, bąbelków nam zabrakło!

Krzysztof Idzikowski usłyszał rozkazujący okrzyk i pospieszył z dostawą. Przyjaciółki siedziały w kącie pracowni architektonicznej „Mata chatę", zamienionej z okazji sylwestra na salę balową, w której witała nowy rok cała załoga firmy z przyległościami w postaci niearchitektonicznej Idzikowskiej oraz Elizy Trumbiak zaproszonej przez Anitę.

– Zostawić wam flaszeczkę? Czy tylko nalać po jednym? Będziecie się tu sobie zwierzać, dziewczynki? Nie lepiej wrócić do nas, żywych, i potańczyć? Anitka, obiecałaś mi tango argentino! Moja tak nie potrafi się wygibywać jak ty i mam dyspensę na ciebie! Z Cypkiem też już negocjowałem...

– Daj tę butelkę i spadaj! – Eliza lubiła czasem porządzić jak księżna pani, jeśli jej tylko pozwalano. Krzysztof był człowiekiem łagodnym i dobrze wychowanym, nadawał się więc świetnie do wydawania mu poleceń.

Poza tym Eliza wolała pić szampana, niż patrzeć, jak Anita gnie się artystycznie w objęciach głupiego Idzikowskiego.

Głupi Idzikowski nalał przyjaciółkom niezłego francuskiego szampana, uśmiechnął się promiennie, bardziej w stronę Anity, i wrócił do towarzystwa, pozostawiając dziewczynom otwartą butelkę.

– Porozmawiać nie dadzą spokojnie – sarknęła Eliza. – Są momenty w życiu człowieka, kiedy spokojna rozmowa jest więcej warta i potrzebniejsza niż jakieś dzikie tańce.

Anita, prawdę mówiąc, miała ochotę na to tango z Idzikowskim, który tańczył o niebo lepiej od Cypka, i kiedy w grę nie wchodziły przytulanki, tylko sztuka baletowa, nadawał się na partnera znakomicie. Jeśli jednak Eliza chciała rozmawiać... czego nie robi się w imię przyjaźni?

Eliza chciała rozmawiać, ale nie o sobie.

– Ten twój lekarz ile procent szans ci daje? Na zajście w ciążę?

Anita wzruszyła ramionami i wypiła kilka łyków.

– On nie wie. Mówi, że medycyna to nie matematyka. Nie chce mi się o tym gadać.

– Czekaj. Ja szukałam po internecie, wiesz, są różne fora... Wyczytałam, że tę twoją endometriozę się leczy.

– No, leczy się. A czasem się nie leczy. Moja się jakoś nie chce wyleczyć.

– Co brałaś?

– Eliza, na litość! Co ci to da, jeśli ci nawet wszystko wyliczę? Wiesz, ile tego było?

– Mów.

Anita przewróciła oczyma, ale posłusznie zaczęła wyliczać medykamenty, które ostatnimi czasy przyjmowała w wielkich ilościach. Eliza słuchała uważnie, kiwając głową.

– No faktycznie. Te wszystkie kobiety też pisały, że to biorą.

– I ty to zapamiętałaś?

– Ja mam bardzo dobrą pamięć, moja kochana. Zawsze zapamiętuję wszystko, co raz przeczytam. Zapomniałaś?

W istocie, Anita w szkole zawsze podziwiała szybkość, z jaką Eliza się uczyła. Przyswajała i przetwarzała wiedzę z najwyższą łatwością. Lubiła, kiedy inni to zauważali.

– Nie, skąd. I co te baby z internetu? Zdrowiały?

– A, to różnie. Jednym pomagało, innym nie. Wiesz, nie na każdy organizm leki działają jednakowo...

– Jezu, też mi odkrycie. Przecież ci właśnie mówię, że na mnie nie działają!

– Nie złość się. Ja przecież jestem ci życzliwa...

Eliza spojrzała na przyjaciółkę okiem zranionej łani. Anicie zrobiło się głupio.

– Przepraszam. Wiem. Ale mnie to wszystko wykańcza. Nie chcę już o tym mówić, naprawdę. Chodź do ludzi.

Eliza nie chciała do ludzi.

– Czekaj. Daj no tego szampanika...

Anita dolała jej do kieliszka, ale jednocześnie wstała, zdradzając wyraźny zamiar odejścia. Eliza chwyciła ją za rękę.

– Czekaj. Siadaj. A może ja mam dla ciebie dobrą radę?

Anita siadła niechętnie.

– Jaką radę?

Eliza gorączkowo zastanawiała się, co by tu wymyślić. Chętnie poznęcałaby się jeszcze trochę nad przyjaciółką. Pociągnęła łyk szampana, aby zyskać na czasie. Przecież adopcji jej nie poradzi, tej całej hrabiowskiej rodzinie chodzi o prawdziwego dziedzica, a znów sama Anita chyba wytworzyła w sobie jakieś rozbuchane instynkty macierzyńskie... stale opowiada o jakimś niemowlaku... ach, prawda, o młodym Idzikowskim... jaki to on słodki, jaki mądry... srutututu, pęczek drutu. Niemowlak to niemowlak. Pracochłonna fabryczka... mniejsza z tym, czego. Przez chwilę Eliza Trumbiak zadawała sobie pytanie, dlaczego w niej samej niemowlęta nie budzą żadnych cieplejszych uczuć. Nie budzą, bo nie. Nie muszą. Nie ma obowiązku rozczulać się nad takimi zadatkami na człowieka myślącego. Czy ktoś ma prawo ją, Elizę, za to potępić? Nie. Nikt nie ma takiego prawa. Jest piekielnie utalentowaną osobą, pracuje na uniwersytecie, uczy studentów. Robi dostatecznie wiele dla ludzkości. Może kiedyś będzie miała ochotę, to zwiąże się z jakimś facetem...

– Jaką radę? Elizka?

Może zwiąże się z jakimś facetem, może będzie chciała mieć z nim dziecko. Za jakieś dziesięć lat. A może się z nikim nie zwiąże. A dziecko i tak może mieć, z próbówki. Albo z jakimś jurnym dawcą spermy, z tych, co to zaliczają wszystkie kobiety na swojej drodze.

– Elizka!

Z próbówki!

Eliza doznała olśnienia, na które czekała i które było jej aktualnie niezbędne.

– In vitro.

– Co?

– Nie rozumiesz? Patrz mi na usta. IN. VITRO. Zapłodnienie pozaustrojowe.

– Wiem, co to jest in vitro, tylko niewyraźnie mówiłaś. Nie myśleliśmy o tym...

– No to pomyślcie.

Eliza miała ochotę rozwinąć temat, ale w tym momencie podeszło do nich kilka osób, stanowczo żądając, aby dołączyły do towarzystwa. Za pięć minut miał nadejść nowy, dwa tysiące siódmy rok. Temat zapłodnienia pozaustrojowego (Boże, co za nazwa!) pozostał nierozwinięty.

Kalina Dolina-Grabiszyńska miała nieprzyjemne wrażenie, że została pobita własną bronią. Wprawdzie Anita nie dostała arytmii, no bo jednak mało kto umie tak zarządzić własnym sercem, nieprawdaż... ale też znalazła jakiś tam, prymitywny, bo prymitywny, sposób na rodzinę.

– Kalino, kochanie, bardzo, ale to bardzo cię proszę – powtarzał Bożysław, zupełnie jak Mama Jaguarzyca z Kiplinga. Powinien przy każdym słowie wymachiwać wdzięcznie ogonem. – Kochana moja Kalino. Proszę. Nie wtrącajmy się w sprawy naszych dzieci. To są ich sprawy. Proszę cię.

– Sławek, przecież ty mnie traktujesz jak kompletną idiotkę! Ile razy mi to jeszcze powtórzysz?

– Dopóki mi nie przysięgniesz uroczyście, że raz na zawsze dasz spokój Anicie i Cypkowi.

– W ogóle mam się do nich nie odzywać? – spytała z przekąsem.

– Nie w ogóle, tylko w sprawie potomstwa. To szalenie delikatna sprawa. Anita się stara. Leczy się. Mówiłem ci...

– Teraz! – W tym okrzyku było mnóstwo słusznego oburzenia. – Leczyła się od lat, a wyście mi nic nie powiedzieli!

– Anita nie chciała, żeby to było omawiane na forum rodziny...

– Przecież to jest sprawa rodzinna!

– Nie do tego stopnia. Kalino, proszę, przyrzeknij mi...

– Chwila! Ty wiedziałeś!

– Ja jestem lekarzem, parę razy coś tam Anicie doradziłem, powiedziałem, do kogo ma iść. Kalino, proszę, przyrzeknij, że dopóki Cyprian nie zawiadomi nas, że Anita oczekuje dziecka, zapomnisz w ogóle o tym temacie.

– Ale Sławku...

– Nalegam.

– Ale Sławek...

– Nalegam.

– Chryste Panie! Dobrze, dobrze, przyrzekam, możesz już nie nalegać! Nie wiem, dlaczego wszyscy mnie tak traktujecie, jak wroga!

– Nie traktujemy cię jak wroga, Kalino. Nie mów tak, bo robisz mi przykrość. Przepraszam cię, muszę iść, za parę minut otwieram gabinet, a mam umówionych pacjentów na dzisiaj. Pa, kochanie. Kocham cię.

– Nie wierzę! – zawołała pani Kalina, ale jej mąż już wyszedł z pokoju.

Pracownia architektoniczna „Mata chatę", otrzymawszy wyróżnienie w ogólnopolskim konkursie na osiedle domków jednorodzinnych, poczuła wiatr w żaglach i przystąpiła z kolei do opracowywania koncepcji domku, który w miarę rozrastania się rodziny rozrastałby się razem z nią, nie tracąc walorów estetycznych, a przede wszystkim zwartości formy. Podobne projekty były już, oczywiście, na rynku, ale ambitnym architektom żaden z nich się nie podobał. Postanowili stworzyć hit na miarę europejską. Na razie mieli nazwę, o którą kłócili się cały dzień, zanim doszli do porozumienia – „Gniazdo rodzinne". Mieli też mnóstwo zapału, więc komputery w pracowni po prostu szalały.

Komputer Anity był włączony, owszem, daleko mu jednak było do stadium szaleństwa. Ona sama siedziała nad nim z ponurym wyrazem twarzy i pustką w oczach.

– Ty to się chyba nie najlepiej czujesz, Anita – zauważyła Sylwia, czyli pani Heniowa Rybowa. W firmie pracowały dwa małżeństwa: Grabiszyńskich i Rybów, oraz Idzikowski luzem. – Ja cię trochę rozumiem, przy takiej pogodzie mnie się stale chce spać. Ale biorę multiwitaminę i jakoś żyję. A ciebie grypa nie bierze? Kurza? Teraz jest kurza grypa.

Oczy wszystkich spojrzały na beznadziejnie zwisającą z krzesła Anitę.

– Ty ją, Cypek, zabierz stąd, zanim nam padnie i będziemy mieli kłopot – powiedział, jak zawsze przytomny, Idzikowski. – Zabierz, ocuć i przynieś z powrotem, bo robota jest. Ale z takiej sieroty pożytku nie będzie.

– Tylko nie sieroty – zaprotestowała Anita dość niemrawo.

Odezwało się kilka głosów przyznających rację Idzikowskiemu.

Cyprian podniósł się od komputera, wyszedł do przedpokoju i wrócił ubrany do wyjścia, z płaszczem żony w rękach.

– Oni mają rację, Niteczko. Zabieram cię stąd. Nie podobasz mi się.

– To się ze mną rozwiedź – zaproponowała, nie ruszając się z miejsca.

– Pomyślę o tym. Chodź. Masz tu płaszczyk. No już.

Anita patrzyła tępo na męża, stojącego nad nią z tym płaszczem, i nie ruszała się z miejsca.

– Kolanem sobie pomóż – poradził życzliwie Henio Ryba.

Zbiorowy rechocik wpłynął pozytywnie na Anitę. Wstała i pozwoliła się ubrać, a następnie wyprowadzić na ulicę.

– Myślałam, że pójdziemy do domu – powiedziała mało inteligentnie. Gdyby mąż chciał ją zaprowadzić do domu, nie byłoby potrzebne odzienie wierzchnie; firmę z mieszkaniem na piętrze łączyły wewnętrzne schody.

Cyprian darował sobie przypominanie jej o tym.

– Pojedziemy nad morze, co? Żywioł poszerza perspektywy. I w ogóle dobrze robi na skiśnięte samopoczucie. Co powiesz na Międzyzdroje? Świnoujście? Niechorze? Kołobrzeg? Ostatecznie Kamień, Trzebież albo Nowe Warpno. Stepnica. Święte...

– To już niech będą Międzyzdroje – zgodziła się Anita dość obojętnie. Wszystko lepsze od siedzenia nad komputerem i zmuszania szarych komórek do wysiłku, do którego aktualnie nie są zdolne. – Postawisz mi rybkę na molo?

– Albo w bazie rybackiej. – Cypek ucieszył się, że wreszcie dała jakiś znak życia. – I kupimy takie wielkie wędzone węgorze, dla rodziców też, twoich i moich. Czekaj, wyprowadzę auto...

Po chwili leciwe, ciemnozielone volvo, odziedziczone po seniorze Grabiszyńskim i zwane w rodzinie Zieloną Strzałą, uwoziło juniora Grabiszyńskiego wraz z małżonką w stronę morza. Cypek miał nadzieję, że w drodze spokojnie sobie z Anitą porozmawia, wytłumaczy jej, że nie powinna się przejmować – bo przecież on widzi, że ona tak strasznie się przejmuje tym dzieckiem – więc niech przestanie; mają jeszcze mnóstwo czasu, różne cuda się zdarzają (tak przynajmniej mówiły Cypkowi wszystkie znajome kobiety zagadnięte w tym temacie), może zajdzie w ciążę niespodziewanie? Wiele porządnych harlekinów opiera się na takim pomyśle. Życie nie jest harlekinem? No nie. Ale bywa, bywa. Skądś te autorki biorą swoje pomysły, które potem sprzedają za drogie pieniądze. W serialach telewizyjnych to też stary motyw. Nie, to jakieś bzdury. Harlekiny, seriale. Jak będzie, tak będzie. Ostatecznie można żyć bez dziecka.

Chciał to wszystko powiedzieć Anicie i spokojnie z nią podyskutować, ale kiedy tylko zjechali z Trasy Zamkowej, zasnęła mu najzwyczajniej w świecie. Pozostało mu zerkanie kątem oka na jej wymizerowaną twarz i spokojna rozmowa z sobą samym.

Jeszcze jakiś rok temu Anita nie miała takiej szajby, takiego parcia na tę ciążę. Może te wszystkie leki, które jej dali – a było tego strasznie dużo, i jakieś hormony (Cypek, choć syn lekarza, nie miał zaufania do leków hormonalnych) – może to ją tak rozchwiało emocjonalnie. Niestety, matka się dołożyła, zwłaszcza ostatnio. Może zrobili błąd, nie wtajemniczając jej w całe to leczenie Anity, ale prawdopodobnie wtedy dałaby jej popalić jeszcze bardziej, co drugi dzień wypytując o szczegóły kuracji i co trzy dni sprawdzając, czy wreszcie nie zaszła.

Co będzie, jeśli naprawdę Anicie nie uda się zajść w tę ciążę? Nigdy?

To już było. Już o tym myślał. Gryzie własny ogon. Można żyć bez dziecka. Jak tak dalej pójdzie, sam wpadnie w tę szajbę.

Najważniejsze jest, żeby nie dali się zwariować i nie przestali, na ten przykład, kochać. W tej chwili dla niego Anita jest najważniejsza. Dziecko to sprawa dalsza. Zaczynał jednak mieć wątpliwości, czy w drugą stronę też to działa. Czy dla niej nie odwróciły się proporcje i dziecko nie wyszło na plan pierwszy? A jeśli się nie uda – czy nie przestanie kochać jego, Cypriana?

Wściekły jazgot klaksonu mijającej ich beemki przerwał mu te jałowe rozważania. Zielona Strzała wróciła na swój pas i przyspieszyła. Anita nie obudziła się, tylko gibnęła na drugą stronę.

Zaparkował w bocznej uliczce, na pustawym parkingu przeznaczonym wyłącznie dla gości hotelu Aurora. Ostatecznie w każdej chwili może w hotelu tym zamieszkać. Anita otworzyła oczy.

– Już?

Pocałował ją. Była jeszcze trochę nieprzytomna.

– Jesteśmy nad morzem.

Morze było szare, podobnie jak niebo, a na jego powierzchni ukazywały się i znikały białe grzywki. Anita i Cypek owinięci szalikami, z podniesionymi kołnierzami, wyszli na molo. Trochę wiało, no bo skądś te grzywki się brały, ale bez przesady. Wyglądało na to, że w każdej chwili może zacząć padać śnieg.

– Pięknie jest – powiedziała Anita.

– Nad morzem zawsze jest pięknie – przytaknął jej zgodny małżonek i z zadowoleniem stwierdził, że jakoś się wyprostowała i spojrzała bystrzej na otoczenie.

Powędrowali na sam koniec mola, żeby mieć tego morza jak najwięcej. Jakiś czas trwali, ciasno objęci, gapiąc się na ołowianą wodę. Przerwała milczenie Anita.

– Cypek, wiesz co?...

– No? – mruknął zachęcająco i pocałował ją w policzek.

– Eliza powiedziała ostatnio coś, co mi dało do myślenia...

Cyprian znowu mruknął coś pod nosem, w tonie trochę niechętnym, bowiem nie lubił Elizy Trumbiak z wzajemnością. Musiał ją tolerować jako starą przyjaciółkę Anity, ale uważał, że jest w niej coś paskudnego. Nie próbował tego definiować, nie była tego warta. Nie lubił jej i jej nie ufał. Ona zaś uważała go za beztroskiego głupka, o czym wiedział, bo mu to kiedyś dała do zrozumienia.

– A jakbyśmy spróbowali in vitro?

Zaskoczyła go. Spróbował sobie przypomnieć, co wie o zachodzeniu w ciążę metodą in vitro. Właściwie nie wiedział nic.

– Z próbówki?

– Można tak powiedzieć. Ale i tak to ja noszę to dziecko i ja je rodzę. W próbówce ono tylko powstaje. Zarodek, znaczy. Zygota, czy jak tam to się nazywa.

Cypek poczuł się nagle ciemny jak tabaka w rogu i na dodatek okropnie oszołomiony. Nie miał odwagi poprosić żony o jakieś bliższe objaśnienia. Coś jednak musiał powiedzieć.

– Uważasz, że to dobry pomysł?

– Nie wiem. Na razie nie mamy lepszych pomysłów.

– A ta twoja kuracja...

– Jest najwyraźniej do niczego. Całe życie będę się faszerowała pigułami i zastrzykami, a potem się okaże, że jestem już za stara na cokolwiek.

– Dla mnie nigdy nie będziesz za stara na nic.

Uśmiechnęła się, ale jednocześnie wzruszyła ramionami. No tak, to był banał stulecia. Ale z takim podejściem wszystko będzie banalne, zgrane jak talia kart w ręce szulera, głupie... Co z tego, skoro to właśnie jest szczere?

– Teraz tak mówisz.

Możliwe. Teraz tak mówi, bo teraz tak czuje. Skąd, do cholery, ma wiedzieć, co będzie czuł za dwadzieścia lat? Czy jej to można w tej chwili powiedzieć? Nie można.

– Ja to przemyślałam, Cypek. Rozumiem, że ty nie przestałeś planować tego dziecka ze mną...

– Niteczko, przestań, błagam. Oczywiście, że nie przestałem. Chcę mieć z tobą stado dzieci. Sto czterdzieści troje i mów mi Wirgiliusz. Tylko myślałem, że uda nam się jakoś... normalnie. Naturalnie. Słuchaj, przecież my nie mamy jeszcze trzydziestki skończonej. Mamy jeszcze mnóstwo czasu. Możemy próbować do oporu. Słuchaj, dajmy sobie na luz. Co będzie, to będzie...

– Słuchaj, słuchaj! Sam posłuchaj. To ja próbuję. Ja ponoszę koszty. Ja się napycham lekami. Jeszcze trochę i zacznę świecić w ciemnościach. Albo zrobię się gruba jak beka. Albo mi wąsy wyrosną i broda. Albo oszaleję. Proszę cię, dajmy sobie szansę...

– Nie płacz, proszę, Niteczko... cholera jasna z tym dzieckiem, po co nam dziecko? Ja i tak się najbardziej cieszę, że mam ciebie. Dzieci to rzecz wtórna. Żyjmy sobie razem spokojnie tak jak dotąd, projektujmy te domki, ja lubię projektować, ty też, dobrze nam to idzie...

Anita wydobyła się z jego objęć.

– Cypek! Teraz tak mówisz. Chcesz mi sprawić przyjemność i żebym przestała się denerwować. A ile razy rozmawialiśmy o dużej rodzinie przy wspólnym kominku? Twoi rodzice, moi rodzice, my, Stasinek z jakąś przyszłą Stasinkową i gromada dzieci. Te dzieci porosną, będą się miały nawzajem. Już nie uważasz, że to jest fajne? Odświętnie ubrane maluszki pod choinką. Wielka rodzina, która się wspiera...

– A co to my, mafia jesteśmy? Wielka rodzina. Ojciec jako Don Jakmutam...

– Nie chodzi o ojca. Ale my... co my? Tak się będziemy starzeć samotnie? We dwójkę? Dwójka żałosnych staruszków?

Cyprian był zdania, że wcale nie muszą zostać parą żałosnych staruszków – owszem, miał nadzieję, że osobiście będzie staruszkiem dziarskim, eleganckim i atrakcyjnym, jak na staruszka. I będzie miał piękną starszą panią za żonę. Czuł jednak, że w danej chwili ten akurat argument się nie sprawdzi. Nie bardzo wiedział, jak mógłby uspokoić swoją znerwicowaną ukochaną kobietę, uciekł się więc do sposobu starego jak świat – przytulił ją mocno i zaczął całować. Owszem, zadziałało.

Po jakimś czasie Cyprian westchnął z ulgą i zaproponował tę rybkę, na którą oboje mieli ochotę. Najlepiej prosto od rybaków. Anita, sama zmęczona, czując, że już w piętkę goni, również z ulgą przyjęła zmianę tematu. Zastanawiając się, jakie też świeże ryby można w tym zimowym sezonie dostać, odnaleźli smażalnię, która im się sprawdziła latem, i napchali się na zapas chudym dorszem i tłustym halibutem. Zakupili większą ilość węgorza prościutko z wędzarni i wrócili do domu, po drodze z zawodową pasją omawiając różne techniczne aspekty samorozrastającego się domku jedno- lub wielorodzinnego.

⁂

– Ojciec, nie poszedłbyś na wódkę z synkiem?

Pytanie to, zadane telefonicznie, zaskoczyło doktora Grabiszyńskiego wycierającego właśnie ręce umyte po ostatnim w dniu dzisiejszym zabiegu. Pacjentka miała po nim być zdecydowanie piękniejsza, na razie była czerwona na twarzy i spuchnięta, za to pełna nadziei oraz uwielbienia dla tyleż zdolnego, ile przystojnego i szarmanckiego chirurga.

– Coś czcimy czy masz problem?

– Mam problem.

– No dobrze, możemy się napić. U was czy u nas?

– Ani tu, ani tu. Jakoś tajnie. Albo chodźmy do knajpy, albo możemy się schować w naszej pracowni, my tam mamy barek.

– To już wolę do knajpy. Nie będę się chyłkiem przemykał przez własny ogród. Gdzie mnie zapraszasz?

– Może do tej restauracji, nie pamiętam jak się nazywa, na Placu Sztywnych, koło Piłsudskiego. Ostatnio piłem tam koniak z jednym inwestorem, tam jest dość klubowo.

– Dobrze. Za pół godziny, czterdzieści minut.

Czterdzieści pięć minut później panowie Grabiszyńscy, ojciec i syn, zamawiali whisky on the rock, siedząc w głębokich fotelach w „Willi West-Ende" na placu Sprzymierzonych, za Peerelu noszącego imię placu Lenina, a wiele, wiele lat temu, w bardzo pionierskich czasach polskiego Szczecina nieoficjalnie zwanego Placem Sztywnych z powodu znajdujących się tam resztek cmentarza. Nazwa przetrwała w pamięci niektórych wielbicieli tradycji swego miasta.

– Tulamorek to tulamorek – powiedział ojciec, podnosząc szklaneczkę napełnioną złocistą whisky Tullamore Dew, chlupiącą prawidłowo na kostkach lodu. – Ja tam uważam, że jest najlepszy. Co cię gryzie, synu?

– Twoje zdrowie, tato. Wiesz, co mnie gryzie. I zdrowie naszych żon!

Panowie wypili po łyku. Doktor Grabiszyński istotnie domyślał się, z czym jego jedyny syn ma problem.

– Wolałbym, żebyś mi sam powiedział. Jest coś nowego w waszej sprawie?

– Anita ma pewien pomysł, który chciałbym z tobą skonsultować. Bo widzisz, jesteś lekarzem...

Tu Cyprian zamilkł i zapatrzył się w złocistą zawartość szklaneczki. Po jakimś czasie ojciec przerwał milczenie.

– Jestem lekarzem. Nie ginekologiem, to pamiętasz. I co?

– In vitro. Ona by chciała. Ja zajrzałem do internetu, tato, ale dostałem oczopląsu, tyle tam jest forów i ofert, i artykułów, i polemik. Strasznie mnie to wszystko zmąciło i już niczego nie rozumiem. Czy mógłbyś mnie w miarę prosto objaśnić, o co w tym chodzi?

– To nie moja specjalność, ale pewne podstawy mogę ci przybliżyć. Więc mówisz, że Anitka by chciała zaryzykować?

Cyprian streścił ojcu swoją nadmorską dyskusję z żoną.

– Może to i nie jest głupie – zadumał się pan Grabiszyński senior. – Najprościej mówiąc...

Tu wygłosił mały medyczny wykład pełen szczegółów, które ponownie oszołomiły nieprzyzwyczajonego do terminów medycznych Cypriana.

– Ojciec, litości! – jęknął, kiedy senior zrobił sobie małą przerwę, aby pociągnąć ze szklaneczki. – Nie możesz mi tego powiedzieć jakoś tak, żebym zrozumiał? Jakbyś mnie pytał, jak zbudować dom, to ja bym się nad tobą nie znęcał!

– Żebyś zrozumiał? A ty w ogóle wiesz, skąd się biorą dzieci? Nie mam na myśli samego aktu twórczego...

– Ojciec, przestań! Trochę wiem. Plemnik, jajeczko, te rzeczy. Tak?

– No tak. Słuchaj, zawołaj kelnera, bo ja nie mam już nic.

Cyprian zerwał się z fotela, nie bawił się w szukanie kelnera, tylko popędził do baru i zamówił dwie kolejne podwójne tullamore z lodem. Dreptał w miejscu, dopóki barman nie nalał, chwycił obie szklaneczki, lekceważąc tacę, i doniósł ojcu zaopatrzenie.

– Wracając do naszych baranów, jeśli wolno mi tak powiedzieć, to w procesie in vitro wszystko wygląda mniej więcej jak w naturze, tylko poza wami. Pobiera się jajeczko od kobiety, plemniki od mężczyzny, łączy jedno z drugim, tworząc zarodek, ten zarodek wszczepia się kobiecie i to w zasadzie wszystko. Ona potem jest w ciąży. Albo i nie. Boże, gdybym w ten sposób tłumaczył problemy moim studentom, uznaliby, że jestem idiotą.

– Nic podobnego, uwielbialiby cię...

– I tak mnie uwielbiają – powiedział nonszalancko doktor Grabiszyński, który rzeczywiście regularnie wygrywał studenckie plebiscyty na najsympatyczniejszego wykładowcę, rywalizując ze swoim przyjacielem jeszcze z okresu studiów, psychiatrą, doktorem Grzegorzem Wrońskim. W obu przypadkach głos decydujący miały studentki.

– Ojciec, mówiłeś, że ona potem jest w ciąży albo i nie, co to znaczy?

– Że nie zawsze się udaje. Z reguły trzeba próbować kilka razy, a i to nie ma gwarancji. W sumie będzie to duży stres dla was obojga, a przede wszystkim dla Anitki, bo na dodatek ona będzie faszerowana hormonami...

– Matko jedyna, ona i tak jest faszerowana hormonami...

– Trzeba będzie pobudzić u niej owulację. Wytwarzanie jajeczek – dodał litościwie, spoglądając na przerażoną twarz syna. – Żeby zwiększyć szansę.

– Czyli znowu jakieś zabiegi, zastrzyki, bieganie na kontrole, tak?

– Tak.

– To będzie jakiś koszmar.

– Łatwo nie będzie. Ale to rzeczywiście daje szansę. Musiałbyś ją wspierać, synu...

– No to przecież ja ją będę wspierał, tato. Tylko czy dla niej to nie będzie za ciężkie... za trudne?

– Kobieta, która chce mieć dzieci, zniesie bardzo dużo – oświadczył z przekonaniem doktor Grabiszyński. – Byle jej chłop nie zawiódł.

– Myślisz, że mógłbym?

– Sam sobie na to odpowiedz.

– Cholera – powiedział Cyprian i popił whisky. – Ja ją bardzo kocham, ojciec. Zrobię dla niej wszystko. Żeby była szczęśliwa.

– A ty sam chcesz mieć to dziecko?

– Pewnie, że chcę. Tylko nie za wszelką cenę. Ale to ona chce płacić tę cenę.

– Też zapłacisz swoją – skrzywił się ojciec.

– To zapłacę – westchnął syn. – Lepiej mi powiedz, jak wygląda to, co nazwałeś pobieraniem plemników?

Ojciec skrzywił się ponownie i też popił ze swojej szklaneczki.

– Dość nieapetycznie. Z tego, co ja wiem, to idziesz do osobnego pokoiku, oglądasz pornole i samoobsługowo robisz sobie przyjemność. A potem lecisz z tym, co uzyskałeś, do lekarza, czy może do laboranta, tego już nie wiem.

– Boże święty! Latam po przychodni z kubkiem pełnym...

– Napij się, synu.

– Twoje zdrowie, tato.

– Pamiętaj, ona w sumie będzie miała gorzej. Zrób to jak te panienki, co nie chciały wychodzić za mąż i mamusie im radziły: „zamknij oczy i myśl o Anglii". No więc zamknij oczy i myśl o Anicie.

– Idę po trzeciego. Tobie też wziąć?

Koło północy dwaj niekoniecznie trzeźwi panowie Dolina-Grabiszyńscy wysiedli z taksówki koło swojego podwójnego domu. Stojąc koło płotu, przypomnieli sobie jeszcze, że trzeba koniecznie utrzymać sekret przed Kaliną, bo jeśli nie, to ona z pewnością zamęczy nieszczęsną synową bezustannym wykazywaniem zainteresowania i o wiele zbyt daleko idącej życzliwości.

Dwie, uczciwie mówiąc, dość łagodne awantury małżeńskie, jedna na parterze lewej połowy bliźniaka, druga na piętrze prawej, zakończyły koło pierwszej w nocy ten długi i pełen wrażeń dzień z życia rodziny D-G.

Rok dwa tysiące siódmy miał być dla Mirandy Wiesiołek rokiem szczęśliwym i przełomowym. Tak sobie w każdym razie założyła u jego początku. Maturę zda z palcem w nosie, tego była pewna, bo miała doskonałe stopnie przez całe liceum, a nauka przychodziła jej z największą łatwością. Na studia dostanie się z równą łatwością, inaczej być nie mogło. Trzeba będzie tylko jakoś przecierpieć wakacje w pensjonacie, ale, na Boga, będą to ostatnie wakacje w pensjonacie! Ostatnie. Kiedy Miranda znajdzie się na uniwersytecie, poszuka sobie jakiejś pracy, nie ma cudów, żeby żadnej nie było! I z pewnością nie będzie to łażenie po galeriach i podrywanie głupich, starych jeleni, którzy na widok młodej dziewczyny dostają ataku serca. Ostatecznie może sprzątać po domach, jako pokojówka zdobyła niezłe doświadczenie. Ale nie będzie tak źle. Samo znalezienie pracy było niezbędne z uwagi na numer, który Miranda zamierzała wyciąć rodzicom. Po jego wykonaniu najprawdopodobniej utną jej dotacje, a może i wyklną na dobre z rodziny.

– Złożyłaś już papiery? – spytała ją matka mniej więcej w dwa tygodnie po sylwestrze.

– Coś ty, mama, za wcześnie jeszcze – odpowiedział za Mirandę ojciec.

Rodzina siedziała przy obiedzie, a był to obiad właściwie świąteczny, bowiem państwo Wiesiołkowie obchodzili właśnie dwudziestą ósmą rocznicę ślubu. Sprawili sobie z tej okazji prezent w postaci nabycia wycieczki do Dubaju, na sztuczne wyspy, która to wycieczka miała się odbyć w lutym. Tatuś życzył sobie odpocząć w dobrych warunkach i bez konieczności żadnego cholernego zwiedzania. Mamusia wygłaszała przedtem jakieś poronione postulaty, żeby jechać do Egiptu albo do Meksyku, albo do Chin, ale tatuś nie miał najmniejszego zamiaru włazić na żadne piramidy ani (zwłaszcza!) na chiński mur. Co to, to nie. Ma być luksusowo i bez wysiłku. Na plażę będą zjeżdżać windą! I w ogóle co to za dyskusje?

Co do studiów Mirandy tatuś również nie przewidywał dyskusji. Dziewczyna ma iść na języki i na zarządzanie w turystyce. Ma się znać na hotelarstwie i umieć dogadać z każdym obcokrajowcem, jaki się nawinie. Dosia nie nadawała się do takich ambitnych zadań, o Wiesiu dauniaku w ogóle nie ma co mówić, przyszłość rodziny spoczywa na Mirandzie. Koniec, kropka i niech Mirka pamięta, że za jakiś czas pensjonat przejdzie na nią, a zanim przejdzie, to ona ma zrobić z niego coś w rodzaju tych wypasionych hoteli dubajskich.

Miranda nawet nie próbowała dyskutować. Nie zamierzała również informować ojca ani nikogo z rodziny, że jak dla niej, pensjonat może się rozlecieć, jej to nie interesuje. Żadnego Dubaju tam robić nie będzie. Niczego tam robić nie będzie, bo sezon między maturą a studiami ma być jej ostatnim sezonem w Łukęcinie.

Miranda była zdecydowana na zupełnie inną drogę życiową niż ta, którą wyznaczał jej ojciec. Od dawna już postanowiła skończyć polonistykę i albo zostać na uczelni, albo iść do liceum, uczyć młodzież polskiego. Po prostu. Miała swoje zdanie co do jakości nauczania literatury w szkole i marzyła o wprowadzeniu swoich własnych metod. Jak również przez siebie dobranych zestawów lektur – nieuwzględniających niemal żadnego rodzaju kombatanctwa. Oczywiście, Powstanie Warszawskie, Baczyński, literatura rozliczeniowa – ale to wszystko w śladowych ilościach. Żeby tylko uczniowie wiedzieli, że coś takiego się wydarzyło. Głównie literatura o treściach uniwersalnych, żeby wyjść z tego polskiego martyrologicznego zaścianka.

Przyszła polonistka nie znosiła martyrologii. Postanowiła z nią skończyć również we własnym życiu i miała świadomość, że przyjdzie jej za to zapłacić. Nie wyobrażała sobie, oczywiście, że zostanie jakąś nową Siłaczką – Siłaczki też nie lubiła. Umieranie za ideę uważała za skrajnie idiotyczne. Ona sobie zorganizuje życie tak, żeby było przyjemne dla niej samej i pożyteczne dla ludzkości. Tak po prostu.

W ramach uprzyjemniania sobie życia oznajmiła teraz rodzinie, że najadła się straszliwie i za chwilę może pęknąć, więc żeby zapobiec nieszczęściu udaje się właśnie na długi spacer. Kiedy wróci, nie wiadomo. Musi wytrząsnąć z siebie te wszystkie szynki, faszery, galaretki, bigosy i pieczony drób. Żeby nie wspominać już o ciastach. Może potem pójdzie do którejś koleżanki.

Wiesio, oczywiście, natychmiast gotów był jej towarzyszyć, ale wzięła go na stronę, wyściskała i wyjaśniła mu, że nie może iść z nią, bo ona chce trochę pobiegać. Wiesio, który miał sporą nadwagę, nie lubił biegać, więc odpuścił siostrze bez żalu i pozostał przy stole w towarzystwie połowy potężnego czekoladowo-orzechowego tortu.

Pierwsze kroki Miranda skierowała w stronę przystani, mało o tej porze roku i dnia przyjaznej. Było już ciemno i wiatr urywał głowę. Mirandzie to w zasadzie nie przeszkadzało. Zeszła na oświetlony pomost i zapatrzyła się w odbicie latarni w wodzie. Drżące światełka miały w sobie coś magicznego i zazwyczaj dziewczyna mogła się w nie wpatrywać godzinami. Nie dziś jednak. Dziś po dwudziestu minutach miała dość. Oderwała się od bariery i poszła wzdłuż brzegu w stronę katedry, nie bacząc na to, że w mroku mogą się czaić bliżej nieokreśleni złoczyńcy, którzy ją napadną, okradną, zgwałcą, pobiją i uduszą. Odkąd Miranda pamiętała, matka straszyła ją podobnymi rzeczami, co jednak nie robiło na niej najmniejszego wrażenia. Może nie była typem ofiary. Łażenie zaś po chaszczach zawsze sprawiało jej przyjemność.

Tym razem jednak ktoś ją zaczepił. Wysoki facet, z tego, co zobaczyła mimo ciemności i kurtki z kapturem, jasnowłosy, z czarnym futerałem, prawdopodobnie zawierającym gitarę. Nie wyglądał na takiego, co chciałby jej wyrwać torebkę, zgwałcić et caetera.

– Ja przepraszam – zagadnął ją uprzejmie. Jej ucho przyszłej polonistki, od urodzenia wyczulone na niuanse języka, dosłyszało ledwo dostrzegalny ślad miękkiej niepolskiej wymowy. – Zgubiłem się. Czy mogłaby mi pani pomóc?

– Mogłabym – odrzekła równie uprzejmym tonem. – A gdzie pan chciałby się znaleźć?

– W katedrze.

Roześmiała się mimo woli.

– To bliziutko. Jakim cudem pan się zgubił?

– Miałem trochę czasu i zachciało mi się zwiedzić miasto. Byłem nad wodą, bo ja lubię wodę, zjadłem to i owo w tej stylowej knajpeczce, na pewno pani wie, której...

– „Pod Muzami".

– Tak, właśnie. Potem znowu zszedłem nad wodę, poszedłem na azymut i wszystko mi się pokręciło.

– To był całkiem niezły azymut. Jesteśmy trzy kroki od katedry. Tu trzeba uliczką pod górę... ja też idę do katedry, mogę pana zaprowadzić. A pan chce zwiedzić katedrę czy może do księży, na plebanię, z wizytą?

– Chyba do katedry... chociaż może ma pani rację, wypadałoby się księdzu zameldować. A pani się na koncert nie wybiera?

– Na jaki koncert? Teraz nie sezon koncertowy.

– Ale sezon kolędowy. O kurczę, faktycznie, blisko było!

Idąc wzdłuż muru wirydarza dotarli do drzwi katedry, zza których dobiegały dźwięki jakiejś pieśni.

– Chór gospelowy ze Szczecina – objaśnił Mirandę facet. – Oraz ja. To może ja się przedstawię, co? Sasza Winogradow się nazywam.

– Mirka Wiesiołek.

– Mirka. Mireczka. – Facet spojrzał na nią wesołymi oczami. – A to od Miry czy od Mirosławy?

– Od Mirandy – powiedziała ponuro Miranda. – Coś koszmarnego. Mirka i już.

– Kobieto – westchnął facet. – Co ty gadasz za bzdury śmiertelne! Czy po waszemu można powiedzieć „bzdury śmiertelne"? Bo ja jestem w zasadzie Rosjaninem i jeszcze nie wszystko wiem. Nieważne. Masz najpiękniejsze imię na świecie i chcesz je zaklajstrować zwykłą Mirką?

– Tam chyba jest próba. – Miranda pominęła wywody faceta. – Ja wchodzę, nie wiem jak pan.

– Ja też, oczywiście. Wygląda na to, że nie muszę meldować się u proboszcza, skoro tam już się coś dzieje. Ty, Miranda, nie złość się na mnie, tylko mów mi po imieniu, dobrze?

– Nie złoszczę się. – Nie mogła powstrzymać się od śmiechu. Facet robił zabawne miny i w ogóle był sympatyczny. Nabrała ochoty, żeby posłuchać, jak śpiewa.

W transepcie uwijała się grupa młodych ludzi. To ten chór gospelowy*. Dyrygentka. Nie, dwie dyrygentki. Zaśpiewali coś na próbę. Jedna z dyrygentek przerwała w połowie, widać miała jakieś uwagi. Powtórzyli.

Miranda usiadła w swoim ulubionym miejscu pod barokową amboną i poddała się atmosferze próby. Przepadała za tym przedkoncertowym rozgardiaszem. Latem, jeśli tylko nie harowała w cholernym pensjonacie, a trafił się piątek, zawsze starała się wejść jakimiś tylnymi drzwiami (miała opanowane wszystkie wejścia do katedry) i przyglądać się oraz przysłuchiwać próbom do festiwalowych koncertów. Festiwale były tu każdego lata, odkąd pamiętała. Zaczęły się pewnie długo przed jej urodzeniem. Zawsze był organista i jakiś zespół albo solista, albo chór czy orkiestra. Wieczorem, kiedy wszyscy pojawiali się elegancko ubrani i „nastawieni na sztukę" (tak to określała na własny użytek), atmosfera była już zupełnie inna. Też fascynująca, ale inna. Miranda wolała próby.

Chór śpiewał właśnie „Lulajże Jezuniu" w dziwnej, jazzowej aranżacji. Owszem, zupełnie fajnie to brzmiało, chociaż dość oryginalnie. Ale nie zawsze trzeba śpiewać jak zespół „Mazowsze". W domu państwa Wiesiołków była jedna tylko płyta z kolędami, właśnie w wykonaniu zespołu „Mazowsze", i Miranda od dawna miała jej wyżej uszu. Postanowiła zostać na koncercie i posłuchać również innych kolęd poprzerabianych na jazzowo. No i tego całego Saszy.

Sasza jakby zapomniał chwilowo o istnieniu Mirandy, przywitał się z chórem i jego dwiema szefowymi, przeczekał powtórzenie „Jezunia" i kawałek „Bóg się rodzi" (dyrygentka przerwała po pierwszej strofce, uznając widocznie, że jest jak trzeba i można już dać chórowi spokój), po czym zabrał się do podłączania

---

* Szczecin Gospel Choir, prowadzony przez Edytę i Izabelę Turowskie, oficjalnie powstał tak naprawdę miesiąc później, w lutym 2007 roku, ale przecież nie będziemy się przejmować takimi drobiazgami. Jak również tym, czy Chór koncertował kiedykolwiek w Kamieniu Pomorskim. Tyle chórów tam śpiewało...

swojej gitary i próbowania dźwięku. Kiedy ostatecznie dogadał się z akustykiem, podniósł głowę znad instrumentu i rozejrzał się dokoła. Dostrzegł w końcu Mirandę w kąciku pod amboną i ucieszył się wyraźnie.

– A, tam jesteś – powiedział do mikrofonu, machając w jej stronę ręką, żeby nie miała wątpliwości, iż mówi właśnie do niej. – Proszę, posłuchaj, jak to brzmi, dobrze?

Była pewna, że Sasza zaśpiewa kolędę, ale on brzęknął kilka akordów i zaśpiewał na smętną melodię:

– A kiedy nie sposób już płynąć pod prąd, nie sposób już wyrwać się z matni, niebieski trolejbus zabiera mnie stąd, trolejbus ostatni*...

Przerwał i znowu zwrócił się do niej.

– Dobrze jest? Dobrze słychać?

– Chyba dobrze – odpowiedziała, choć tak naprawdę nie wiedziała, jak powinno być, żeby naprawdę było dobrze.

– Dobrze, dobrze! – zawołała jedna z dyrygentek od drzwi. – Bardzo dobrze! Pan akustyk jest świetny! Idziemy na kolację, dojdźcie do nas!

– Ja jeszcze się trochę rozśpiewam! – odkrzyknął Sasza. – Dzięki za propozycję.

Zaczął znów od początku, ale tym razem dośpiewał balladę do końca. Miranda słuchała go w zamyśleniu i przyszło jej do głowy, że wprawdzie nie jest życiowym rozbitkiem i nie zamierza nim zostać, ale jeśli zrealizuje swoje plany, to wcale nie będzie jej łatwo. I teraz jest pytanie, czy złapie ten nocny trolejbus, którego pasażerowie przyjdą jej z pomocą, czy może on jej ucieknie z jakiegoś przystanku i będzie musiała sama borykać się z życiem.

Westchnęła głęboko.

Sasza odłożył gitarę na stojak i podszedł pod ambonę. Usiadł obok Mirandy na twardej ławie i zajrzał jej w oczy.

---

* „Ostatni trolejbus" Bułata Okudżawy w tłumaczeniu Andrzeja Mandaliana

– Jak wrażenie? Podobało ci się?

Pokiwała głową.

– Bardzo mi się podobało. A co to ma wspólnego z kolędą?

– Nic nie ma – odpowiedział beztrosko. – Albo może ma bardzo dużo. Ale kolędy też będę śpiewał. A do tych ballad dorobię jakąś ideologię i już. Ludzie lubią Okudżawę i Wysockiego. Ty ich lubisz?

– Mało ich znam – przyznała. – Ty masz jakąś płytę swoją?

– Niestety, nie. Musisz przyjeżdżać na moje koncerty do Szczecina.

– Od października będę studiowała w Szczecinie. To znaczy, mam taką nadzieję, bo może mi się coś nie uda...

– Uda ci się wszystko, ja ci to mówię. No to świetnie. Z radością będę śpiewał dla ciebie.

– To jest taka forma podrywki?

Sasza roześmiał się głośno, nie bacząc na powagę miejsca.

– Złapałaś mnie. Ja generalnie lubię kobiety, bo są wrażliwsze niż mężczyźni. Przynajmniej jako widownia. Publiczność, znaczy. Jak widzę, że płaczą, to od razu mi się lepiej śpiewa.

– Często płaczą?

– Zdarza się. Ja w każdym razie robię co mogę, żeby tak właśnie było. Chcesz iść na tę kolację?

Zaskoczył ją tą nagłą zmianą tematu. Ale nie chciała iść na kolację. Domowy obiad wciąż jeszcze miała mniej więcej na poziomie uszu.

– Posiedzę sobie tutaj i poczekam na koncert. Ja tu lubię siedzieć.

– A mogę posiedzieć z tobą? Mnie się też nie chce nigdzie chodzić, a głodny nie jestem. Obejrzałbym sobie tę katedrę. Fajna jakaś katedra. Pierwszy raz tu jestem. Piękne organy.

– Mogę ci o niej wszystko opowiedzieć, bo wszystko o niej wiem.

– Dawaj.

Miranda myślała, że gotowość do oglądania katedry jest kolejnym elementem podrywki, ale Sasza chyba naprawdę interesował się tym wszystkim, co mu pokazywała. Słuchał uważnie i zadawał inteligentne pytania, nie zapominając o czarowaniu jej uśmiechem i zabawnymi powiedzonkami. Lubiła go coraz bardziej. Podobał jej się – wysoki, z tymi jasnymi włosami do ramion, z tym pięknym głosem. Jak dla niej i tak za stary, pewnie po trzydziestce, i pewnie ma żonę, a do tego dowolną liczbę dziewczyn, takich awaryjnych. Ale tutaj nie ma ani żony, ani awaryjnych panienek. Jest ona, Miranda.

Może to imię... naprawdę nie takie beznadziejne?

– Szkoda, że teraz zima i ciemno już, bo pokazałabym ci wirydarz. Czyli paradyż. Czyli rajski ogród. Ale teraz i tak tam nic nie widać.

Pomyślała sekundę, zarumieniła się, czego też nie było widać w ciemnawym kącie obok drzwi do wirydarza, i dodała odważnie:

– Wpadnij kiedyś latem, to ci pokażę. Jest bardzo piękny i trochę niesamowity.

– Chętnie. A co to jest właściwie?

Wyjaśniła mu. I tak nie wpadnie. Zawsze jednak można pomarzyć.

Do katedry zaczęli wchodzić ludzie. Sasza rozejrzał się dokoła i pociągnął Mirandę za sobą.

– Chodź na kawę, w tej zakrystii, czy jak tam się to nazywa, mają kawę dla artystów. Zajmij sobie miejsce i chodź.

Miała wielką ochotę, ale jednocześnie straszliwie się krępowała. Kawa dla artystów! Ona sama bardzo się różniła od wesołych, pewnych siebie młodych ludzi z chóru gospelowego, którzy właśnie wrócili do katedry i też coś mówili o kawie. O nie, nie pasowała do nich. A do Saszy?

Do Saszy jeszcze mniej.

– Ja tu zostanę – powiedziała stanowczo. – Nie będę ci przeszkadzać. Musisz się skupić.

Nie dała się przekonać i Sasza w końcu sam poszedł na tę kawę.

Kolęd śpiewanych przez chór Miranda słuchała jednym uchem. Nawet jej się podobały, ale nie była w stanie się skupić. Kiedy na środek transeptu wyszedł Sasza, dech jej zaparło. Sasza uśmiechał się, a jednocześnie miał w sobie powagę odpowiednią do miejsca. Zaśpiewał kilka pastorałek polskich i kilka rosyjskich ballad, rzeczywiście kunsztownie dorabiając ideologię do każdej z nich, żeby pasowały do kościoła. Gdzieś z tyłu głowy przemknęło Mirandzie, że ten facet potrafiłby uzasadnić nawet zaśpiewanie Międzynarodówki, gdyby przyszła mu fantazja ją tu wykonać.

Była to jednak myśl bardzo przelotna. Miranda siedziała na niewygodnej ławie jak przymurowana i chłonęła każdą nutkę, każde słowo, każdy uśmiech i każde powłóczyste spojrzenie – bo Sasza nie zapomniał kilku takich jej posłać.

Sztuka to potęga, a dobry artysta to dobry artysta.

Pod koniec koncertu Miranda była zakochana w pięknym śpiewaku po uszy. Jak większość obecnych w katedrze kobiet zresztą.

Ona jednak miała tę przewagę, że była jego znajomą. No, prawie. W każdym razie nikogo tu nie znał, a z nią spędził jakąś godzinę albo i półtorej przed koncertem. Rozmawiali. Pokazywała mu katedrę!

Po koncercie, bisach i wspólnym odśpiewaniu „Wśród nocnej ciszy" wokół Saszy kręciło się kilka osób i Miranda krępowała się do niego podejść. Zauważył ją i pomachał jej radośnie. Podeszła nieśmiało.

– Miranda! Jak to dobrze, że byłaś! Nie miałem tu nikogo znajomego, a jak nie mam przyjaciela na widowni i nie mam do kogo śpiewać, to mi nic nie wychodzi. Dziękuję ci, moja przyjaciółko!

Uściskał ją. Tak po prostu ją uściskał. Straciła dech, ale po chwili zauważyła, że wszyscy tam się ściskali ze wszystkimi. Może artyści tak mają.

– Słuchaj, jadę z nimi, proponują mi honorowe miejsce w samochodzie. Daj swoją komórkę, dobrze? Zadzwonię do ciebie, jeśli będę tutaj albo gdzieś w pobliżu. Wpadniesz na jakiś mój koncert? Mów ten numer...

Błyskawicznie wklepał numer jej komórki do swojego telefonu, uściskał ją raz jeszcze i poganiany przez jedną z dyrygentek popędził do jednego z dwóch busików, którymi przyjechał chór.

Kilka minut później Miranda szła w kierunku swojego bloku, świadoma, że za chwilę rodzice zrobią jej awanturę za to zniknięcie na kilka godzin i wyłączenie komórki. Rodzice lubili ją mieć na krótkiej smyczy.

Już niedługo tej krótkiej smyczy. Tym łatwiej będzie Mirandzie znieść te ostatnie kilka miesięcy, że od dzisiaj ma o kim myśleć.

~

– O, Nitka. Wchodź. Ja tylko wyłączę komputer.

Anita zamknęła za sobą ciężkie drzwi mieszkania na pierwszym piętrze starej kamienicy na ulicy Bolesława Krzywoustego. Mieszkanie już od wejścia wyglądało imponująco. Przestronny korytarz i mnóstwo drzwi – najpewniej do obszernych pokojów. Ten, do którego weszła Eliza, był naprawdę duży, musiał mieć ze czterdzieści metrów kwadratowych, wysokie okna, niebotyczny sufit, z którego zwisał monstrualny żyrandol.

– Podoba ci się? – Eliza zauważyła pełne podziwu spojrzenie przyjaciółki. – W salonie mamy większy.

– Ja myślałam, że to jest salon...

– Nie, to mój skromny pokoik. Widziałaś kiedy salon z łóżkiem i biurkiem?

Łóżko też miało gabaryty jak dla całej wielodzietnej rodziny, a biurko przypominało średniowieczną fortecę.

– Ktoś tu miał manię wielkości – rzuciła od niechcenia Eliza, klepiąc w klawiaturę zupełnie normalnego laptopa. – I powiem ci, że mnie to nawet odpowiada. Kiedyś się mieszkało w tych domkach dla lalek, a ja wolę taką skalę. Mówię do ciebie poezją, zauważ. Ty też masz przecież niezłe metraże. – Zamknęła klapę komputera.

– Te są lepsze. Ale ja nie mam kompleksów. Dasz jakiej kawy?

– W ciąży wolno pić kawę?

– Przecież ja nie jestem w ciąży!

– A, rzeczywiście. Od jakiegoś czasu nie mówimy o niczym innym, tylko o twojej ciąży, więc się zasugerowałam. Chodź do kuchni, zrobimy sobie.

Kuchnia nie rozczarowywała rozmiarami. Było w niej mnóstwo miejsca nie tylko na milion szafek i wszystkie urządzenia, ale również na wygodny stół z czterema krzesłami.

– Tu chyba mieszkał właściciel tej kamienicy – wyraziła przypuszczenie Anita. – Nie musiał pilnować żadnych norm. Na pierwszych piętrach zawsze mieszkali właściciele. Dlatego tu są wielkie pokoje, wysokie i duże okna od ulicy.

– Z tą ulicą to jest średnio fajnie – powiedziała z przekąsem Eliza, majstrując przy ekspresie do kawy. – Tramwaje robią cholerny hałas. Rano można szału dostać. Jak ten twój gruby Niemiec ze swoją grubą żoną tu mieszkali, to nie jeździły tędy tramwaje.

– Wcale nie wiem, trzeba by sprawdzić. Mam parę takich różnych książeczek, o tramwajach też, to zobaczę i ci powiem. Nie uważasz, że fajnie byłoby wiedzieć, kim był ten Niemiec? Może jakiś mały Buddenbrook?

– Naczytałaś się i wyobraźnia ci wariuje. Kawa, proszę. Cukier trzcinowy. Nie mój, Wirginii, ale się nie krępuj.

– Wirginia to ta twoja studentka?

– Nie moja. Z anglistyki. Ma kumpelasie na naszym wydziale. Spotkałyśmy się przypadkiem, a dogadałyśmy jeszcze większym przypadkiem.

– Pamiętam. Wspominałaś, że ona szuka kogoś, kto by jej posprzątał...

– No i nie znalazła, jak dotąd. To znaczy ja tam nie lubię brudem zarastać, sama widzisz, że jakiegoś większego sajgonu tu nie ma, ale te żyrandole, rozumiesz, nie błyszczą tak, jak panna Wirginia by chciała. Mamy w sumie cztery pokoje, czwarty to w zasadzie służbówka, no, kiedyś były duże służbówki. Mogłaby jakaś panna zamieszkać. Ty mów lepiej, co u ciebie, jak twoja słynna ciąża?

Anita westchnęła, zamieszała kawę, do której zapomniała wrzucić cukier, wrzuciła dwie małe, brązowawe kostki, zamieszała raz jeszcze i spróbowała.

– Jedziemy jutro do Białegostoku – westchnęła ponownie. – Strasznie się boję. Większość badań zrobiłam tutaj, a i tak najważniejsze będzie, co powie ten profesor Piątkowski. Przez telefon jest bardzo sympatyczny. I ma dobrą opinię, sprawdzałam w internecie. Ale ja już nic nie wiem. Słuchaj, mam wrażenie, że zaczynam fisiować.

Eliza życzliwie poklepała ją po ręce i podsunęła jej lekko podeschnięty placek drożdżowy.

– Zjedz kawałek. Jest niezły, chociaż wczorajszy. Ale drożdżowe nie musi być świeże. Fiksujesz, bo za dużo o tym myślisz. Może wpadłaś w obsesję?

– Może wpadłam. Naprawdę nie mogę myśleć o niczym innym. Zwariowałam, Elizka, zwariowałam. Próbuję zająć się robotą, czasem mi nawet wychodzi, ale przeważnie siedzę nad kompem jak głupia, a na każdym klawiszu zamiast liter widzę dziecięce buźki. To co, twoim zdaniem jestem normalna?

– Jesteś normalna, tylko chwilowo ci odbiło. Cypek co na to?

– Cypek jest aniołem. Jego ojciec też. Dbają o mnie obaj i starają się, żeby się teściowa nie dowiedziała.

– No, uważaj – nie wytrzymała Eliza. – Żebyś nie przegięła z tym przeżywaniem, bo chłop może tego nie wytrzymać. Swoją drogą na tle teściowej też ci odbiło. Nie możesz na nią huknąć zdrowo, żeby się nie wtrącała?

– Nie mogę, bo zrobiłabym krzywdę teściowi. Pewnie by dostała tych swoich dyżurnych palpitacji, a teściunio oszalałby z niepokoju. On ją strasznie kocha. Nie rozumiem dlaczego. Mam nadzieję, że Cypek będzie mi tak samo wierny. Myślisz, że wierność przechodzi genetycznie z ojca na syna?

– A skąd ja mam to wiedzieć? – prychnęła Eliza, natychmiast wściekła. – Mnie jeszcze nikt wierny nie był.

– No tak. Nie martw się, spotkasz swoją połówkę jabłka. Prędzej czy później. Tylko musisz się bardziej udzielać towarzysko, a nie tak, stale siedzieć w domu nad komputerem...

– Prosił cię ktoś o dobre rady? Co ty jesteś, kącik serc w tygodniku dla młodych panienek? Jak będę chciała się udzielać, to się udzielę. Masz swojego Cypka, to się nim ciesz, a moje sprawy nie powinny cię obchodzić!

Z odległości paru metrów cisnęła do zlewu łyżeczkę, która wpadła do metalowej misy z przeraźliwym brzękiem. Anita właściwie bez zdziwienia patrzyła na jej zaczerwienione policzki. Widziała już podobne ataki furii u przyjaciółki i teraz pluła sobie w brodę, że poruszyła zakazany temat. Z Elizą nie wolno było mówić o jej „byciu singlem" (słowo „samotność" w ogóle nie miało tu prawa istnienia). Eliza lubiła rozmawiać o beznadziejnym poziomie uniwersytetu, który ją zatrudniał, o tragicznych w swej głupocie studentach, o ich rozpaczliwych pracach, albo też kontrastowo – o swoich przewagach naukowych, o dziesiątkach i setkach napisanych przez siebie esejów, recenzji, szkiców i artykułów, a także fraszek, limeryków i innych uroczych drobiazgów poetyckich układanych dla przyjemności. Swoje uczelniane środowisko Eliza szanowała średnio, ale musiała jakoś żyć z tymi frustratami, jak ich nazywała. Brylowała zresztą wśród nich jako osobowość wybitnie inteligentna i twórcza. Potrafiła też uwieść studentów, którzy ją szalenie lubili, nie mając pojęcia, jak bardzo ona nimi gardzi.

Do tego, że chciałaby, owszem, spotkać kogoś odpowiedniego na mężczyznę życia, nie przyznawała się nawet przed sobą.

Ochłonęła trochę.

– Doleję ci kawy... skoro nie jesteś w ciąży, to możesz się jeszcze napić.

Anita miała teraz ochotę wrzasnąć na nią, bo właściwie dlaczego tak podkreśla, że ona, Anita, nie jest w ciąży, przecież wie, że dla niej to drażliwa sprawa... po sekundzie zastanowienia jednak dała spokój. W ogólnym bilansie i tak ona wygrywała.

Nie mając dziecka, miała przynajmniej Cypka. Eliza nie miała dziecka i nie miał go jej kto zrobić. Biedaczce.

Odrobinę pocieszona własnymi myślami skierowała rozmowę na inne tory.

Godzinę później przyjaciółka zamknęła za nią drzwi i odetchnęła z ulgą. Jakoś ją dzisiaj denerwowała ta Anita. Poza tym przerwała jej nową ulubioną zabawę.

Eliza włączyła komputer i weszła na stronę uniwersytetu. Niektóre osoby na tej uczelni denerwowały ją szczególnie. Otworzyła zakładkę forum studenckiego, zalogowała się jako Pracowita Pszczółka i wpisała: „Nie rozumiem, co wszyscy widzą w pani profesor Gr-k. Jej wykłady są prymitywne i po prostu nudne. Są kompilacją z prac innych, zdolniejszych i bardziej twórczych naukowców. Czasami zwyczajnie odrzyna cudze pomysły. Pani profesor, czas z tym skończyć. Albo ma pani coś do powiedzenia, albo wynocha z uczelni. Studenci wcale pani tu nie chcą".

Popatrzyła zadowolona na swoje dzieło i zachichotała. Ewę Grabarczyk szlag trafi. Może by jeszcze coś dodać?

Zalogowała się ponownie, tym razem jako Gucio Pszczół.

„A ja się pytam, z kim pani G. sypia, że się ją tak foruje wszędzie, gdzie się da. Która właściwie część ciała służy jej do robienia kariery uniwersyteckiej?".

No, bardzo ładnie. Może trochę za poprawnie. Chociaż studenci powinni pisać poprawnie. JEJ studenci piszą. A jak nie, to mają się z pyszna.

Kilka następnych dni Anita przeżyła jakby w transie. Szczęściem Cyprian zachowywał przytomność umysłu, dowiózł ją bezpiecznie gdzie trzeba, znalazł sympatyczne zakwaterowanie w małym pensjonacie na obrzeżach miasta i zaholował żonę do kliniki. Profesor okazał się dokładnie tak sympatycznym i rzeczowym człowiekiem, na jakiego wyglądał przez telefon, niemniej gwarancji powodzenia przedsięwzięciu dać nie chciał.

– Nigdy nie wiemy, czy to się uda – powiedział. – Pomagamy naturze, dajemy jej szansę, ale nie mamy stuprocentowej pewności. To nie matematyka, gdzie jeden plus jeden daje dwa. Powiem więcej, za pierwszym razem udaje się raczej rzadko. Na waszym miejscu przygotowałbym się na kilka prób. Trzecia, czwarta, piąta może dać rezultat. I to nie na pewno. Czasami ludzie próbują po kilkanaście razy.

Anita tylko jęknęła, a Cypek nie odezwał się wcale.

– Mówię to państwu, bo taka jest prawda. Ale uwaga: jednocześnie namawiam, żebyście byli dobrej myśli. Bo dlaczego miałoby się wam nie udać? Widzi pani te wszystkie maluchy?

W istocie, za jego plecami, na ścianie wisiała korkowa tablica, z której spoglądały na Anitę gapiowate oczka kilkudziesięciu niemowlaków w różnych niewymuszonych pozach: na pleckach, na brzuszkach, na rękach mamy albo taty, w kołysce, w wózeczku, w wiklinowym koszu. Na myśl, że sama będzie trzymała w ramionach takie niemowlę, Anita poczuła dławienie w gardle. Cypek zaś poczuł coś podobnego na widok jej wyrazu twarzy.

Obaj panowie Grabiszyńscy rzeczywiście bardzo kochali swoje żony. W innym przypadku być może Senior nie wytrzymałby kaprysów swojej pięknej Kaliny, Junior zaś mógłby nie okazać wystarczającej cierpliwości wobec wybujałego instynktu macierzyńskiego Anity.

Kochał, więc okazywał.

Anita była mu za to wdzięczna. Jako osoba generalnie inteligentna i myśląca w przebłyskach przytomności umysłu zdawała sobie sprawę, że daje mężowi nieźle popalić. Nie była jednak w stanie z tym walczyć.

– Nie walcz – powiedział jej Cypek, kiedy poruszyła ten temat podczas jednego z wieczorów w pensjonacie na peryferiach Białegostoku. – Podejrzewam, że te hormony, które ci dali, rozwalają cię teraz od środka. Ja wytrzymam. A ty się staraj niczym nie przejmować.

Ta ostatnia rada była z gatunku abstrakcyjnych. Kiedy wrócili z Białegostoku, Anita nie była w stanie ani pracować, ani nawet normalnie funkcjonować w domu. Próbowała, ale kiepsko jej to wychodziło. Myślała tylko o jednym.

Do momentu, kiedy okazało się, że nie jest w ciąży.

– Jezu, nie płacz tak strasznie! – Cyprian był nie na żarty przerażony. Nigdy w życiu nie widział takiej rozpaczy. – Mówił profesor, że od pierwszego razu rzadko się udaje. Spróbujemy za trzy miesiące.

Anita chciała coś odpowiedzieć, ale tylko rozmazała się jeszcze bardziej.

– Nie wiem, co z nią zrobić – zwierzał się Cypek koledze Krzysiowi Idzikowskiemu, szczęśliwemu ojcu Dżuniora i jeszcze szczęśliwszemu mężowi Justyny, która była osobą pogodną, nieskomplikowaną i po raz drugi w ciąży.

Panowie siedzieli późnym popołudniem w pracowni i usiłowali rozwiązać problem ogrodu, który częściowo będzie musiał ulec zniszczeniu, kiedy samorozwijające się „Gniazdo rodzinne" rozwinie się w poziomie, nie zaś w pionie. Komputery się grzały, a oni rozmawiali o kobietach zamiast o architekturze. Dlaczego niektórym kobietom tak strasznie zależy na posiadaniu dziecka?

– Ja ci nic mądrego nie powiem – odrzekł w zamyśleniu Idzikowski. – Ja się na kobietach nie znam. A jak wam seks wychodzi? Za przeproszeniem?...

– Bardzo dobrze nam wychodzi, za przeproszeniem. I na szczęście.

– Faktycznie, na szczęście. Nie mam pojęcia, co by ci poradzić. Moja Justyna jest prosta jak „dzień dobry". Nie wiem, czy nie powinienem lecieć do kościółka, zapalić jakąś dziękczynną świeczkę. Tylko ja się nie znam ani na świeczkach, ani na kościółkach. No, na kościółkach więcej, style odróżnię bez kłopotu. Ale co do kobiet, to się nie wypowiadam. Daje ci w kość, co?

– Daje, ale to w sumie drobiazg. Ja wytrzymam. Krzysiu, ja nie mogę patrzeć, jak ona się męczy. Mówię jej, że dziecko nie ma znaczenia, że kocham ją jako Anitę a nie jako matkę Polkę, a ta się uparła. Nie wiem, czy to nie moja matka tak jej namieszała...

– Musiała mieć predyspozycje – zauważył Idzikowski. – Niektóre dziewczyny podobno tak mają. Sama indoktrynacja nie wystarczy, żeby zrobić sobie taką wodę z mózgu. A może... – Zamarł z ręką wzniesioną nad klawiaturą komputera.

– Co?

– Myślisz, ze ona może być jak modliszka? Modliszki chcą tylko mieć potomstwo. A jak już mają, to zjadają męża. Może wy się tak przesadnie nie starajcie, bo Anita ci łeb odgryzie?

– Kretyn – orzekł ponuro Cypek.

Przez moment miał ochotę pójść na całość i opowiedzieć Idzikowskiemu o swoich ponurych przeżyciach związanych z procedurami zapłodnienia in vitro, ale jakoś mu to nie przeszło przez gardło. Nie wszyscy muszą wiedzieć o tym, JAK się starają o to dziecko.

Westchnął strasznie i zaproponował powrót do tematyki zawodowej.

Drugą próbę profesor Piątkowski wyznaczył Anicie i Cyprianowi na maj. Anita już od jakiegoś czasu była pozornie spokojna, pracowała normalnie i wydajnie, a inteligencja jej działała bez zarzutu. Cypek tylko miał wrażenie, że ona nie sypia. Ile razy zdarzyło mu się obudzić w nocy, miała oczy szeroko otwarte. Za każdym razem zapewniała – w odczuciu męża kłamliwie, że obudziła się, bo on się ruszał. Wyglądała mu jednak na zbyt przytomną. Któregoś dnia w tajemnicy przed nią udał się do starszych państwa Pindelaków, z wizytą, jak sam ją określił, ratunkową.

– Ratunkowa to by była, gdybyś nas ratował, nie? – zasugerowała teściowa Pindelakowa, otwierając przed nim gościnnie drzwi do małego domku na Pogodnie. – Coś poważnego? Mów zaraz, bo się denerwuję.

– Martwię się o Anitę – powiedział zięć, wchodząc do saloniku, będącego arcydziełem nowoczesnej funkcjonalności. Anita zaprojektowała go ze szczegółami na czwartym roku, a tata Pindelak dokonał stosownych przeróbek. Cyprian zawsze odczuwał dumę ze zdolności swojej żony, kiedy wpadali do teściów na niezobowiązujące herbatki i profesjonalne pogaduszki architektoniczno-budowlane.

– Coś nowego się stało, czy tylko to co było?

– To co było, ale strasznie długo trwa. Poza tym przestała spać. – Cypek w krótkich słowach opisał teściowej aktualny, pożałowania godny stan psychiczny swojej żony.

– Rozumiem – powiedziała mama Lonia Pindelakowa. – Czekaj, muszę pomyśleć, zrobię herbaty przez ten czas. Akurat Marek piecze murzynka.

Przeszła do kuchni, a zięć podążył za nią. W kuchni bardzo pięknie oraz intensywnie pachniało czekoladowym ciastem. Mama Lonia wychyliła się przez otwarte okno i wrzasnęła:

– Marek! Placek ci się pali!

Na schodach i w korytarzu dał się słyszeć gwałtowny tupot i w drzwiach pojawił się teść z czarnymi rękami.

– To wyjmij, Lonieczko! Ja nie mogę, mam brudne ręce. Tylko sprawdź patyczkiem!

– Jakim, do diabła, patyczkiem? Ja się nie znam na patyczkach!

– Tu leży!

– Czekaj...

Podział zainteresowań prywatnych państwa Pindelaków wyglądał tak, że ojciec rodu kochał kuchnię oraz z dużym zaangażowaniem uprawiał ogródek, panią Lonię zaś interesowała polityka krajowa oraz międzynarodowa, a także mniej lub bardziej szalona jazda samochodem terenowym marki Land Rover Defender.

Trzyletni automobil kupiła za bezcen w Niemczech, kiedy budowała tam wielki hotel w Górach Harzu. Był on (samochód, nie hotel) jednym z wielu nieudanych prezentów, jakimi właściciel sieci hotelowej obdarzył własną małżonkę. Źle ją zrozumiał, może dlatego, że był Niemcem, podczas kiedy ona urodziła się i wychowała w Maskacie i mówiła wyłącznie po arabsku. Tata szejk wysłał ją wprawdzie na nauki do Anglii, ale jej się uczyć nie chciało. Miała nadzieję, że złapie tam męża, i rzeczywiście, złapała przystojnego Hansa, który oszalał na jej punkcie – zupełnie tak jak pani Lonia na widok defendera. W sumie więc na dobre wyszło. Frau Melissa Wagner dostała kabriolet BMW, o który tak naprawdę jej chodziło, a stuknięta polska pani inżynier zabrała terenówkę. Stalowy rumak miał obecnie dziewięć lat i wspaniałe perspektywy na przyszłość, jak twierdziła jego zakochana właścicielka.

Właścicielka boskiego samochodu stała teraz na środku kuchni z patyczkiem do szaszłyków w dłoni i z nieszczęśliwym wyrazem twarzy. Cypek poczuł, że musi dopomóc ulubionej teściowej, wziął więc ścierkę i ostrożnie wysunął z piecyka blaszkę z murzynkiem. Pani Lonia wbiła patyczek w ciasto, zakręciła, wyciągnęła i spojrzała na niego krytycznie.

– Nie wiem, czy jest suchy – powiedziała niepewnie.

– To pomacaj – poradził rozsądnie mąż.

– Sam pomacaj, ja się nie znam.

Mąż i teść z rezygnacją ujął patyczek w czarne palce.

– Suchy. Wyjmijcie tego murzynka. To znaczy z piecyka, z blachy jeszcze nie. Musi trochę wystygnąć.

– Lepiej niech się spieszy, bo nie mam nic do herbaty. Cypek, postaw go na oknie, może szybciej odparuje. Marek, on paruje? A, nieważne. Na ciepło też jest dobry.

– Ale lukier trzeba zrobić – jęknął twórca murzynka.

– Przestań. Na cholerę komu lukier? I tak na pewno jest za słodki.

Pani Lonia ponad wszelkie ciasta przedkładała solidny kawałek chleba ze smalcem. A chętniej dwa kawałki. Nie wiadomo jakim cudem nie traciła od tego figury. Wciąż była zgrabna i do tego niebrzydka. Z przystojnym panem Markiem zgadzali się idealnie – on decydował w sytuacjach wymagających łagodności i namysłu, ona świetnie sprawdzała się w walce. Tym razem wyglądało na to, że ani jedno, ani drugie może nie pomóc.

Cypek po raz drugi zrelacjonował problem. Teść, już z umytymi rękami (sadził był nimi, bez rękawiczek, wielkokwiatowe jednoroczne jaskry), wysłuchał uważnie i zmartwił się.

– Anitka zawsze była wrażliwa – powiedział, krojąc niepolukrowanego murzynka. – Natomiast nie przypominam sobie, żeby jakoś specjalnie interesowała się małymi dziećmi. Chyba że się mylę. Jak to było, Lonieczko?

– No, nie mylisz się, nie. Cypek, a wy na nią nie za bardzo naciskacie? Bo wiem, że twojej mamie mocno zależało...

– Mamę ojciec spacyfikował, a babcia się dołożyła. Po tamtych świętach, kiedy Anita tak ciężko przeżyła prezencik od mamy. Znaczy, teściowej. Znaczy, swojej. Więc mama się nie wyrywa, ojciec z babcią cicho siedzą, a mnie wisi, kto będzie po mnie dziedziczył nazwisko. Może nie do końca zresztą, ale przecież nie za wszelką cenę. Ja chcę mieć normalną żonę, a nie kłębek nerwów.

Teściowie spojrzeli na siebie i westchnęli jednocześnie.

– A Sławek, znaczy twój ojciec, nie doradziłby czegoś? – spytała niepewnym głosem pani Lonia. – Jest lekarzem...

– Mój ojciec doradzał wizytę u psychologa albo psychiatry, nawet ma takiego jednego kolegę z Akademii Medycznej, bardzo się lubią i ojciec się o nim dobrze wyraża... doktor Wroński niejaki... Anita nie chciała nawet słyszeć. Przyszedłem do was, bo może byście spróbowali jakoś ją przekonać, że na dziecku życie się nie kończy. Jak będzie, to będzie, a jak się nie uda, to trudno. Za dwa tygodnie znowu jedziemy do Białegostoku. Ja nie wiem... mnie się wydaje, że takie straszne napięcie jej szkodzi. Może nawet w zajściu w ciążę. Nawet takim sztucznym. A w ogóle nie potrafię sobie wyobrazić, co będzie, jeśli ona znowu nie zajdzie w tę ciążę cholerną...

– Nie mów tak, bo się negatywnie nastawisz do własnego dziecka – ofuknęła go teściowa. – Powinieneś kochać je zawczasu.

– Mamo, ja nie potrafię kochać abstraktu. Mamę kocham, chociaż mama teściowa. A dziecko? Jak na mnie popatrzy i powie „cześć, tata", to porozmawiamy o uczuciach ojcowskich. Na razie martwię się wyłącznie żoną, która szajby dostaje.

Dwa tygodnie później Anita i Cypek znowu jechali polskimi drogami (przydałby się defender pani Loni) do Białegostoku. Na świecie panował cudowny maj, jak wiadomo, najpiękniejszy miesiąc w roku. Wszystko kwitło. Drzewa owocowe w mijanych sadach uginały się od kwiecia. Bzy pyszniły się bielą, błękitem, jasnym i ciemnym fioletem. Wszystkie istniejące w przyrodzie odcienie zieleni zdobiły krajobraz. Cypek pracowicie zwracał Anicie uwagę na te cuda, ona zaś równie pracowicie udawała, że jest zachwycona.

Rozmowa dyscyplinująca przeprowadzona z nią tydzień temu przez tyleż kochających, ile zatroskanych rodziców, z niemałym udziałem okropnie przejętego brata Stasinka – nie dała spodziewanego rezultatu. Mimo że rodzina naprawdę się starała. Anitę nadal zaprzątał jeden tylko problem. Zachowywała się w związku z tym trochę jak cyborg, który się zepsuł. Cyprian nie miał innego wyjścia, tylko znosić sytuację z godnością.

Jedynym pocieszeniem dla niego osobiście było, że tym razem nie czekał go ten cały cyrk z oddawaniem nasienia. Zarodki czekały w lodówce. Trochę mu było głupio, że Anita musi wszystko wziąć na siebie, i te hormony, które musiała przyjmować, i badania, i ten cały zabieg... implantacji, tak na to mówił profesor Piątkowski. No i potem koszmar oczekiwania. Co powie natura?

Natura po raz drugi powiedziała: nie.

Miranda Wiesiołek podjęła najważniejszą w swoim młodym życiu decyzję. Właściwie podjęła ją już wcześniej, ale teraz przyszła pora na jej realizację. Świeża maturzystka pojechała do Szczecina i złożyła papiery na uniwersytecie. Nie zrobiła tak, jak jej koleżanki i koledzy, którzy poobstawiali po kilka kierunków. Złożyła papiery tylko na jednym, jedynym wydziale.

Nie była to ekonomia, jak chciał ojciec. Ani anglistyka, jak chciała matka. Ani finanse, ani żadne zarządzanie. Była to kompletnie nieprzydatna w zawodzie hotelarza filologia polska.

W związku z tym czekała ją niesympatyczna rozmowa rodzinna. To było więcej niż pewne. Nie spieszyła się więc wcale z powrotem do domu. Poszłaby sobie gdzieś na spacer, ale nie była zdecydowana, gdzie. Musiała jednak znaleźć w Szczecinie coś, co jej zastąpi katedralny wirydarz i miejsce w kąciku za amboną. Powędrowała ulicami, ciesząc się majem – zupełnie jak Kubuś Puchatek. Powinna jeszcze zanucić mruczankę. Prawdę mówiąc, była tego bliska. Jakkolwiek trudna przyszłość ją czekała, była to jednak przyszłość człowieka wolnego.

Szeroka aleja doprowadziła ją do wielkiego, trójskrzydłowego, wyraźnie urzędowego budynku. No. Zgadza się, Urząd Miejski. Po dwóch stronach głównego skrzydła – dwa przejścia na drugą stronę. Na drugą stronę *czego*? Podążyła w stronę prawej bramy już nie jak Kubuś Puchatek, raczej jak Alicja przechodząca na drugą stronę lustra. Za łukowatą bramą rozpościerały się przestrzenne błonia, z prawa i z lewa zamknięte dwoma kolejnymi szerokimi alejami, wysadzanymi starymi platanami. Z przodu był parking – gdzieś ci petenci urzędu muszą parkować – a zaraz za nim tryskała w górę fontanna. Na jej obrzeżu siedzieli beztroscy ludzie, w basenie chlapały się małe dzieci. Po przeciwnej stronie błoni (nazywały się Jasne Błonia, ale tego Miranda jeszcze nie wiedziała) stał potężny pomnik z trzema wzlatującymi w górę orłami osadzonymi na metalowym słupie. Słup odbijał słońce i orły wyglądały trochę tak, jakby naprawdę frunęły.

Chwilowo Miranda nie wiedziała również, że fontanna nazywana jest Bartłomiejką od imienia jednego z prezydentów miasta, który ją kazał zbudować. Oraz że pomnik Czynu Polaków, te orły, nosi czasem pieszczotliwe miano Szaszłyka z Drobiu. Swojego czasu krążyły po mieście różne dowcipy na ich temat; najpopularniejsze było zastanawianie się, które z nich patrzą we właściwą stronę, czyli w kierunku ambasady radzieckiej.

Wakacyjne miejsce.

Miranda uśmiechnęła się do środka (w jej rodzinie śmiech na zewnątrz uważany był za przesadne eksponowanie infantylnej i nieuzasadnionej radości życia) i poczuła, że podoba jej się to miejsce. Podobają jej się ci ludzie, łażący beztrosko w tę i z powrotem. Starsze panie w słomkowych kapelusikach, zasiadające na ławkach pod platanami i spacerujące po cienistych alejach. Biegające i chlapiące się w fontannie dzieciaki. Psy ganiające z zadartymi ogonami po trawnikach. Kwietne gazony. Trawa do deptania. Te cudowne, na pewno bardzo leciwe, platany. Wspaniałe po prostu!

Podeszła do fontanny i zagapiła się w tęcze wytwarzane przez strumienie wody.

– Pierwszy rok!

– Pierwszy rok?

Dopiero po chwili Miranda zorientowała się, że pytanie jest skierowane do niej. Obejrzała się. Za jej plecami stali dwaj młodzi ludzie, jeden przeciętnego wzrostu, drugi mniej więcej dwumetrowy, obaj z wyrazem twarzy przywodzącym na myśl te radosne psiaki hasające po trawie.

– Sprawdzamy swoje wyczucie do ludzi – wyjaśnił dwumetrowy. – Nie bocz się. Powiedz, czy mamy rację.

Mimo woli roześmiała się. Byli naprawdę sympatyczni i obaj wlepiali w nią zaciekawione oczy.

– Pierwszy rok...

– Nie kończ! – zawołał mniejszy. – Uniwersytet?

– Politechnika?

– Tylko nie mów, że Akademia Medyczna!

– Albo Muzyczna! Albo Morska! Albo Rolnicza!

– A co, założyliście się?

– Tak. Mnie wyglądasz politechnicznie.

– A mnie uniwersytecko.

– Wygrałeś – zwróciła się do mniejszego. – Polonistyka.

– Aaaaa! Wygrałem! Idziesz z nami na piwo? Duży stawia. Pozwolisz, że ci się przedstawimy. Ja się nazywam Stanisław Pindelak, czwarty rok filozofii. Twoja uczelnia.

Stanisław Pindelak skłonił się dziewiętnastowiecznie i kilka razy uroczyście potrząsnął jej dłonią. Jego kolega uczynił to samo, łamiąc się wpół.

– Duży jestem. Imienia nie używam, a nazywam się Marzec. Politechnika. Elektronika z telekomunikacją. Trzeci rok. Na razie. Bo ja zamierzam studiować co najmniej dziesięć lat, żeby porządnie zgłębić moją, jakże trudną, dziedzinę.

– A czemu nie używasz imienia? Pójdę z wami na piwo, ale powiedz!

Duży z udawaną rozpaczą potrząsnął bujnymi włosami w kolorze siana.

– Bo mam na imię Światopełk. Rozumiesz coś takiego?

Miranda zaśmiewała się.

– Wyobraź sobie, że rozumiem. Mam na imię Miranda. Rozumiesz coś takiego? Miranda Wiesiołek. Mówcie do mnie Mirka... I co, wy tak się zakładacie o ludzi i co chwila biegacie na piwo?

– Miranda-Girlanda! Bardzo ładnie. Nie biegamy po każdym jednym człowieku, nie jesteśmy alkoholikami. Biegamy co dziesięć sztuk.

– To znaczy biegniemy pierwszy raz – uzupełnił filozof Pindelak. – Ja wygrałem siedem razy. Tryumf humanistyki nad zimną technologią. Siedem razy! Szczęśliwa liczba. Tam jest taka budka i dają tyskie z kija. Widziałem, jak wygrywałem tę panienkę z medyka.

– Wy tak po prostu zaczepiacie ludzi i pytacie ich, co studiują? – spytała Miranda chwile potem, kiedy wszyscy troje siedzieli już na wiklinowych fotelach, popijając zimne tyskie. – Nie jest wam głupio?

– Nie – odpowiedział filozof krótko i z uśmiechem.

– Trochę – rzekł jednocześnie elektronik. – Ale się przezwyciężamy.

– Po co wam to?

– Po nic. – Duży oglądał krytycznie swoją szklankę, w której niewiele już pozostało. – Postawię wam jeszcze, chcecie?

– Tak.

– Nie. – Znowu dwa głosy zabrzmiały jednocześnie. – Ja tyle nie piję – wyjaśniła Miranda. – Komiczni jesteście.

– Komiczni? Nie – zaprotestował Stasinek Pindelak, jedyny humanistyczny wybryk natury w budowlanej rodzinie, ukochany braciszek Anity Pindelaczki, obecnie Dolina-Grabiszyńskiej.

Duży Światopełk wydobył się tymczasem z niejakim trudem z fotelika i oddalił w kierunku źródła boskiego nektaru. Stasinek kontynuował wykład:

– Nie jesteśmy komiczni. Jesteśmy otwarci na ludzi, a to wcale nie to samo. Posłuchaj. Ostatnio my, ludzie, nauczyliśmy się robić tylko to, co musimy, żeby przeżyć, żeby zarobić, żeby mieć jakieś korzyści. Słyszałaś o Ingardenie? Filozof taki, mądry człowiek. Otóż Ingarden powiedział kiedyś, że miarą człowieczeństwa jest to, co robimy ponad potrzebę. Ponad potrzebę, czaisz? Nie musisz, a robisz. Bo chcesz. Bo tak ci się podoba. Bo cię to bawi. Nie uważasz, że fajnie jest lubić ludzi? My z Dużym lubimy ludzi. Nie zaczepialiśmy tylko dziewczyn, nawiasem mówiąc. Jednego faceta też zapytaliśmy. Przegrałem, bo mi wyglądał na muzyka, a przynajmniej na jakiegoś artystę. A był z ekonomii. Wykładowcą.

Miranda zaśmiewała się nad swoim piwem.

– No widzisz. Śmiejesz się. To bardzo dobrze. Jesteś stąd?

– Z Kamienia. Muszę gdzieś znaleźć stancję. Akademika nie dostanę, bo rodzice mają pensjonat, to pewnie wyjdzie, że za bardzo dziani. A ja się boję, że oni mi nie dadzą nic, bo nie poszłam na takie studia, jak by chcieli. Pracę też muszę sobie jakąś znaleźć.

– Opowiedz.

Duży doniósł piwo – dla Mirandy również wziął, małe – i obaj z uwagą wysłuchali opowieści dziewczyny.

– Rozpuścimy wici – obiecał Duży, kiedy skończyła. – Zadzwonisz do nas, jak się tu zjawisz na stałe?

– Mogę zadzwonić. Myślicie, że coś wam się uda znaleźć?

– Mamy rodziny – rzekł Stasinek. – Mamy przyjaciół. Zorientujemy się. Nam będzie łatwiej niż tobie, bo ty będziesz tutaj świeżutka.

– To ładnie z waszej strony. Dlaczego to robicie?

– Dla niczego – zaśmiał się. – Mówiłem ci coś na ten temat, nie?

– Straszył cię Ingardenem? Nie przejmuj się, wszystkich straszy. Uważaj na niego, bo jak się rozbestwi, to dołoży ci Platona...

– Filozofia matką nauk. Ja na razie jestem poszukujący. Nie słuchaj, co on mówi. On cię zakatuje technologią, jeśli tylko pozwolisz mu zacząć ten temat. Przyjechałaś samochodem?

– Coś ty, nie mam samochodu. Mam autobus, kurczę, za pół godziny. Muszę lecieć. Fajni jesteście. Jak trafić na dworzec autobusowy?

– Odprowadzimy cię – Duży był gotów do czynu.

Odprowadzili ją, rzeczywiście. Po drodze dali jej swoje numery telefonów. Autobus do Kamienia prawie musieli gonić, ale udało się umieścić w nim Mirandę dosłownie w ostatniej sekundzie. Widziała ich jeszcze, jak stali i przyjaźnie machali do niej rękami.

Wliczając Saszę, ma już trzech przyjaciół w Szczecinie. Sami faceci. To, oczywiście, przypadek.

Miranda chciała mieć przyjaciółkę. W Kamieniu miała, rzecz jasna, koleżanki szkolne, ale takiej prawdziwej przyjaciółki jakoś się nie doczekała. Wszystkie one poza tym wybrały studia o wiele bardziej w perspektywie opłacalne. No, trudno. Polonistyka jest sfeminizowana. Może więc trafi się i przyjaciółka?

W miarę jak autobus oddalał się od wiosennego Szczecina, Miranda czuła się coraz bardziej niewyraźnie. Wiosna na polach i w lasach już tak jej nie cieszyła. W okolicy rozjazdu w Parłówku dziewczyna miała już w żołądku twardą kulę wielkości piłki nożnej.

Uczucie to było jak najbardziej uzasadnione. Mogłaby przesunąć nieuniknioną awanturę w czasie, ale nie chciała. Nie chciała kłamać, kręcić, zatajać prawdy, a musiałaby to zrobić, żeby ojciec usłyszał to, co chciałby usłyszeć.

– Złożyłam papiery na polonistykę.

Ojciec zamarł nad talerzem solidnej zapiekanki przygotowanej na kolację przez matkę. Matka zamarła nad dzbankiem z herbatą, którą właśnie miała lać do filiżanek. Dosia zamarła z pilotem od telewizora w ręce. Wiesio rozpromienił się i powiedział:

– Ale fajnie!

Nikt na niego nie zwrócił uwagi. Sekundę jeszcze trwał rodzinny stupor, a potem wszystkich odblokowało.

– Boże święty! – zawołała matka. – Ty chyba zwariowałaś, dziecko!

– Ściemniasz – zachrypiała siostra. – Wkręcasz nas. Robisz nas w konia!

– Kurwa mać – powiedział dobitnie i po prostu ojciec, purpurowy na twarzy. – Jutro tam pojedziesz i przeniesiesz papiery, gdzie żeśmy ustalili!

Miranda siadła przy stole naprzeciwko niego. Była podejrzanie spokojna, przynajmniej w ocenie matki. Matce nie podobał się ten jej spokój. Uważała, że nic dobrego z takiego spokoju nie wyniknie. Nie miała jednak żadnej możliwości reakcji. Pojedynek miał się rozstrzygnąć między ojcem i córką.

– Możemy porozmawiać, tatku?

– Kurwa, nie! Ja nie będę z tobą rozmawiał! Ja ci każę i ty musisz zrobić, co ja ci każę!

– Przepraszam, tato, ale nie muszę. Jestem pełnoletnia.

– Wiesz, co to mnie obchodzi? Jaka pełnoletnia? Że masz dziewiętnaście lat? Jak jesteś pełnoletnia, to się wynoś i radź sobie sama! Dopóki jesteś na moim utrzymaniu, jesteś gówniara i ja za ciebie odpowiadam!

– Nie jest tak i wiesz o tym. Ja nie jestem gówniara, a ty masz obowiązek mnie utrzymywać, dopóki się uczę albo dopóki nie skończę dwudziestu pięciu...

– No, kurwa mać po raz trzeci mówię! Gówniara, i to bezczelna gówniara! Ja mam jakieś obowiązki? To ty się zdziwisz, dziewczyno! Masz się natychmiast wynosić!

Miranda przeczekała kilka sekund, nie ruszając się z miejsca. Nie przypuszczała, aby ojciec miał posunąć się do rękoczynów. Teraz była kolej na mamę, która powinna rzucić się do niego z uspokajaniem. Sytuacja chyba jednak przerosła biedaczkę, bo tylko postawiła dzbanek na stole i chłonęła niewyszukany dialog męża z Mirandą.

– Tato, porozmawiajmy.

– Nie mamy o czym.

– Mamy. Oczywiście, możesz mnie wyrzucić z domu, ale wtedy ja pójdę prosto na policję i wszystko opowiem. Nie wściekaj się. Ja jestem spokojna, to i ty możesz.

Tym razem pana Wiesiołka omal szlag nie trafił. W oczach młodszej córki zobaczył jednak coś takiego, że jej uwierzył. Z takim wyrazem twarzy ona naprawdę może pójść na policję, mała zdzira!

– Mów – sapnął. – Mnie tak łatwo z równowagi nie wyprowadzisz – dodał wbrew oczywistości.

– No więc tak. Ułożyłeś sobie, tato, co do mnie, pewien plan, ale nigdy nie pytałeś, czy mnie to odpowiada. Kiedy próbowałam z tobą dyskutować, a zdarzyło się tak kilka razy, nie wiem, czy pamiętasz, kazałeś mi się zamknąć. Zamykałam się, bo rzeczywiście byłam dzieciakiem. Ale jakiś czas temu dorosłam, tato, i zaczęłam mieć własne zdanie. Ono cię nie obchodziło. A ja nie chcę pracować w turystyce ani w hotelarstwie, ani w niczym takim. Chcę uczyć dzieci polskiego...

– A co ty z tego będziesz miała, idiotko?! – ryknął kochający tatuś, który chyba uznał, że już dostatecznie długo milczał.

– Mam nadzieję, że satysfakcję.

– Satysfakcją się nie najesz – prychnął, nie bez racji, senior.

– Zaryzykuję. Przynajmniej będę żyła tak, jak będę chciała. Tato, ja nienawidzę pracy w pensjonacie. Nic nie mów, skończę, a potem możesz mnie wyrzucić z domu. Ale tato, ja wszystko sprawdziłam. Naprawdę rodzice mają obowiązek łożyć na uczące się dziecko. I jeśli nie będziesz chciał, to cię podam do sądu o alimenty. Jeżeli zrobisz mi coś złego, natychmiast polecę na policję. Jeżeli mnie uderzysz, pójdę na pogotowie i zażądam obdukcji.

– Czy ja cię kiedyś uderzyłem?!

– Mówię tak na wszelki wypadek. Drzesz się na mnie tak, że nie wiem, czego się mogę od ciebie spodziewać.

– Zamierzasz nas tak po prostu wykorzystać i zostawić na lodzie?

– Tato, zamierzam po prostu żyć po swojemu. Odwracając to, co powiedziałeś, to ty wykorzystywałeś mnie przez całe lata. Odkąd pamiętam, nie miałam żadnych wakacji...

– Cholera jasna – przypomniało się panu Wiesiołkowi. – Skąd ja teraz znajdę pokojówkę na lato?!

– Myślałam o tym. Nie chcę tak całkiem zostawić was na lodzie. Mogę pracować do połowy września. Dwa tygodnie chcę mieć wolne, dla siebie, zanim się zacznie rok akademicki. I jeszcze jedno: będziecie mi płacili według takich stawek, jak normalnie płacą w pensjonatach na wybrzeżu.

– Bezczelność!

– Tatku, jak ty mi nie zapłacisz, to bądź pewien, znajdę sobie taką samą robotę, albo i lepszą. W internecie jest pełno ogłoszeń o poszukiwaniu pokojówek do hoteli. No więc jak wolisz.

– Każesz mi podpisywać ze sobą umowę? – pan Wiesiołek jakby przestawał się wściekać, a zaczynał być rozżalony.

– Nie. Wierzę, że skoro się umówimy, to mnie nie oszukasz.

– No, chociaż tyle. Dośka, ty się przypadkiem nie wybierasz na historię sztuki?

Atmosfera zelżała i matka odważyła się cichutko zaśmiać.

Pan Wiesiołek, aczkolwiek nie intelektualista, głupi nie był, a chociaż nie psycholog, to jednak wyczuł w swojej młodszej córce niespotykaną u niej do tej pory niezłomność. Nawet mu to trochę zaimponowało. W momencie kiedy zadeklarowała, że przez wakacje będzie pracowała w pensjonacie, najpilniejszą rzecz miał załatwioną. Miranda miała bowiem rację: pokojówki nie musiały długo szukać pracy, to ich szukano, były atrakcyjnym towarem na rynku. Miał ją na całe lato – przez lato coś wymyśli. W sensie dalszych losów pensjonatu. Ta cholera zdania nie zmieni, to widać. Ostatecznie jednak sam nie jest bardzo stary i jeszcze wiele lat może prowadzić hotel osobiście. Szkoda, że Dośce nie chce się uczyć.

Swoją drogą tupeciara z tej Mireczki! Zagroziła mu sądem, obdukcją i policją! I odrobiła lekcję, zna swoje prawa. Dosia przy niej to miągwa i gamonica.

– Wiesz co, Mirka, wkurzyłaś mnie – powiedział całkiem już spokojnie. – Taki wkurzony rozmawiał z tobą nie będę. Jutro po śniadaniu ustalimy szczegóły. Matka, zapuść mi jakąś ładną komedię, bo czuję, że mi się żółć zagotowała i ciśnienie podniosło. Muszę się zrelaksować.

– Wizualizacja – powiedziała Eliza Trumbiak. – Podobno pomaga.

– O czym ty mówisz? Mam je sobie wyobrażać?

– Tak. Masz się tak zachowywać, jakbyś już je miała.

– Pomyślą, że jestem wariatka.

– Przestań. Nie chodzi o to, żebyś udawała małą mamuśkę. Ale jak jesteś w sklepie z ciuchami, to idziesz na dział dla niemowlaków albo i starszych dzieci, oglądasz ubranka, wybierasz. Nie mówię, że kupujesz. Rozmawiasz z nim. W myślach. Mentalnie. Macie już wózek i cała resztę?

– Jaką resztę?!

– No jak to! Wszystko, co jest potrzebne dla małego dziecka! Wózek, łóżeczko, stół do przewijania, zapasy pampersów, naczynia stołowe, butelki, pościel... Jak ono będzie miało na imię?

– Nie zastanawialiśmy się nad tym.

– Boże mój! Jak ty chcesz mieć dziecko, skoro w ogóle nie nastawiasz się na to, że będziesz je miała?

– Przecież nie wiemy, czy to będzie chłopiec czy dziewczynka!

Eliza spojrzała na przyjaciółkę z politowaniem.

– MATKA takie rzeczy wie. Tu mnie wysadź, dobrze? Idę na wydział, mam trochę do zrobienia. I pamiętaj, jak sobie nie zwizualizujesz, to twój mózg nie będzie wiedział o co chodzi, nie nastawi się na dziecko. No, cześć, trzymaj się, koleżanko!

Zgrabnie wyskoczyła z samochodu, pomachała Anicie i oddaliła się, wdzięcznie machając torbą na długim pasku. Dopiero kiedy ktoś z tyłu zatrąbił, Anita wrzuciła jedynkę i ruszyła Cypkowym volvem spod świateł, obierając kierunek na aleję Wojska Polskiego, a konkretnie na firmę „Mata chatę".

Przyjaciółki spotkały się na mieście, bo Anita miała coś do załatwienia w urzędzie, a Eliza chciała zajrzeć do galerii handlowej, dostała bowiem kilka esemesów zawiadamiających ją o przecenach i wyprzedażach. Na wydział też zamierzała wstąpić w pewnym określonym celu, z którego jednakowoż nie musiała się Anicie zwierzać. Nie chodziło bynajmniej o spotkanie ze studentami.

Eliza otóż polubiła ostatnio swoją nowo odkrytą rozrywkę. Wchodziła do internetu, odnajdywała różne blogi i fora, logowała się pod rozmaitymi nickami, po czym wpisywała teksty w rodzaju tego na temat profesor Ewy Grabarczyk, który wrzuciła na forum studentów Uniwersytetu Szczecińskiego. Niestety, nie zawsze było jej dane zobaczyć reakcję adresatów, tak jak widziała reakcję Ewy... w tym przypadku rozpętała się też dyskusja między studentami i kadrą. Eliza z rozkoszą brała udział w debacie, z mocą potępiając tę całą Pracowitą Pszczółkę.

Zasiadła przed komputerem w doskonałym nastroju. Najpierw weszła na stronę lokalnej telewizji, aby w „Głosie naszych widzów" napisać to i owo o absolutnym dnie, jakim jest czołowa prezenterka wiadomości. Podpisała się jako Widzka. Pomyślała chwilę i dołożyła odpowiedź Szczecinianina. Popierał on Widzkę z całej mocy i pytał kierownictwo telewizji, jak długo jeszcze pani D. będzie straszyć z ekranu?

Kolejnej zabawy dostarczył Elizie blog pewnej aktorki. Napisała tam poprzednio w komentarzach (jako Prawdawoczykole), że owa przebrzmiała gwiazda dawno już nie ma nic do powiedzenia, nie rozwija się twórczo, a poza tym jest stara i gruba. I niech nie myśli, że publikując blog, zamydli oczy publice. Publika wie swoje. O romansie aktorki z dyrektorem TV Kultura publika też wie. Ona sama, Eliza, nie miała pojęcia, czy TV Kultura ma jakiegoś dyrektora, ale faktem jest, że aktorka owa często tam się pokazywała, czytając wiersze i fragmenty prozy.

Okazało się, że wpis chwycił i przyniósł kilka podobnych w tonie, napisanych przez Bóg wie kogo z Polski. No proszę, jak ładnie. Dobry przykład działa.

Forum sportowe. Jako Kibic z Krakowa dołożyła się do krytyki znanej siatkarki, która po kontuzji pauzowała kilka miesięcy, a teraz wróciła na boisko i nie popisała się specjalnie w jakimś meczu, choć widać było, że generalnie idzie jej coraz lepiej. „Stare i chore zawodniczki powinny siedzieć w domu i oglądać telewizję, a nie narażać nas, kibiców, na stresy. Dlaczego mamy oglądać popisy niedołężnej kaleki? Bo jest pupilką trenera? Na drzewo, paniusiu! Albo raczej na wózek inwalidzki. To jest właściwy pojazd dla pani".

Bosko. No to wystarczy na dziś.

A może coś na deser?

Nooo, świetny pomysł!

Forum studenckie.

„Pocałujta w dupę wójta. Ewa Grabarczyk".

O kondycję psychiczną Anity martwiło się kilka osób. Przede wszystkim Cypek, który miał ją na co dzień (Anitę, nie kondycję, chociaż właściwie Anitę *razem* z jej kondycją, jak wiadomo, fatalną). Martwili się państwo Pindelakowie i Stasinek, będąc w stałym kontakcie z Cyprianem, nieprzynoszącym dobrych wieści. Martwili się ojciec Grabiszyński i babcia Dobrochna. Martwiła się również konsekwentnie niewtajemniczona pani Kalina, bo przecież miała oczy i widziała, że synowej coś dolega i że syn się tym trapi. Owo rodzinne zmartwienie rozszerzyło się na koleżanki i kolegów z pracowni „Mata chatę", bowiem wydajność Anity w pracy spadła zastraszająco.

Anita, choć w nastroju depresyjnym, to jednak przytomności umysłu do końca nie straciła. Zdawała sobie sprawę z tego, że rodzina się o nią niepokoi, jak również że ona sama obija się w robocie, co stanowi po prostu nielojalność wobec zaharowanych kolegów. „Gniazdo rodzinne" było już niemal do perfekcji dopracowane, wymagało uzupełnienia pewnych szczegółów, o które to szczegóły ona, Anita, powinna zadbać.

Starała się więc i osiągnęła nawet pewne rezultaty. Zaczęła, mianowicie, pracować prawie normalnie. Otoczenie odetchnęło z ulgą, szczególnie Cypek, któremu podporządkowywanie całego życia przemożnej chęci posiadania dziecka wydawało się na dłuższą metę nie do przyjęcia.

Nikt nie wiedział, że obok biurka Anity stał dziecięcy wózeczek i że ona co jakiś czas przerywała sobie pracę, przewijając leżące tam dziecko, karmiąc je, prowadząc z nim długie rozmowy. Dziecko jednego dnia było dziewczynką i miało na imię Julitka, po babci Pindelakowej, drugiego zaś chłopczykiem, Mareczkiem, na cześć taty Pindelaka. Mareczek chyba jakoś był bliższy matczynemu sercu Anity, bo zdarzyło jej się nawet kilka razy zawołać go przez sen, co z kolei spowodowało zrozumiały niepokój Cypka.

Po trzecim razie nie wytrzymał.

– Anita, powiedz, kto to jest Mareczek?

Małżonkowie siedzieli przy kolacji, a obok stołu stał wózek z Julitką. Może dlatego, że dziś była właśnie Julitka, Anita nie załapała od razu.

– Jaki Mareczek?

– Głupio mi o tym mówić. On ci się śni po nocach, wołałaś go, więc chyba to jest ktoś ważny dla ciebie...

– Ach!

Anita zaczerwieniła się, a Cyprian poczuł, że coś go dławi w gardle.

– Czy jest coś, o czym powinienem wiedzieć?... Jak mówią w serialach telewizyjnych i... tego... kinie familijnym?

– Nie, no, powiem ci, oczywiście, że ci powiem... Kurczę, słuchaj, Mareczek to jest... no, to jest nasz syn.

Oczy Cypka przybrały rozmiary niespotykane w przyrodzie.

– Cypek, przecież myśmy w ogóle nie zastanawiali się, jakie to nasze dziecko ma być. Jakoś tak mechanicznie. Dziecko, dziecko. A to będzie żywy człowiek. Ja go sobie wyobrażam, rozumiesz? Wizualizacja. To pomaga. Umysł się nastawia, mam większą szansę zajścia w tę ciążę.

Streściła w krótkich słowach teorię, którą wywiodła jej Eliza, i dodała trochę wiadomości złego i dobrego z internetowych forów młodych mam.

– I on tu gdzieś cały czas jest, ten Mareczek? – spytał Cypek z niedowierzaniem w głosie.

– No, tu jest, w wózeczku – odparła Anita, lekko zażenowana. – Obok ciebie stoi. Ale prawdę mówiąc, dzisiaj jest Julitka. Nazwałam ją tak po mojej babci ze strony ojca, bardzo fajna babcia była. Miałam nadzieję, że się zgodzisz. Bo Mareczek jest po moim tacie.

Cypek machinalnie pokiwał głową. Jeżeli trzecia próba im nie wyjdzie... bał się myśleć, co nastąpi po czwartej.

Trzecią próbę umówiono na pierwszego października.

Miał to być dzień epokowy również w życiu Mirandy Wiesiołek, która zaczynała swoje wymarzone studia. Do tej pory nie wierzyła sobie samej, że udało jej się spacyfikować ojca. Sukces w tym zakresie odniosła istotnie wielki, choć nie do końca, bo kwota zaoferowana jej na koszty utrzymania w mieście Szczecinie była dalece niewystarczająca. Ojciec jednak twierdził stanowczo, że więcej nie ma. Miranda wiedziała, że pan Wiesiołek chachmęci z podatkami i wykazuje o wiele mniejsze dochody, niż ma istotnie, zdawała sobie wszakże sprawę, że nawet jeśli nadonosi na tatusia do Urzędu Skarbowego, to nic jej to nie da. Tatusiowi każą zapłacić z odsetkami albo wsadzą go do ciupy, na czym jej wcale nie zależało. Nie była mściwa, chciała tylko osiągnąć swój cel.

No więc go osiągnie. Poradzi sobie.

Po pierwsze – fantastycznie udało się z mieszkaniem. Mniejszy z dwóch poznanych na Jasnych Błoniach studentów, filozof Stasio, pogadał ze swoją siostrą, która z kolei pogadała z jakąś tam swoją przyjaciółką, bo wiedziała, że przyjaciółka siostry i jej współlokatorka szukają trzeciej lokatorki do wynajmowanego przez siebie wielkiego mieszkania. Mają nadzieję, że trzecia będzie sprzątała wszystkie pokoje, za co obniżą jej czynsz. A jeśli zgodzi się zamieszkać w służbówce, żeby największy pokój mógł pełnić funkcję wspólnego salonu, to czynsz będzie zgoła minimalny. Stasio podał Mirandzie kontakt na te dwie współlokatorki, zadzwoniła więc, umówiła się i poszła do nich na konkretne rozmowy. Bardzo szybko doszły do porozumienia: służbówka była większa niż rodzinny salon w bloku w Kamieniu, a sprzątanie mieszkania dla wykwalifikowanej i doświadczonej pokojówki nie przedstawiało żadnych trudności. Żeby było śmieszniej, okazało się, że ta przyjaciółka siostry wykłada literaturę średniowiecza na polonistyce i Miranda będzie jej studentką. Nie od razu, ale będzie. Druga dziewczyna, bardzo elegancka i dość wyniosła, była na trzecim roku anglistyki. Nie zanosiło się na to, żeby Miranda znalazła w niej przyjaciółkę. Nie szkodzi. Na roku będzie mnóstwo dziewczyn.

⁂

Profesor Piątkowski w Białymstoku uparcie nie chciał dać Anicie gwarancji zajścia w ciążę. Powtarzał, że to jest loteria, ale że szanse są coraz większe. Że często tak bywa: dwie, trzy próby nieudane, a czwarta, piąta – przynosi rezultat. Oczywiście, też nie zawsze.

Anita nie chciała słuchać, że nie zawsze. Nastawiała się wszystkimi siłami umysłu na to, że teraz musi się udać. Julitka albo Mareczek... Mareczek. Mareczek musi się pojawić.

W początkach listopada okazało się, że jeszcze nie teraz.

⁂

– A żeby to najjaśniejszy szlag trafił!

Anita wyjęła z szafki paczkę ołłejsów ze skrzydełkami i, wzdychając, użyła jednego z nich zgodnie z przeznaczeniem. Usiadła na sedesie, usiłując powstrzymać płacz.

Biedny Cypek. Będzie bardzo rozczarowany.

Dobrze, że teściowa nie wie o niczym, byłaby wściekła.

Ale cała reszta rodziny znowu się zmartwi.

Jest też obawa, że pojawi się zupełnie nowy kłopot. Każdy taki wyjazd do Białegostoku zżera ponad dziesięć tysięcy, wliczając koszty zabiegu, hotelu, paliwa... Ile jeszcze prób uciągną? Trzeba będzie uderzyć do rodzinki... Cholerny świat! W budżecie Pindelaczym zrobi to niezłą wyrwę – o ile w ogóle okaże się możliwe. Teścia Anita nie ośmieli się prosić. Może Cypek... Boże jedyny...

Anita rzadko myślała o Bogu. Ani jedna, ani druga rodzina nie wykazywały specjalnej pobożności. Owszem, Boże Narodzenie, Wielkanoc, Zaduszki, jakieś pasterki, rezurekcje, a poza tym raczej nic. Przyjmowanie księdza po kolędzie. Z księdzem przeważnie rozmowy o polityce i współczesnym świecie (obie rodziny mieszkały w obrębie tej samej parafii i do obu chadzał ten sam, doskonale zorientowany politycznie, wikary. I to już naprawdę wszystko. Ach, jeszcze śpiewanie kolęd. Też prędzej jako element tradycji niż wiary.

– Próbowałaś się modlić? – spytała Anitę któregoś dnia niezawodna przyjaciółka Eliza Trumbiak. – Podobno są takie przypadki na świecie, że ludzie sobie coś wymodlili. Dziecko na przykład. Albo szczęście rodzinne. Albo nie wiem, co jeszcze. Może jakaś pielgrzymka na intencję? – Ciemne oczy Elizy błyskały spoza okularów.

– To mi się wydaje jakieś nieprzyzwoite – odpowiedziała wtedy Anita. – Jak transakcja handlowa. Na co dzień jestem kompletnie niepraktykująca, a tu nagle co, zacznę biegać do kościoła? Na pielgrzymkę pójdę?

– Bywają nawrócenia – zauważyła Eliza. – Może w nagrodę coś by ci kapnęło.

– Przestań.

– Dlaczego? Bóg jest litościwy. A Maria sama była matką. Weź to pod uwagę. A jest jeszcze święty Juda Tadeusz od spraw beznadziejnych. No i osobisty anioł stróż. Ja na twoim miejscu do świętego Judy uderzyłabym o forsę, a do Marii ze sprawą zasadniczą.

– Jesteś cyniczna.

– Nic podobnego. Jestem tylko rzeczowa. Poza tym przecież niczego ci nie narzucam.

Miranda Wiesiołek urządziła się w nowej rzeczywistości całkiem nieźle. Jak już mówiliśmy, służbówka na pierwszym piętrze starej kamienicy w centrum miasta była dwa razy większa niż jej pokój w domu rodzinnym. Mirka poczuła, że oto pławi się w luksusie. Tylko z pieniędzmi było cienko, bo to, co przysyłał ojciec, starczało z trudem na udział w czynszu i świadczeniach, chociaż z uwagi na sprzątanie niby nie musiała płacić dużo. Trudno. Luksusy kosztują. Trochę uskładała w czasie wakacji, bo rzeczywiście wydusiła z niechętnego ojca zapłatę za trzy miesiące pracy. Przymilała się też o napiwki i nawet je dostawała, zwłaszcza od panów wczasowiczów za różne drobne usługi w rodzaju wyskoczenia po wódeczkę. Wszystko, co miała, mogło z biedą wystarczyć na kilka miesięcy. A co potem? Nie wiadomo. Trzeba było koniecznie zakręcić się koło jakiejś roboty.

Przedmiotem fascynacji była dla Mirandy Wirginia Pultok, studentka anglistyki, pierwsza lokatorka ich wspólnego mieszkania. Dziewczyna szalenie pewna siebie, właściwie na granicy arogancji, bardzo elegancko ubrana, forsy najwyraźniej miała jak lodu. Z pewnością dostawała pieniądze od rodziców, ale gdzieś jej jeszcze jakieś źródełko biło. Tylko gdzie? I czy to źródełko było ogólnodostępne czy ekskluzywne?

Miranda krępowała się zapytać, choć ją strasznie gryzło. Gdyby sama tak nie potrzebowała pieniędzy... Ale potrzebowała.

– No i jak ci się wiedzie? – spytała ją kiedyś mimochodem Eliza Trumbiak.

Spotkały się w kuchni, gdzie Eliza robiła sobie kolację w postaci polskiej chińskiej zupki, a Miranda w postaci wietnamskiej chińskiej zupki.

– W porządku – odrzekła Miranda. – Studia są okay. Chciałabym się tylko zakręcić za jakąś pracą, bo niedługo będę cienko piszczeć. Nie słyszała pani o czymś odpowiednim?

Zwrócenie się do Elizy na „ty" nie przeszłaby jej przez usta. Eliza stwarzała jeszcze większy dystans niż Wirginia. No i była wykładowczynią, co dystans jeszcze powiększało. Ona sama nie miała z tym żadnych problemów.

– A co dla ciebie jest odpowiednim zajęciem?

– W zasadzie nie boję się żadnej pracy. W sezonie byłam pokojówką w pensjonacie...

– I to wszystko? No to nie zarobiłaś chyba specjalnych kokosów?

– Ano nie. Dlatego mam teraz kłopoty.

– Rozumiem. – Eliza pokiwała głową, spróbowała swojej zupki i skrzywiła się. – Muszę sobie kupić jakieś mrożonki, te zupki są ohydne. – A co do twoich kłopotów finansowych, to jeszcze nie widziałam, żeby ktoś się zwracał o konsultację w tej sprawie do pracownika nauki. Gdybym miała żyłkę do interesu, tobym nie pracowała na uniwerku. Chodź do salonu, przynajmniej zjemy to świństwo w przyzwoitych warunkach.

Zaproszenie do wspólnego stołu z Elizą zdarzyło się Mirandzie pierwszy raz. Prawdziwy zaszczyt! Choć kolacja mało wyszukana.

– A czym się zajmuje Wirginia? – odważyła się zapytać. – Bo ona chyba robi jakieś dodatkowe fuchy. Prawie wcale jej w domu nie ma.

Eliza nie odpowiedziała. Mieszała swój paskudny makaron w sztucznym rosołku i nie mówiła nic. Trudno się było zorientować, czy uznała pytanie za niedopuszczalne czy może popadła na jego tle w zamyślenie. Miranda zajęła się więc mieszaniem własnego paskudztwa i postanowiła zaczekać, aż sytuacja się wyklaruje.

Na tle dodatkowego zajęcia Wirginii Eliza popadała w zamyślenie nie po raz pierwszy. Było ono dla niej czymś z jednej strony zasługującym na bezwzględne potępienie, z drugiej zaś, rzec by można, „mrocznym przedmiotem pożądania".

Wirginia Pultok, osoba niezwykle wymagająca, jeśli chodzi o standardy życiowe, dorabiała sobie mianowicie do ojcowskich dotacji jako regularna call girl. Oczywiście, nie była dostępna na telefon dla każdego. Aktualnie miała trzech stałych sponsorów: pierwszy był cenionym importerem glazury, miał salony w Polsce, obracał najpiękniejszymi i najdroższymi kafelkami z całej Europy. W godzinach wolnych od pracy obracał również Wirginię, córkę swojego starszego kolegi, z kolei właściciela salonów z wyposażeniem łazienek. Ekskluzywnych, oczywiście. Początkowo próbował traktować rzecz całą towarzysko, ale jego młoda flama szybciutko wyprostowała mu to błędne podejście. Dla niej był to biznes i interesowały ją wyłącznie sowite honoraria za usługi. W euro, ostatecznie w dolarach. Miała takie swoje specjalne konto, o którym rodzina nie wiedziała. Bo też i nie musiała.

Kafelkowy biznesmen chętnie zabierał Wirginię na weekendy do luksusowych hoteli nad morzem lub w górach i kiedyś w Sopocie, najzupełniejszym przypadkiem, spotkali dwóch znajomych Kafelkarza (byłby wściekły, gdyby się dowiedział, że dziewczyna tak o nim mówi). Jednym z nich był znany szczeciński deweloper, drugim – producent jakiejś elektroniki, ze Stargardu; Wirginia nie wiedziała, co on na dobrą sprawę tam produkuje, i wcale jej to nie obchodziło, dopóki faceta było na nią stać. Nie minął wieczór, a przedsiębiorcza młoda osoba umówiona była z obydwoma; wymieniono telefony i ustalono warunki znajomości. Oczywiście, Kafelkarz nie uczestniczył w negocjacjach, pozostając w złudnej pewności, że ma pannę Pultokównę na wyłączność. Deweloper i Elektronik mieli w nosie podobne subtelności. Nawet ich bawiło to, co im powiedziała o grafiku, jaki zamierza sporządzić. Ostatecznie jednak grafik okazał się niepotrzebny, gdyż panowie sponsorzy rzadko mieli zapotrzebowanie na towarzystwo Wirginii w tych samych terminach. Kiedy to się zdarzało, wymyślała historie o infekcjach grypowych lub trudnych kolokwiach. System zadziałał bezbłędnie.

Eliza Trumbiak zazdrościła Wirginii. Bardzo by chciała mieć podobnych sponsorów. Bardzo. Nie po to, żeby móc rzucić kiepsko płatne zajęcie nauczyciela akademickiego: to ostatnie dawało jej satysfakcję; lubiła być bogiem dla studentów. Lubiła to, że od niej zależeli, i bawiło, że się jej boją. Miała opinię siekiery, najostrzejszej na całym uniwersytecie. Takie rzeczy ważne są w życiu, dodają mu wartości. Władza – to cudowna rzecz! I nie ona pierwsza to odkryła, że nie trzeba być królem, by mieć władzę.

Władzy jednak powinna towarzyszyć forsa. No i tu... lepiej nie mówić. Któregoś wieczoru Eliza i Wirginia porozmawiały sobie szczerze. Wirginia opowiedziała współlokatorce o swoim małym przedsiębiorstwie – bez skrępowania, bez wstydu, bez poczucia winy.

– Jeśli chcesz, załatwię ci sponsora na początek – zaproponowała. – Wspominał mi Henryk, że jeden z jego przyjaciół szuka dziewczyny. Mogłabyś spróbować, najwyżej ci się nie spodoba, to nie wejdziesz w interes.

– Przestań! – oburzyła się wtedy Eliza. – Ja bym tak nie potrafiła. Nie wiem, jak ty możesz, naprawdę!

Oburzenie było stuprocentowo fałszywe. Eliza Trumbiak z radością przyjęłaby propozycję Wirginii, tylko się bała. Przede wszystkim bała się, że to ona może się nie spodobać. Że zostanie odrzucona. Od dzieciństwa miała potworne kompleksy na tle swojego wyglądu – w istocie wcale nie była brzydka, ale robiła wszystko, żeby brzydko wyglądać. Na głowie miała nieforemne strąki albo ściśnięty, infantylny warkocz, nosiła szerokie, ciemne spódnice i powyciągane, ciemne swetry, a do tego liczne ciemne sznury korali z drewna, postukujące jak szkielet na jej niezbyt wyniosłej piersi. Anita – architektka, artystka i estetka – wiele razy usiłowała ją zaciągnąć do fryzjera i do sklepu z odzieżą – niestety, przyjaciółka miała jakąś swoją podejrzaną fryzjerkę i innej za nic nie chciała, co do sklepów zaś, to preferowała wyprzedaże, na których szukała wyłącznie najtańszych i najbrzydszych ciuchów. Jedyny wyłom w tym oceanie mroku stanowiła wielka jasnofioletowa torba, którą Anita kupiła jej na imieniny, z nadzieją, że stanie się początkiem kolorowej kolekcji pasujących do niej ubrań. Nie stała się.

Wirginia wyglądu współlokatorki nie komentowała. Wspomniała tylko mimochodem, że gdyby Eliza chciała wejść w podobne układy jak ona sama, to musiałaby trochę zmienić image.

– Nie, kochana! – Eliza energicznie pokręciła głową. – Niczego nie będę zmieniać. Nie piszę się na takie życie jak twoje. Dziewczyno, czy ja ci mam powiedzieć, jak to się nazywa, co robisz?

– Zanim mi to powiesz, weź pod uwagę, że to ty u mnie mieszkasz, a nie odwrotnie. Poza tym nie żyjemy w dziewiętnastym wieku. Ani nawet w dwudziestym. Ja cię zresztą do niczego nie namawiam. Nie chcesz, to nie. Może ci wystarcza twój etat. Ja lubię mieć więcej.

– Słuchaj, a myślałaś kiedy, co będzie, kiedy spotkasz tego mężczyznę, z którym naprawdę będziesz chciała zostać?...

– Że się zakocham? No, mam nadzieję. Tylko nie wydaje mi się, żebym mogła się zakochać w kimś bez pieniędzy.

Rzeczywiście! To było proste. Eliza powinna sama na to wpaść.

– Tylko pieniądze mają dla ciebie jakąś wartość?

– Ależ skąd. Wartości w życiu jest wiele. Ale popatrz: jestem młoda i ładna. Mogę mieć i pieniądze, i całą resztę. Nie rozumiem, dlaczego miałabym rezygnować z czegokolwiek. Ty zresztą tak samo, tylko musiałabyś się trochę przeorientować. I zadbać o siebie. Dlaczego tak okropnie się ubierasz?

– Nie wydaje mi się, żebym ubierała się okropnie – nadęła się Eliza. – Taki mam styl. Słyszałaś kiedyś o sawantkach?

– Oczywiście, że słyszałam. Nigdzie nie jest napisane, że one wyglądały jak...

– Strachy na wróble?

– Jak własne prababcie. Eliza, ja cię do niczego nie namawiam. Każdy niech sobie żyje, jak lubi. Ja ze swojego życia jestem zadowolona. Jeśli ty ze swojego też, to wszystko w porządku i niczego nie trzeba zmieniać.

Gdyby tylko Eliza miała odwagę na takie zmiany, jakie jej proponowała panna Pultokówna!

Któregoś dnia wykorzystała nieobecność Wirginii (ta ostatnia wyjechała właśnie z Kafelkarzem, czy może z Elektronikiem, na weekend do jakiegoś spa) i przymierzyła kilka jej ubrań. Z bielizną włącznie. Nie da się ukryć – wyglądała zupełnie inaczej. Rozpuściła włosy i zrobiła, jak umiała, dość śmiały makijaż.

Piękna, atrakcyjna, młoda kobieta. Tylko ten wyraz paniki w oczach! Nie do przyjęcia. Oszalałaby ze strachu, gdyby miała tak się ludziom pokazać.

Powiesiła starannie w szafie eleganckie ciuchy i przebrała się w swoje bezpieczne szarości, ukrywające ją przed światem. Makijażu tylko nie zmyła i co pewien czas zaglądała w przelocie do lustra.

Nie do przyjęcia!

Teraz, pomiędzy jedną a drugą łyżką chińskiej zupki, całkiem spokojnie opowiedziała Mirandzie o nadprogramowych zajęciach

Wirginii Pultok. Była ciekawa reakcji dziewczyny, ale rozczarowała się. Mirka nie okazała oburzenia ani żadnych emocji. Wciąż miała w pamięci swoją nieporadną próbę zarobienia pieniędzy metodą przespania się z wczasowiczem. Postanowiła sobie wtedy, że nigdy więcej, ale nie miała zamiaru potępiać kogoś, kto umiał to robić. Ona nie umiała. Nie nadawała się. Nie podobało jej się to.

– Jeżeli chodzi o mnie – powiedziała – to raczej myślałam o jakimś sprzątaniu u kogoś albo o korepetycjach. Może ogłoszę się w internecie. Coś muszę znaleźć. Gdyby pani słyszała, że ktoś poszukuje pomocy domowej albo coś w tym rodzaju...

– To dam ci znać. – Eliza skończyła swoją zupkę i odstawiła kubek. Miranda go zmyje, razem ze swoim. Taka była umowa, za to ma niski czynsz. – Ja mam jeszcze trochę roboty, wybacz.

Uwaga Mirandy o internecie przypomniała jej, że dawno nie wchodziła na strony telewizji. Żeby to nadrobić, wpisała sześć kolejnych uwag, każdą opatrzoną innym nickiem, ale wszystkie krytyczne – bardzo krytyczne! – wobec tej głupiej prezenterki, która nie wiadomo dlaczego dostała jakąś nagrodę. O siatkarce też nie zapomniała. Na forum uniwersyteckim, niestety, admin usunął to, co wpisała jako Ewa Grabarczyk. Pewnie Ewa zobaczyła i interweniowała. Może ktoś jej powiedział. Studenci ją lubią. Jasne. Jest dla nich łagodna jak dobra ciocia, a nie jak nauczyciel akademicki, który powinien trzymać jakiś podstawowy poziom!

~

Zamiast wspierać talentem oraz intelektem firmę „Mata chatę", której była przecież filarem i matką założycielką, Anita Grabiszyńska snuła się bez celu po wąskich uliczkach starego Pogodna i rozmyślała o życiu. Oczywiście, o tym życiu, które miała dać, do którego dania była gotowa, a które, cholera jasna, psiakrew, kurza d.!, zagnieździć się w niej nie chciało.

Przed chwilą była na Jana Styki, w rodzinnym domu, przyjaznym, ciepłym i pełnym kochających Pindelaków. Zwierzyła się ze spodziewanych kłopotów finansowych i uzyskała od rodziców obietnicę sfinansowania kolejnej próby, a może i następnej. Kapitalny remont leciwej willi znowu oddalił się w bliżej niesprecyzowaną przyszłość. Nic nie szkodzi, jak stwierdzili zgodnym chórem mama i tata Pindelakowie, jak wiadomo budowlańcy. Jeszcze się chata nie rozleci. Trochę kosmetyki, drobny, gospodarczym sposobem uzyskany szlifik i będzie. Sprawa dziecka Anitki jest dla rodziny priorytetem absolutnym.

Mama Lonia była o krok od zadeklarowania, że w razie czego sprzeda swojego najukochańszego land rovera, ale tato Mareczek w porę się zorientował, złapał żonę za rękaw i deklarację uniemożliwił. Wiedział, że strata defendera byłaby dla niej nieomal równie bolesna jak na przykład rozwód. A może i boleśniejsza.

– Nawet tak nie mów! – ofuknęła go, kiedy odrobinę podniesiona na duchu córka pożegnała się i wyszła, a mąż powiedział jej, co sobie pomyślał. – Rozwód! Też coś! Kocham cię BARDZIEJ niż samochód, stary ośle!

Pan Mareczek wzruszył się i wyściskał żonę, którą też bardzo kochał.

– Uważam, że jesteśmy szczęśliwi, Lonieczko – powiedział głosem lekko zdławionym. – Jak widzę te wszystkie rodziny, które się nienawidzą, mają nawzajem w odwłoku, patrzą na siebie wilkiem, to dopiero wiem, jacy my jesteśmy szczęśliwi. Może naprawdę jestem tylko sentymentalnym, starym osłem, ale to jest dla mnie strasznie ważne.

– Nie jesteś aż TAK starym osłem... o cholera! Dzisiaj nie są przypadkiem twoje urodziny?

– Są, Lonieczko. Jak zwykle nikt o nich nie pamiętał. Zdziwiłbym się, gdyby było inaczej.

W istocie, rodzina Pindelaków dotknięta była przedziwną sklerozą dotyczącą dat urodzin, imienin, rocznic ślubu i innych rodzinnych uroczystości. Być może wynikało to z faktu, iż rodzina dość rzadko była razem. Albo ojciec, albo matka, a czasami oboje naraz (choć nie razem) jeździli gdzieś na odległe budowy, Stasinek bez przerwy fruwał po obozach, zjazdach i zlotach licznych organizacji, do których należał, i tylko Anita siedziała raczej w domu (wyłączając studenckie wyjazdy dla podziwiania architektury). Ona jednak kompletnie nie miała poczucia czasu. W tej sytuacji niezwykle rzadko udało się rodzinie wycelować w ważną datę. Nikomu to jednak nie przeszkadzało. Kiedy ktoś sobie wreszcie przypominał, zwoływano familię i urządzano święto.

– Pięćdziesiąt trzy lata – mruknęła w zadumie pani Lonia. – To znaczy, że ja mam pięćdziesiąt dwa. Cholera, Marek, popatrz, czym bylibyśmy, gdyby nie te nasze dzieciaki? Za kilka lat przestaniemy pracować...

– I będziemy parą uroczych starszych państwa, moja droga – powiedział stanowczo pan Marek. – Ale ja wiem, o co ci chodzi. Będziemy pomagać Anicie, ile tylko zdołamy. Ostatecznie ruszymy lokaty.

Pani Lonia pokiwała głową. Chrzanić lokaty. Dziecko jest na granicy depresji, trzeba je ratować!

Anita sama zastanawiała się, czy to, co ją złapało, to już depresja czy jeszcze nie. Skoro jednak szuka wyjść, to pewnie nie do końca.

Kościół na Wieniawskiego wyłonił jej się z mroku znienacka. Nie zauważyła, kiedy tam zaszła. Pewnie jest zamknięty. Chociaż jakieś światła tam widać.

Weszła na szerokie schody, pchnęła drzwi i znalazła się na koronie wielkiej, betonowej hali. Nie lubiła tego kościoła, przestronnego, betonowego, przypominającego amfiteatralną salę koncertową, której funkcję czasem zresztą pełnił ze względu na swoją znakomitą akustykę. Lubiła małe, stare kościółki ze starymi rzeźbami pokrytymi starą polichromią. Z takimi figurami świętych potrafiła rozmawiać. Tu wisiał tylko wielki, nowoczesny krucyfiks. Ale podobno Bóg jest wszędzie. Tylko jak się z nim porozumieć? Jak prosić? Nie będąc specjalnie pobożną, Anita nie miała pojęcia, jak się do tego zabrać. Bo może jednak warto poprosić? Bóg jest miłosierny. Matka Boska sama jest matką. Matka powinna zrozumieć kogoś, kto chce być matką. Może pomoże...

– Anitka?

Obejrzała się. Obok niej, w pustym, ciemnawym kościele stał mężczyzna, który wydał jej się znajomy. Jakoś go jednak nie potrafiła skojarzyć do końca.

– Anitka, ty mnie nie poznajesz? Mnie? Naprawdę?

– Florek Gajek?

– No pewnie, że Florek. Cześć, kochana, nie masz pojęcia, jak się cieszę! Wpadłaś się pomodlić?

– A... tak wpadłam. Przechodziłam. Co u ciebie?

Florek Gajek. Coś podobnego! Chociaż właściwie kościół był jak najbardziej naturalnym miejscem dla Floriana Gajka, najlepszego kolegi z liceum Anity i Elizy. Florek był zdeklarowanym, żarliwym katolikiem i chciał zostać księdzem. Z tą pobożną intencją kłócił się jednak fakt, iż Florek był pies na baby. Znaczy, w tamtych czasach, na dziewczyny. Koleżanki z klasy nie przepowiadały mu świetlanej przyszłości na plebanii. Zakładały się nawet, czy rzeczywiście Florek pójdzie do seminarium duchownego. No i okazało się, że poszedł. Po czym ślad po nim zaginął, co nie było dziwne, bo klasa rozjechała się na różne studia po całej Polsce. Niektórzy jeszcze utrzymywali z sobą kontakty, niektórzy pojawili się na portalu Nasza Klasa, ale Florka nigdzie nie było.

– Zostałeś księdzem, Florciu?

Florian Gajek roześmiał się swoim pięknym śmiechem, na który kilka lat temu leciały te wszystkie dziewczęta w Jedynce i okolicach.

– Nie, nie zostałem.

– Ale byłeś w seminarium podobno?

– Byłem. Zrezygnowałem po pierwszym roku.

– Dziewczyna?

– Zawsze byłaś inteligentna, Anitko. Jest moją żoną. Mamy czworo dzieci. Piąte w drodze. A ja nie zerwałem z Kościołem, jestem katechetą.

– To ci wystarcza na życie?

– Uczę też historii w szkole. Dajemy radę, chociaż nie jest lekko.

– No, myślę. Masz kogo żywić. Piątka dzieciaków! Żona pracuje?

– Nie, coś ty. Kto by się dziećmi zajmował? Zresztą Joanka jest domatorką.

– O kurczę. Szacun, Florciu. Chapeau bas.

– Ty na pewno też masz rodzinę. Najładniejsza dziewczyna w naszej klasie!

– Mam męża. Dzieci nie mamy. Staramy się, ale jakoś nam to nie chce wyjść...

– I przyszłaś tu poprosić? Bardzo słusznie, Anitko. Tak trzeba. Trzeba żyć z Bogiem, zawsze ci to mówiłem. Słuchaj, masz jakieś kontakty z Elizką?

– Mam, ona uczy na uniwerku, na polonistyce. Musimy się spotkać i pogadać o życiu we trójkę. Zapisz sobie nasze komórki...

Podyktowała mu oba telefony i zapisała sobie jego numer. Rzeczywiście, trzeba się spotkać i pogadać. Kiedyś potrafili godzinami dyskutować o życiu. Chociaż podobno nie da się wejść dwa razy do tej samej wody...

Ale spróbować można zawsze.

– Muszę lecieć, Anitko. Umówiłem się z naszym księdzem proboszczem, mamy kilka ważnych spraw do przedyskutowania. A ty się módl. Ja sobie wymodliłem trzech synów. Trzeba wierzyć. Pa, kochana. Pozdrów Elizkę i będziemy w kontakcie. Strasznie się cieszę, że cię spotkałem.

Zniknął, jakby go nigdy nie było. Florek Gajek. Wysoki, chudy, z wyraźnymi zatokami na skroniach. Już w szkole zaczynały mu się robić te zatoki. Tylko powinien sobie te pióra dookoła ostrzyc. Albo ogolić głowę na łyso, byłoby najlepiej – Cypek też zatokowiec, ale zadbany, i wygląda zupełnie inaczej. A u Florka płaszczyk byle jaki. Kokosów na tej katechezie nie robi, to pewne. A co zrobi, to czworo dzieci mu zjada.

Czworo dzieci. Piąte w drodze.

Usiadła w ławce i spróbowała się pomodlić.

Stasio Pindelak, filozof, i Światopełk Marzec zwany Dużym, elektronik (ale nie taki Elektronik jak ten od Wirginii!), objawili się Mirandzie już w początkach października. Nie mieli jednak dla niej zbyt wiele czasu, okropnie zajęci czymś tajemniczym. Zabrali ją raz do „Pinokia" na piwo z tańcami i na tym się chwilowo skończyło. Już myślała, że zrezygnowali ze znajomości. Nie miała racji.

Pod koniec listopada pokazali się znowu. Znaleźli Mirandę na korytarzu uniwersytetu. Była z nimi drobna blondyneczka z wielkimi oczami.

– Gonia Pawelec – przedstawił ją elegancko Duży. – Też polonistyka, tylko drugi rok.

– Cześć, Mirka jestem.

– Małgorzata Pawelec. Gonia, znaczy.

– Słuchajcie, dziewczynki – zaczął Duży, czymś wyraźnie podniecony. – Zabieramy was na piwo. Albo na co chcecie. Najlepiej na kurczaczka, bo głodny jestem, a wy też pewnie bez obiadu.

– Na kebab do Turka – zażądała Gonia. – Ja też jestem głodna, ale nie na kurczaczka. Mięsko ma być i duża buła. Albo mnóstwo frytek. Mirka, ty co?

– Może być buła. Wolę bułę niż kurczaczka. Z zieleniną. A co od nas chcecie?

– Powiemy wam po mięsku, a teraz lecimy – zarządził Stasinek. – Wy już obie po zajęciach? – upewnił się poniewczasie.

Pół godziny później dwaj promieniejący dumą studenci wyjawili wreszcie zaciekawionym studentkom, o co im chodzi. Otóż udało im się po długich i ciężkich cierpieniach zorganizować studencką międzyuczelnianą telewizję internetową, której Duży wraz ze swoim kumplem Bartkiem stanowią podporę techniczną, Stasinek zaś, na razie indywidualnie, podporę merytoryczną. W chwili obecnej są na etapie poszukiwania współpracowników. Głównie reporterów-prezenterów. Ze szczególnym wskazaniem na ładne dziewczyny z polonistyki, bo dziewczyny z polonistyki powinny umieć prawidłowo mówić po polsku.

– Na razie będziemy robić szkolenia – zakomunikował Duży, dumny do wypęku. – Bartka ciotka pracuje w telewizji, a on ma wejścia w radiu i w sumie udało mu się załatwić, że przyjdzie kilka osób trochę nas podszkolić. Realizator z telewizji, dziennikarka z radia, zobaczy się, kto jeszcze. Honorowo. Nie chcą pieniędzy od biednych studentów.

Wzmianka o pieniądzach przypomniała Mirandzie, że ma zgryz.

– A propos pieniędzy, szukam jakiejś pracy, tylko że muszę na niej zarobić, bo potrzebuję na życie.

Studentom zrzedły miny.

– No, kotek, my ci nie zapłacimy – powiedział Duży, drapiąc się w kark. – Nasza telewizja jest amatorska, rozumiesz...

– Rozumiem, rozumiem. Ja od was forsy nie chcę, tylko jakbyście coś wiedzieli, to ja niedługo będę bardzo potrzebowska.

– Aaa – ucieszyli się obaj. I obiecali, że popytają.

To samo obiecała Gonia Pawelec. Jakoś się ta cała Gonia Mirandzie spodobała. Chociaż wyglądała na panienkę z dobrego domu – taką, której studia bez problemu finansują rodzice i która nigdy w życiu nie próbowała zarobić pieniędzy, puszczając się z wczasowiczem albo sprzątając w pensjonacie.

– Naprawdę zaczęłaś się modlić?

– Jakoś tak samo wyszło.

Przyjaciółki siedziały tym razem w mieszkaniu Anity, pustym i ciemnawym, bo gospodyni nie chciało się pozapalać świateł i mrok dużego pokoju rozświetlała tylko jedna stojąca lampa z witrażowym abażurem, ulubiona babci Dobrochny i pozostawiona młodym w prezencie. Kolorowe szkiełka przepuszczały barwne plamy światła i pozwalały im przysiadać na białych ścianach, co przyczyniało się do wytwarzania miłej atmosfery. Obiektywnie, bo subiektywnie Anita chyba tego nie doceniała, w tej chwili przynajmniej. Eliza nigdy nie zwracała uwagi na takie drobiazgi.

Gospodarza nie było w domu – poszedł szukać odpowiednio urodziwej choinki, a właściwie dwóch, bo również dla rodziców. Nadchodziło kolejne Boże Narodzenie. Najpiękniejsze święta. W każdym razie powinny być najpiękniejsze. Pewnie jednak nie będą, bo wszyscy członkowie obu rodzin – Grabiszyńskich i Pindelaków – jednakowo bali się widoku mizernej twarzy i dużych oczu Anity.

– Cypek, przysięgam ci, ja się staram.

Cypek co jakiś czas usiłował wpłynąć na żonę pozytywnie za pomocą energicznych rozmów albo łagodnej perswazji. Ona jednak niespecjalnie chciała słuchać jego doskonale wyważonych argumentów.

– Ja sobie sama to wszystko mówiłam tysiąc razy. Wiem, że na dziecku świat się nie kończy. Wiem, że mnie kochasz. Ja ciebie też kocham. Nie wiem, co się ze mną dzieje. Może powinnam rzeczywiście pójść do psychiatry i wyperswadować sobie, może nie każda kobieta musi być matką. Ale powiedz sam, dlaczego nas to właśnie spotyka? Dlaczego ja? Dlaczego ty? Cypek... powiedz szczerze, a może ty nie chcesz tego dziecka? I tylko się poświęcasz dla mnie? Kurczę, inne kobiety się zabezpieczają, robią mnóstwo rzeczy, żeby nie mieć, a zachodzą w ciążę od samego patrzenia na faceta...

Anita wygłosiła kilka takich monologów, aż w końcu przestraszyła się, że mąż, cierpliwości nadzwyczajnej, kiedyś tę cierpliwość straci. I, na ten przykład, przestanie ją tak porządnie kochać. I, co nie daj Bóg, znajdzie sobie inną, nieważne, płodną czy bezpłodną, ale na pewno mniej upierdliwą, kobietę... Cypek przystojny, choć łysieje zatokowo, podobnie jak Florek Gajek, ale gdzie Gajkowi! Cypek jest miły, kochany, gdyby Cypka zabrakło!...

Tak ją przeraziła ta perspektywa, że przestała w ogóle mówić w domu o dziecku. Przeniosła się ze swoimi monologami do kościoła, do tej samej betonowej hali na Wieniawskiego, w której spotkała Florka Gajka, ojca pięciorga dzieci. Siadywała na samym końcu w ostatnim, najwyższym rzędzie ławek i modliła się do tej wielkiej, pustej przestrzeni, którą miała przed sobą. Nie precyzowała, do kogo się właściwie modli: do Boga, do Marii, do anioła stróża, czy do Judy Tadeusza od spraw beznadziejnych. Próbowała rozmawiać z Siłą Wyższą i wyprosić sobie jakieś względy.

Opowiedziała teraz o tym Elizie, która, jak zwykle, wykazywała życzliwe zainteresowanie.

– A Gajka jeszcze spotkałaś?

– Nie, już nie. Ale mam jego telefon. Można by się z nim umówić kiedyś. Albo go zaprosić na kawę z ciastkiem. Teraz będą ciasta w domu. Babcia z teściową już zaczęły produkować jakieś pierniki i miliony kruchych ciasteczek. Moja mama też się na pewno wykaże.

– Masz na myśli, żeby go zaprosić do domu? To by trzeba z tą żoną i pięciorgiem dzieci...

– Na razie czworgiem. Piąte w drodze. Ty wiesz, że masz chyba trochę racji, to by było sześć osób za jednym zamachem...

– Z czego pięć nieznajomych i, mnie przynajmniej, kompletnie obojętnych. Ale samego Florka chętnie zobaczę. Ciekawe, czy wciąż jeszcze ma to zacięcie ideologiczne.

– Na pewno ma. Przecież jest katechetą.

– To może nas nawróci. Chociaż ty się chyba właśnie nawracasz samoobsługowo...

Anita pomilczała chwilkę.

– Wiesz, chciałabym wiedzieć, co ty o tym myślisz naprawdę. Sama sugerowałaś mi, żebym się modliła, czy nawet poszła na pielgrzymkę, a teraz mam wrażenie, że trochę ze mnie kpisz.

– Nie kpię. – Przyjaciółka podniosła na nią niewinne oczęta. – Ty sama musisz sobie odpowiedzieć, czy wierzysz w to, co robisz.

A ja, niestety, nie wiem, czy wierzę w to, co robię.

Anita siedziała w betonowym kościele na Wieniawskiego i rozmawiała z przestrzenią.

Nie wiem, czy wierzę, ale chcę wierzyć. Chcę wierzyć, że ktoś mi pomoże.

Proszę, niech ktoś mi pomoże.

Panie Boże, nie wiem, czy istniejesz, ale pomóż mi, proszę.

Niech ja mam to dziecko albo niech mi przestanie na nim zależeć.

Tylko czym ja będę bez dziecka?

Proszę, niech mi ktoś pomoże.

I niech Cypek ze mną wytrzyma.

Proszę.

~

– Cypciu, jak ty to wytrzymujesz?

Eliza Trumbiak dorwała Cypriana telefonicznie, po czym dopadła go osobiście, kiedy ganiał z obłędem w oczach po jednej z wielkich galerii i usiłował zdecydować się co do prezentów dla czterech ukochanych kobiet: żony, matki, babci i teściowej. Tu może właściwa będzie uwaga, że o miłości do teściowej piszemy absolutnie bez ironii, bo Cypek Grabiszyński przepadał za swoją teściową Lonią Pindelaczką od samego początku. Elizy, jak wiadomo, nie lubił, ale liczył na jej pomoc przy zakupach. Chwilowo zostawili je odłogiem i zasiedli w Sklepie Kolonialnym przy filiżance kawy pachnącej orzechami i czekoladą.

– O czym mówisz, Elizka?

– Nie udawaj, że nie wiesz. Rozmawiałam ostatnio kilka razy z Anitą. Ona moim zdaniem dostaje jakieś paranoi. Przecież nie myśli już o niczym innym, tylko o tym dziecku. Ty się o nią nie boisz?

Cypek podrapał się łyżeczką w nos i pomieszał kawę.

– Tak źle chyba nie jest, Eliza. Gdyby naprawdę myślała tylko o tym, toby nie pracowała. To najprostszy przykład. A pracuje ostatnio bardzo dobrze. Ma świetne pomysły. Takich pomysłów nie miewa się w nadgodzinach. Pokazała nam niedawno znakomitą, spójną koncepcję całego wnętrza tego naszego „Gniazda”... mniejsza o szczegóły, ale naprawdę to było coś. Wszystkim w firmie szczęki poopadały. Ona musiała to porządnie przemyśleć. Mówię ci, nie chodzi o pojedynczy pomysł. Przebłysk genialności. Nie, to była robota.

– Robota, rozumiem. Robota. A wiesz, że ona codziennie lata do kościoła?

– Niemożliwe.

– Możliwe, możliwe. Lata do kościoła. Modli się o dziecko. Nie wiem, czy to najlepiej, że robi to w tajemnicy przed tobą, Cypek. W domu też się modli?

Cyprian trwał od jakiejś chwili z filiżanką na wysokości brody. Upił odrobinę i skrzywił się.

– W domu nie zauważyłem.

– Kawka nie smakuje?

– Jakaś dziwna jest... trochę.

– A mnie się nie wydaje. Moim zdaniem tutaj kawa jest w porządku. No nic, Cypek. Nic nie wymyślimy. Chciałam tylko żebyś wiedział, że cię podziwiam. I że, jakby co, jestem z tobą.

Studia polonistyczne okazały się dla Mirandy Wiesiołek strzałem w dziesiątkę. Podobało jej się wszystko, bez wyjątku. Przedmioty, które musiała zgłębiać, bawiły ją. Trudności nie miała najmniejszych. Z radością stwierdzała, że albo ta polonistyka jest dziecinnie łatwa, albo ona sama jest naprawdę zdolna. Wolała tę drugą opcję. Uważała, że ma ona pewne podstawy bytu – opcja, znaczy – nie każdy student, a właściwie nie każda studentka, bo kierunek okazał się mocno damski, radzi sobie tak śpiewająco.

Oddalenie od domu rodzinnego również stanowiło samą przyjemność. Widmo znienawidzonego pensjonatu w Łukęcinie przestało Mirandę straszyć po nocach. Pieniędzy na razie miała na styk, ale w związku z tymi olśniewającymi wynikami w nauce pojawiała się szansa na jakieś stypendium dla talenciarzy. Trzeba będzie o nie zawalczyć. Współlokatorki były też okay, kompletnie niekonfliktowe, głównie dlatego, że Wirginii przeważnie nie było w domu, a Eliza siedziała w swoim pokoju i dłubała w komputerze. Nawiasem mówiąc, od tego dłubania prezenterka lokalnej telewizji zaczęła być na wylocie, siatkarka z narodowej drużyny wpadła w nerwicę, a Ewa Grabarczyk stała się przedmiotem plotek i prześmiechów na uczelni. Tego jednak Miranda nie wiedziała. Wiedziała, że pani doktor pisze prace naukowe, przygotowuje publikacje, recenzje i generalnie jest zawalona robotą. To budziło prawdziwy szacunek.

Gonia Pawelec i chłopaki to już był sam miód. Międzyuczelniana telewizja – zabawa nie z tej planety. Na razie zespół zajmował się szkoleniem i próbami wszelkiego rodzaju. Ambitni studenci chcieli wystartować naprawdę profesjonalnie i jak najmniej ćwiczyć na własnych babolach. Miranda poznała owego słynnego Bartka, podporę techniczną przedsięwzięcia, i jeszcze kilkoro ludzi pracujących przy kamerach, montażu, nagrywaniu dźwięku oraz w redakcji. W sumie jakieś dziesięć osób z uniwerku i politechniki. W porywach do dwunastu, kilkoro bowiem dochodziło w konkretnych celach, zwłaszcza technicznych. Towarzystwo beztroskie, nieco nonszalanckie, lekko stuknięte oraz wesołe – stanowiło rozkoszny kontrast z tym, do czego Miranda przywykła (bo musiała!) w Kamieniu.

Rozkwitała zatem.

Zbliżające się święta Bożego Narodzenia sprawiły, że przypomniała sobie Saszę Winogradowa, Rosjanina z gitarą, którego poznała rok temu na koncercie kolęd w katedrze kamieńskiej. Przypomniała sobie i zdziwiła się – jak w ogóle mogła o nim zapomnieć?

No tak, najpierw myślała o nim dość intensywnie, a potem przyszła matura, egzaminy, uniwerek, te ostatnie wakacje w pensjonacie (czy aby na pewno ostatnie?), potem zaczęła studiować, zamieszkała na Krzywoustego... No i zapomniała.

A taki fajny Sasza!

Swoją drogą, on też miał jej telefon i ani razu nie zadzwonił!

– Gonia, ty znasz może takiego jednego Saszę Winogradowa? – spytała koleżankę któregoś dnia, kiedy obie (podobnie jak większość szczecinian) obiegały galerie, szukając prezentów pod choinkę. – Śpiewa, gra na gitarze. Rosjanin...

– Każdy zna Saszę – powiedziała beztrosko Gonia Pawelec. – Sasza jest boski. A bo co?

– A bo nic – odparła Miranda, lekko spłoszona tak natychmiastowym sukcesem informacyjnym. Wszyscy znają Saszę? No to nie ma się co dziwić, że nie zadzwonił. To jakiś rozrywany człowiek. Celebryta. Miejscowy...

– Po co ci Sasza? – drążyła Gonia. – I w jakim sensie pytałaś o to, czy go znam? Bo osobiście to ja z nim w życiu nie rozmawiałam. Byłam na kilku jego koncertach. Saszeńka naprawdę jest boski i cała filologia się w nim kocha. Przede wszystkim rosyjska, ma się rozumieć, ale nasza też. A ty go znasz jakoś bliżej? Boskiego Saszkę W.?

– Kiedyś z nim rozmawiałam – przyznała się Miranda, budząc natychmiastowy okrzyk zazdrości Goni. – Był w Kamieniu na koncercie i zabłądził. Pokazywałam mu drogę, a potem go trochę oprowadziłam po katedrze, bo miał czas między próbą a koncertem. Pogadaliśmy. On naprawdę jest boski. Miał do mnie zadzwonić i jakoś nie zadzwonił. Ale ja też miałam i zapomniałam. A teraz mi się przypomniało...

Tu doznała nagłego natchnienia.

– Przypomniało mi się, bo wiesz, pomyślałam, że może on by się zgodził nagrać dla nas jakąś kolędę. Mamy wystartować zaraz po Nowym Roku, to by było w sam raz.

– Mirka, ty jesteś genialna! – Gonia wydała okrzyk zachwytu, który swoją siłą sparaliżował na moment ruch w pasażu na Turzynie. – Jaaa! Oczywiście! Masz ten jego telefon? Nie zgubiłaś?

– Mam, w komórce. Pogadamy najpierw z chłopakami?

– Tak, i to od razu. Chodź na ciastko i jakąś kawę, ja się potrzebuję wzmocnić, no i załatwimy telefony!

Obie studentki, rozradowane niespodziewanym a znakomitym (i jakże atrakcyjnym z damskiego punktu widzenia) pomysłem, popędziły, wymachując wielkimi torbami, do tej samej kawiarni w Sklepie Kolonialnym, gdzie siedzieli już Eliza Trumbiak z Cyprianem Dolina-Grabiszyńskim. Miranda natychmiast dostrzegła starszą współlokatorkę z wysokim przystojniakiem, odnotowała to z uznaniem, ukłoniła się z daleka Elizie i wybrała stolik jak najdalej od tej pary. Gonia już zamawiała kawę i dwie olbrzymie porcje lodów.

– Lody należy jeść w zimie – zakomunikowała. – Nie ma obawy o szok termiczny. Trumbiaczka tam siedzi, widziałaś?

– Widziałam. Dlatego my siedzimy tutaj.

– Bardzo czujnie. Ja jej nie lubię. Coś mi w niej nie pasuje.

– A ja z nią mieszkam, wiesz?

– Matko jedyna, naprawdę? I jaka ona jest?

– W porządku chyba. My sobie specjalnie w drogę nie wchodzimy. Wynajmujemy mieszkanie we trzy, z jeszcze jedną dziewczyną z anglistyki. Ale nie muszę na nią wpadać w kawiarni. Fajny ten gostek.

– Obrączkę ma – rzekła spostrzegawcza Gonia. – Cudzy jest. Chyba się przyjaźnią. Ale on na nią nie leci. To widać. Nieważne. Dzwonię do Staszka!

W ten sposób zakończywszy temat doktor Elizy Trumbiak i nieznajomego przystojnego faceta, Gonia Pawelec wybrała na swojej komórce numer Stasinka Pindelaka, najrodzeńszego szwagra owego faceta. Szczecin nazywany jest przez niektórych wiochą z tramwajami.

– Stasiuniu! To ja dzwonię, Gonia Pi! I Mirka dzwoni też. Mamy genialny pomysł. To znaczy Mirka ma, ale ja się podłączam!

– Gdzie jesteście, dziewczyny?

– W karfurze na Turzynie. A co, jesteś blisko?

– Nie, jestem daleko. A jaki macie pomysł?

– Żeby nam Sasza Winogradow nagrał kolędę. Albo więcej. Mirka go zna!

Staszek miał szybki refleks i potrafił błyskawicznie ocenić dobrą ideę.

– Na naszą inaugurację w Nowym Roku! Bardzo dobrze. Dzwońcie zaraz do niego i dajcie mi znać, czy się zgodził. I nie proponujcie mu żadnych pieniędzy!

– Coś ty, Stasiu, przecież my wiemy, że nie mamy pieniędzy.

– Mądre dziewczynki. Wiedziałem, że będzie z was pociecha. Z terminami dostosujemy się do niego, ale najlepsze są wieczory i noce!

– Jasne. Trzymaj się. Całuski od nas!

– Ode mnie też. Pa!

Gonia rozłączyła się i w euforii rzuciła na gigantyczny puchar z lodami.

– Teraz ty, Mirka, dzwoń do Saszy, a ja będę podsłuchiwać.

– O matko – powiedziała mimo woli Miranda i wybrała numer.

Po kilku sygnałach odezwała się poczta głosowa.

– Łeee – miauknęła Gonia. – A ja byłam pewna, że się od razu uda!

– Czekaj. – Miranda spróbowała jeszcze raz. Po drugim sygnale, o dziwo, Sasza odebrał i kilkakrotnie zawołał „halo". W tle słychać było jakąś głośną muzykę. – Halo, Sasza! Tu Miranda z Kamienia. Halo!

– Pokaż! – Gonia wyrwała jej słuchawkę. – Jezu, jaki jazgot! On nie ma prawa nic usłyszeć. Halo! Sasza! Wyłączył się...

– I co teraz?

– Nic, zadzwonimy kiedy indziej, Najważniejsze, że odbiera. Kiedyś wyjdzie z tego hałasu. Czekaj! Mirka... Dawaj ten telefon!

Sasza odebrał, ale znowu nic im z tego nie przyszło. Gonia jakby się nie przejęła.

– Mirka, słuchaj, co tam grają!

Jakiś częściowo rockowy zespół z dużą ekspresją wykonywał „Cichą noc" w niespotykanej aranżacji i rekordowym tempie.

Sasza wyłączył się.

Studentki popatrzyły na siebie z ogniem w oczach. Z drugiego końca pasażu dobiegały dźwięki „Cichej nocy" w mocno awangardowym wykonaniu.

– On tu jest! – wrzasnęły obydwie i porzucając niedojedzone porcje lodów, zerwały się ze swoich foteli, po czym pognały w stronę dzikich ryków przypominających nieco najbardziej znaną w Europie kolędę. W drugim końcu pasażu, na niewielkim podeście obok wielgachnej choinki ubranej w złociste bombki i czerwone kokardki, wyginało się pięciu młodzieńców podłączonych obficie do prądu elektrycznego.

– Ja lecę w prawo, a ty w lewo – zakomenderowała Gonia. – Jak go złapiemy, nie zmieniamy kierunku, bo inaczej nigdy się nie znajdziemy!

Trafiły na Saszę obie jednocześnie, dokładnie po drugiej stronie estrady, i obie wpadły na niego z impetem, nie zdążywszy zahamować. Mirandzie lotem błyskawicy przebiegło przez myśl, że jeszcze niedawno w życiu by się tak nie zachowała.

– Ooo – powiedział mało oryginalnie, najwyraźniej zdziwiony. – Jestem aresztowany?

– Przepraszamy – powiedziały grzecznie i jednocześnie obie piękne dziewczyny, które na niego napadły. – Dzień dobry!

– Dzień dobry – odrzekł Sasza równie grzecznie, wcale nie mając im za złe. – Nic nie szkodzi. Czy my się znamy?

– Poznaliśmy się w Kamieniu rok temu – wysapała Miranda na przydechu. – Na kolędach. Ja mam na imię Miranda.

– Aaaa – ucieszył się Sasza, używając tym razem innej samogłoski. – Miranda! To ja cię pamiętam, oczywiście. Cześć, miło cię widzieć!

Uścisnął jej rękę z szerokim uśmiechem. Gonia natychmiast poczuła się niedowartościowana.

– Mnie też miło widzieć? Ja jestem Gonia Pawelec. Kocham jak śpiewasz!

– Bardzo miło! Czy to wyście mnie ścigały telefonem, dziewczyny? Wydawało mi się, że w słuchawce mam tę samą muzykę...

– Tak. To Gonia pierwsza na to wpadła. Słuchaj, nie poszedłbyś z nami na kawę? Postawimy ci lody.

– Co ty gadasz, to ja mogę wam postawić lody. Chętnie się stąd oddalę. Trochę mnie fascynowała ta aranżacja, ale już przestała.

Do Sklepu Kolonialnego doszli w momencie, kiedy kelnerka zaczynała sprzątać niedojedzone porcje Goni i Mirandy. Powstrzymały ją dzikim okrzykiem i dosiadły się do nieco już rozmiękniętych, ale wciąż imponujących porcji.

– To nasze było – wyjaśniła Gonia Saszy na wypadek, gdyby myślał, że one tak korzystają z cudzych resztek. – Poleciałyśmy po ciebie i nie zdążyłyśmy zjeść do końca.

– To ja wam wezmę świeżą kawę, chcecie?

Sasza poszedł kupować kawę, a Gonia popatrzyła za nim z uwielbieniem.

– Boski!

– Bardzo sympatyczny – przyznała Miranda. – W Kamieniu też taki był. Uprzejmy i dobrze wychowany. Troszkę stary, nie?

– Jakieś trzydzieści, trzydzieści dwa. Może więcej. Co to jest, Mirka! Słuchaj, mam dobre przeczucie! On się zgodzi, zobaczysz!

Dziesięć minut później nad filiżankami świeżo zaparzonej, pachnącej kawy, Sasza zgodził się na wszystkie pomysły tych zwariowanych, bardzo miłych studentek. Śpiewać – proszę bardzo. Rozmowa – ależ tak. Małe show – a ileż w tym roboty?

Kiedy wreszcie zamilkły, spoglądając na siebie ze zdumieniem, a na niego z uwielbieniem, roześmiał się szeroko.

– Nie rozumiem, dlaczego się tak dziwicie. Przecież to jest fajne, co proponujecie. Ja wam z radością zaśpiewam, co tylko chcecie. Kolędy, ballady, no, może nie wszystko, co chcecie, ale na pewno wszystko, co umiem. Mnie naprawdę jest bardzo, ale to bardzo miło. Będę czekał na wasz telefon. Bo na razie, niestety, muszę lecieć. Kupowałem prezenty, a za pół godziny jestem umówiony zupełnie gdzie indziej.

– Z żoną! – zawołały obie jednocześnie.

– Z przyjaciółmi – zaśmiał się i cmoknął obie studentki w czółka, co sprawiło, że zastygły jak dwa głazy narzutowe. – Wesołych świąt, Mirando! Wesołych świąt, Goniu! Trzymajcie się ciepło. Fajnie będzie z wami zacząć nowy rok!

Odczekały, aż się oddali, i rzuciły się sobie w objęcia, pełne niepohamowanej radości. Tylko w wieku lat dwudziestu radość potrafi tak eksplodować. I to nie zawsze.

A potem zatelefonowały do Stasia Pindelaka i podzieliły się z nim doskonałą wieścią. Naprawdę fajnie się zacznie ten nowy rok!

A jeszcze potem odnalazły Staszka, Bartka, Dużego i czworo innych zaprzyjaźnionych studentów płci obojga – odnalazły ich w pubie „Long Bridge", posilających się piwem i słuchających żywiołowego występu zespołu szantowego Stary Szmugler. Wszystko to skończyło się wspólnym śpiewaniem kolęd do trzeciej w nocy, przy akompaniamencie irlandzkiego bębna zwanego bodhranem (przez niektórych baranem), za pomocą którego artystycznie wyżywał się Łukasz, irlandzkiego fletu zwanego thin whistle, na którym cienko piskał kolega Zając, i gitary, którą zajmował się zabójczo przystojny Kuba, frontmen zespołu. Reszta Szmuglerów, prawdę powiedziawszy, poległa odrobinę wcześniej i poszła do domów.

Anita bardzo się starała, żeby jej prywatne nastroje nie zwarzyły idyllicznej atmosfery Wigilii, i nawet nieźle jej się to udało. Obie rodziny zebrały się w większym z dwóch domków na Pogodnie, spożyły wspólnie wieczerzę (jakieś trzy godziny po zabłyśnięciu pierwszej gwiazdki, ale ani Pindelakom, ani Grabiszyńskim nigdy nie udawało się to wcześniej), obdarowały się nawzajem astronomiczną ilością prezentów (tak to bywa, kiedy osiem osób kupuje podarki na zasadzie każdy każdemu), zaśpiewały kilka kolęd, deczko fałszując, co też nikomu nie przeszkodziło, i wreszcie pół godziny przed północą udały się na pasterkę. Zażądała tego babcia Dobrochna, a babci Dobrochnie nikt nie próbował się nigdy sprzeciwiać. Ba, nikt o tym nawet nie pomyślał. Babcię kochali wszyscy, bez jakichś specjalnych starań z jej strony. Babcia miała klasę, wdzięk i mnóstwo dobroci. Takim babciom się nie odmawia.

Betonowy kościół na Wieniawskiego pękał w szwach. Mimo to bardzo szybko znalazł się ktoś, kto ustąpił miejsca siedzącego babci Grabiszyńskiej, a i Kalinie udało się obok przycupnąć. Reszta stała i śpiewając kolędy, pogodnie uczestniczyła w tej jedynej w roku mszy (Grabiszyńscy chadzali też na rezurekcję, ale dla Pindelaków pasterka stanowiła absolutny wyjątek – i to nie co roku). Cypek mocno trzymał swoją Anitkę za rękę, z drugiej strony otaczali ją ojciec Mareczek i brat Stasinek – i ten męski mur kochających serc jakoś jej dodawał otuchy. Zza ramienia ojca mama Lonia mrugała do niej wzruszona. Ulubiony teść fałszował ze zniewalającym uśmiechem, też skierowanym w jej stronę. Babcia błogosławiła każdym spojrzeniem i nawet teściowa miała w twarzy absolutną łagodność.

Anita poczuła, że powinna podziękować Sile Najwyższej za taką rodzinę, bo naprawdę, szczęścia miała o wiele więcej niż rozumu, trafiając właśnie między nich wszystkich (no, niech będzie, z teściową włącznie, bardzo się starała ostatnio, żeby jej, Anicie, w niczym nie uchybić). Podniosła oczy na betonowy, kasetonowy strop i w myślach podziękowała. Z serca i jak najszczerzej.

A kiedy opuściła powoli wzrok, zobaczyła Florka Gajka, śpiewającego w natchnieniu „Gdy śliczna Panna Syna kołysała". Prawą rękę trzymał na sercu, a lewą na ramieniu młodej, drobnej kobiety w zaawansowanej ciąży. Między nimi stała trójka drobnych dzieci i wózek – zapewne z czwartym.

Czwarta próba in vitro odbyła się w lutym.

Dzięki wielkoduszności państwa Pindelaków problem finansowy jeszcze się Anicie i Cypkowi nie objawił. Innych problemów też nie było – w każdym razie na to wyglądało. Po tej dziwnej załamce (bo nie można tego jednak nazwać atakiem histerii) na pasterce Anita nie robiła już żadnych sztuk. Cypek jednak bał się o nią. Od czasu do czasu rozmawiał z nieodmiennie życzliwą Elizą, która zwracała mu uwagę na rozmaite nietypowe i niepokojące zjawiska. Bieganie do kościoła okazało się prawdą. Niby każdy może biegać do kościoła, Polska jest krajem ludzi wierzących... ale Anita nigdy wcześniej nie odczuwała takiej potrzeby. Cypek jakoś nie mógł się zdobyć na proste pytanie, czy żona stała się aż tak religijna? Przecież wiedział, że biega tam, żeby się modlić o dziecko. Najwyraźniej nauczyła się myśleć dwutorowo: jedna część jej mózgu wciąż należała do zdolnej architektki i pracowała pełną parą, druga oddawała się wyłącznie myśleniu o dziecku. Eliza twierdziła (wciąż życzliwie), że to obsesja albo paranoja. Zagadnięty w tej sprawie ojciec wypowiadał się ostrożniej, ale radził wizytę u Grzesia Wrońskiego, tego kolegi, z którym wciąż, ze zmiennym szczęściem, rywalizował o miłość studentów akademii medycznej. Anita o wizycie u psychiatry słyszeć nie chciała. Koło się zamykało. Pozostawało mieć nadzieję, że czwarta próba się powiedzie.

– Dłużej się ludzie męczą – skwitował profesor Piątkowski coś na kształt skargi, która wymknęła się Cypkowi podczas wizyty. Anita z nerwów musiała pójść do toalety i panowie na chwilę zostali sami. – Panie Cyprianie, dajmy sobie jeszcze szanse. Niech przemówi statystyka. Czwarta próba, piąta. Piąta często się udaje. Tak nawiasem: pan też chce tego dziecka czy tylko ulega pan żonie?

– Sam już nie wiem – powiedział ponuro Cypek. – Wydaje mi się, że chcę. Ale niech pan ode mnie nie wymaga stuprocentowej pewności, bo czuję, że zaczynam od tego wszystkiego fiksować. I, na Boga, niech mnie pan o to nie pyta przy żonie.

– Czemu pan to robi?

– Bo ją kocham, panie profesorze. Zrobię wszystko, żeby była ze mną szczęśliwa. To nie jej wina, że ma takie problemy. Mam tylko nadzieję, że nie dostanę świra, zanim coś się nie rozstrzygnie.

– Nie dostanie pan. Ma pan bardzo prawidłowe podejście. Rodzina wspiera? Przyjaciele?

– Wspiera, wspiera. Rodzina, znaczy. Przyjaciołom się nie zwierzamy.

– Seks wam wychodzi? Pani Anita nie straciła zainteresowania?...

– Nie, no... na szczęście nie straciła. Bardzo dobrze nam razem, tak mi się przynajmniej wydaje. Błagam, niech pan mi tylko nie mówi, że ona coś gra przede mną!

– To już pan musi ocenić. Ale wygląda mi pan na przytomnego faceta, proszę wybaczyć proste, żołnierskie słowa. Więc mam nadzieję, że ocenia pan sytuację właściwie. Jeśli tak jest, jak pan mówi, to bardzo dobrze. Proszę się trzymać pozytywnych myśli, to jest naprawdę ważne. I żonie niech pan stresy odgania. Chociaż z tego, co widzę, to może nie być łatwe. Ale jak nie będziemy walczyć, to w ogóle nic z tego nie wyjdzie.

– Panie profesorze, żeby to naprawdę o walkę chodziło. To jest przede wszystkim cholerne, wyczerpujące czekanie. Sam pan wie. Bez gwarancji zwycięstwa.

– To jest właśnie najtrudniejsza walka, jaką państwo muszą stoczyć, panie Cyprianie. A gwarancji zwycięstwa nie ma nigdy.

Inauguracja działalności międzyuczelnianej telewizji internetowej wypadła znakomicie. Sasza Winogradow dotrzymał słowa i w improwizowanym studiu na politechnice nagrał trzy kolędy plus kilka ballad Okudżawy i Wysockiego – na zaś, jak się wyraził. Pozwolił Mirce i Goni przeprowadzić z sobą wywiad; przy okazji dowiedziały się, że jednak JEST starszawy: ma ponad trzydzieści sześć lat. I że pracuje jako lektor rosyjskiego w studium języków obcych i w jednym prywatnym liceum. I że miał żonę, ale ona go wysłała do Polski na zarobek, a sama skorzystała z jego nieobecności i związała się z kimś innym. Trzy lata był w Trójmieście, a od siedmiu jest w Szczecinie. Z tamtą, rosyjską żoną się rozwiódł, nowej nie ma. Za to miewa przyjaciółki! Polki są cudowne – wyznał z rozbrajającym uśmiechem.

Postanowiły nadal kochać się w nim – platonicznie. Powiedziały mu to, a on się ucieszył.

– Doskonale, moje drogie, młode przyjaciółki. Kochajcie się we mnie, jak chcecie. Tylko proszę, żebyście mnie o tym jak najczęściej zawiadamiały. Jako prawdziwy artysta potrzebuję adoracji. Po prostu nie mogę żyć bez tego, żeby mi ktoś mówił, jaki jestem zdolny, śliczny i jedyny na świecie.

Gonia i Miranda zaśmiewały się, kiedy tak się zwierzał.

– Tylko nie uważajcie mnie za idiotę, dziewczynki. Ja biorę na wszystko odpowiednią poprawkę. Jednakowoż jeśli nie mam koło siebie kochających osób... rozumiecie, osób, które mi MÓWIĄ, jak bardzo mnie kochają, to natychmiast mam wrażenie, że świat mnie porzucił, żebym sobie w samotności zgnił pod płotem. Czy chciałybyście zgnić pod płotem? Nie. Nikt by tego nie chciał. Więc spróbujcie wczuć się w moje położenie.

Nie miały innego wyjścia, jak tylko rzucić się na niego zbiorowo i go wyściskać, co przyjął z godnością i zadowoleniem.

– Jesteście prawdziwymi przyjaciółkami – powiedział, kiedy go wypuściły. – Ja też was kocham. A teraz muszę was opuścić, albowiem obiecałem jutro oddać moim studentom prace, które powinienem poprawić wczoraj. Nie zrobiłem tego i teraz będę ponosił konsekwencje. *Priwietik, krasawice**!

Krasawice posłały mu dłońmi pocałunki, a on odszedł, wymachując zawadiacko futerałem z gitarą.

– Wiesz co, Gonia – powiedziała Miranda w zamyśleniu. – Ja dopiero od niedawna czuję, że jestem naprawdę młoda.

– A co, do tej pory byłaś stara?

– Byłam nijaka. Ani stara, ani młoda. Taki nieokreślony grzyb. Wiesz, nie żaden zgrabny borowik albo rydzyk, albo muchomorek. Taka rozlazła substancja, co się snuje po mchu w ciemnym lesie...

---

* Pozdrowionko, piękności (ros.).

– Przestań natychmiast, bo puszczę pawia! Rozlazły grzyb! Mech w ciemnym lesie! Co ty masz za metafory wyszukane... A teraz co, pozbierałaś się do kupy, rozumiem?

– Pozbierałam. Teraz jestem ślicznym muchomorkiem w czerwonej czapeczce. Żaden robal mnie nie ruszy!

– Myślisz, że jesteś trująca? – Gonia przyjrzała jej się z powątpiewaniem. – Chyba jednak nie. Ja tego nie stwierdzam. Słuchaj, chłopaki zapraszają nas do jakiegoś Japońca na suszi. Lubisz suszi?

– Nie mam pojęcia, nigdy nie jadłam. Ale mogę spróbować. A ty lubisz?

– Nie. Ale lubię naszych chłopaków.

Florian Gajek zadzwonił do Anity mniej więcej tydzień po jej powrocie z Białegostoku.

– Anitko, słońce. To ja, Florek. Pamiętasz, umawialiśmy się wstępnie na jakieś miłe spotkanie. Może byście wpadły do nas z Elizą? Tak bez okazji, żeby pogadać. Powspominać stare dobre, czasy...

Anita nie znosiła określenia „stare, dobre czasy", ale pamiętała o umowie. Było jej też przed samą sobą głupio z powodu histerycznej reakcji na widok rodziny Gajków podczas pasterki – na szczęście nie narobiła wtedy żadnej specjalnej wiochy... nieważne, co przeżyła, to jej. Może naprawdę trzeba będzie pójść do tego psychiatry, bo inaczej po prostu zwariuje. Przecież najwyraźniej przestaje panować nad sobą.

Dobrze. Na razie jednak trzeba poczekać na wynik ostatniej próby. Potem się zobaczy. A do Gajków można iść, czemu nie.

– Trzeba by jakieś prezenty zanieść tym dzieciom – zauważyła przytomnie Eliza. – Nie wiesz, ile tego jest? W sensie ile dziewczynek, ilu chłopców, ile toto ma lat?

– Florek wspominał, że wymodlił trzech synów, ale ile mają lat, nie mam pojęcia. Małe te dzieci wszystkie, przecież Florek jest w naszym wieku!

– Jakby zaczął, powiedzmy, na tym pierwszym roku w seminarium i leciał co rok to prorok, to miałby już z siódemkę – mruknęła Eliza. – Jakieś miśki? Samochodziki? Lego?

– Może zbiorowo takie lego dla maluchów, duplo, czy jakoś tak. Albo inne klocki. Chodź do sklepu z zabawkami, coś się zawsze znajdzie.

– Coś dla żony? Jakieś winko?

– Winko... nie wiadomo, jakie oni lubią...

– Anita, przecież nie będziemy się przejmowały odwiedzinami u Gajka! Niech on się cieszy, że koleżanki idą!

Gajek ucieszył się bardzo – takie w każdym razie robił wrażenie. Okazało się, że mieszka w bloku na Mickiewicza, w sporym mieszkaniu po rodzicach żony.

– Teściowie przenieśli się na wieś, do swoich rodziców. To bardzo dobrzy ludzie i sami widzieli, że gdzieś się musimy pomieścić z naszą gromadką – wyjaśnił już od progu i zaprosił dawne koleżanki do środka.

Gromadka czekała grzecznie, ustawiona do powitania. Florianowa Joanka – tak ją przedstawił – okazała się z bliska nieco anemiczną blondynką z włosami upiętymi gumką recepturką w koński ogon. Anita, jak wiemy estetka, natychmiast wyobraziła ją sobie porządnie uczesaną i ubraną w kolorowe szmatki, niechby sobie nawet dalej była w tej wysokiej ciąży, a i tak natychmiast by wypiękniała. Chociaż być może przy czworgu drobnych dzieci taki drobiazg jak uroda jest na samym końcu łańcucha potrzeb. Ona pewnie nie ma na nic czasu. Na manicure i uczesanie z pewnością. No – coś za coś. Ma swoją wesołą gromadkę.

Wesołą gromadkę przedstawił dumny tatuś.

– Krzysio ma piąty rok, Jareczek czwarty, Helenka trzeci i Januszek drugi. No i w brzuszku u mamy Bartuś albo Monisia.

– Nie wiecie, czego się spodziewacie?

– Nie, nie wiemy. Zostawiamy Bogu takie rzeczy. Wchodźcie, proszę. Ooo, prezenty! Dzieci, podziękujcie ciociom!

– Dziękujemy – powiedziały dziateczki chórem i odebrały z rąk przybyłych cioć wielkie pudła z klockami. Nie zamierzały jednak opuścić towarzystwa, tylko wraz z dorosłymi udały się zbiorowo do salonu.

W salonie centralnym obiektem był szeroki stół, zastawiony najróżniejszymi ciastami. Przyjaciółki pogratulowały sobie, że przyniosły wino. Dobre porto powinno pasować.

– Ale my nie pijemy – powiedział Florek z niejakim zakłopotaniem. – Joanka nie może teraz, a ja jestem solidarny...

– To zostaw sobie dla gości – machnęła ręką Anita. – Nie mówię o nas. Będziesz miał jak znalazł na jakąś nieprzewidywalną okazję.

Usiadły na rozłożystej kanapie, wpadając od razu w ogromne poduchy. W sumie byłoby to doskonałe miejsce do spania, może nawet na całą zimę. Można by tam się zagrzebać i nie wysuwać nosa do pierwszych roztopów. Czwórka dzieci z wielkimi pudłami w łapkach natychmiast rozmieściła się w różnych miejscach tej samej kanapy, sprawiając, że zrobiło się trochę ciasnawo. Ani Florian, ani Joanka nie zwracali na to najmniejszej uwagi, więc Anita i Eliza doszły do wniosku, że im też nie wypada. Widać takie tu są obyczaje.

Gospodarze donieśli kawę i herbatę w termosach. Herbata była bardzo cienka, ponieważ miała ją pić również progenitura. Niestety, kawa okazała się nie o wiele mocniejsza. No i dobrze, pomyślała pozytywnie Anita, będzie mniej szkodliwa.

Denerwowały ją trochę badawcze spojrzenia, jakie rzucała jej Eliza. Jak gdyby chciała sprawdzić reakcję przyjaciółki na te wszystkie otaczające ją dzieci. Może uważała, że Anita powinna rzucić się na stado małych Gajków z całuskami?

Anita nie rzucała się z całuskami na nikogo, żadnego maleństwa nie miała też zamiaru brać na ręce. Jedyne, co by chętnie zrobiła, to wytarłaby porządnie małe pyszczki i małe łapki upaćkane bitą śmietaną i czekoladowym kremem. Mokrą ścierką. Rodzice chyba byli zdania, że dzieci dzielą się na czyste i szczęśliwe, i w ogóle nie zamierzali interweniować. Poduszki kanapy i ubrania wszystkich obecnych znalazły się w prawdziwym niebezpieczeństwie.

Anita pomyślała sobie, że kiedy JEJ dziecko się urodzi, to ona zaryzykuje jego unieszczęśliwienie i będzie je stale myła.

– Cudowne są takie małe usmarowane twarzyczki – powiedziała Eliza rozmarzonym tonem.

Anita dałaby sobie głowę uciąć, że przyjaciółka nie lubiła tego w równym stopniu jak ona sama. Przed chwilą podskoczyła w charakterystyczny sposób, kiedy czekoladowo-śmietanowe rączki Januszka oparły się o jej jasnofioletową zamszową torbę, pozostawiając na niej niespieralne ślady.

– Anita, boskie są takie dzieciaczki, prawda?

– Prawda – przyświadczyła ochoczo, odsuwając się przezornie od rączek i buzi Helenki. – Joanka, podziwiam cię. Jak ty sobie z nimi dajesz radę? Taka gromadka!

– Joanka jest wspaniałą matką – pospieszył z odpowiedzią Florek, nie dając żonie szans. – Matką, żoną, gospodynią. Pełną poświęcenia.

Anita chętnie zapytałaby Joankę Gajkową o to poświęcenie, a zwłaszcza, czy było ono takie całkiem dobrowolne, ale Florek zaczął właśnie hymn na chwałę życia rodzinnego i śpiewał go jakiś czas, ozdabiając licznymi trylami na cześć własnej żony. Nie miał kiedyś pojęcia, co się najbardziej liczy w życiu. Dopiero gdy spotkał tę wspaniałą dziewczynę, oczy mu się otworzyły. Owszem, powołanie kapłańskie jest czymś nadzwyczajnym, ale najwyraźniej Pan Bóg nie chciał, aby Florek był kapłanem. Chciał, aby był ojcem.

Anicie przeleciało przez myśl, że może Florek musiał zrezygnować z seminarium właśnie dlatego, że przedwcześnie i niechcący został ojcem, ale nie wyrwała się z zapytaniem. Nawet zrobiło jej się głupio z powodu tej małej złośliwości, bo niezależnie od tego, jak było naprawdę, Florek dzisiejszy to doprawdy wzorowy *pater familias*. Na takiego w każdym razie wygląda. Przed trzydziestką!

W miarę jak Florek rozwijał się w swojej pieśni o sobie samym, swojej żonie i czworgu-dzieciach-piąte-w-drodze, Anita zaczęła się zastanawiać, czy naprawdę to był najlepszy pomysł, żeby tu przyjść. Kiedyś miały z Florkiem tysiące wspólnych tematów – od filozofii poczynając, poprzez malarstwo, muzykę i inne sztuki, matematykę „wyższą i półwyższą", literaturę starą i nową, aż do specjalnych przepisów kulinarnych, wymyślanych zbiorowo i wcielanych w życie w kuchni państwa Pindelaków lub Gajków, zależnie od tego, u kogo odbywały się posiady. No i co? Dawny bystry i wszechstronny Florek stał się przygnębiająco jednostronny. Poza tym jakiś taki... jakby nieprawdziwy. Co się stało z Florkiem i dlaczego?

Dużo by dała, żeby porozmawiać sobie sam na sam z tą jego małomówną Joanką.

W sukurs – może nawet nie do końca niespodziewany – przyszła słodka Helenka, wywracając na siebie półmisek z ptysiami. Kolejne zwały czekolady i bitej śmietany znalazły się na kanapie, a w dużej mierze również na paradnej aksamitnej sukience. Tego już nie można było zlekceważyć. Florek rzucił się ratować kanapę, a Joanka porwała małą na ręce i zaniosła do łazienki. Anita natychmiast zaoferowała pomoc i poszła za nimi. Wystraszona nagłą akcją Helenka rozdarła się z siłą syreny strażackiej. Natychmiast dostała po tyłku i wrzasnęła jeszcze głośniej. Anita zauważyła, że Joanka cała się trzęsie ze zdenerwowania.

– Czekaj, kochana – powiedziała pospiesznie i przytrzymała spadającą po raz kolejny karzącą dłoń. – Przynieś jakiś dresik, a ja ją tymczasem rozbiorę i trochę umyję. Nie spiesz się. Spoczko. Ja sobie poradzę. Naprawdę się nie spiesz. Weź dziesięć głębokich oddechów. Albo sto.

Joanka spojrzała na nią dziwnym wzrokiem, pełnym czegoś w rodzaju rozpaczy – choć może Anita myliła się w ocenie – kiwnęła głową i wyszła z łazienki.

Helenka w uświnionej do oporu sukienusi stała na środku łazienki i darła się wniebogłosy.

– Ej, malutka – powiedziała Anita cicho, ale nie tak cicho, aby dziewczynka jej nie dosłyszała. – Nic się nie stało. Nie płaczemy, nie trzeba.

Helenka zabuczała jeszcze raz, z nieco mniejszym impetem, wyciągając przed siebie upaprane rączki.

– Nie podobają ci się takie rączki? A może podobają?

– NIE! – ryknęło dziecko.

– No to co trzeba z nimi zrobić? Wiesz?

– NIE!

– Umyć – zaszeptała Anita konspiracyjnym tonem. – Patrz, jesteśmy w łazience. Tu się możemy umyć. A sukienkę zdejmiemy, mama przyniesie coś czystego. Ja ci pomogę, zaraz będzie wszystko w porządeczku.

Helenka chlipnęła, czknęła i zamknęła się tak samo nagle, jak się rozdarła. Anita stwierdziła nagle, że sytuacja ją bawi, a dziecko wydaje się całkiem sympatyczne. Spokojnymi ruchami zdjęła z niej wszystko, bo na wszystkim już była czekolada, i delikatnie umyła dziewczynkę.

– Ale z ciebie fajny golasek – zaśmiała się, kiedy skończyła.

Podniosła czyściutką trzylatkę do góry i otrzymała w nagrodę uśmiech stulecia. Helenka przestała się denerwować. Ta nowa ciocia nie była w najmniejszym stopniu stresogenna.

Do łazienki weszła mama i dziewczynka drgnęła, ale mama też już była spokojna. Przyniosła różowy dresik w niebieskie małpki. Po chwili Helenka wyglądała słodko i milutko. Wyciągnęła rączki do nowej cioci i została znowu uniesiona do góry. Mogła się więc przytulić. Zrobiła to i natychmiast usnęła. Anita roześmiała się.

– Patrz, jak się dziecko zmęczyło! To nie jest wiek na przyjmowanie gości.

Joanka kiwnęła głową. Miała podkrążone oczy.

– Ty chyba też nie powinnaś teraz przyjmować gości, co? Chodź, zaniesiemy ją do łóżeczka. Będzie spała?

– Będzie... chyba.

– Posiedzimy przy niej parę minut.

Anita ułożyła swoją nową małą przyjaciółkę na tapczanie w sypialni i siadła obok.

– Posiedźmy chwilę – powtórzyła propozycję.

– Jak tu siądę, w takim spokoju i ciszy, to też zasnę – powiedziała pani domu ponuro. – Przepraszam cię, Anita, nie czuję się najlepiej...

– To po jaką cholerę robiłaś to całe przyjęcie? Nie powiesz mi, że te ptysie były z cukierni!

– Nie były.

– Sernik też. I tort czekoladowy! Kobieto, ty powinnaś być pod ochroną! I najlepiej odpuścić sobie gości. A jeśli już, to było nam dać słone paluszki!

– Florek bardzo się cieszył z waszych odwiedzin. No... mnie też jest miło...

– Przestań natychmiast. Zaraz zabiorę stąd Elizę i wpadniemy, jak będziesz w lepszej kondycji.

– Twoim zdaniem kiedy ja będę w lepszej kondycji? Jak mi dojdzie piąte maleństwo? Czy jak zajdę w ciążę szósty raz?

Anita spojrzała na nią przerażona. Chyba naprawdę to, co widziała w oczach Joanki, BYŁO rozpaczą. Ta dziewczyna jest permanentnie przemęczona...

– Joanka... Kurczę, jakoś mi ta Joanka nie pasuje, mogę mówić do ciebie Asia?

Joanka kiwnęła głową apatycznie.

– Aśka, słuchaj... ty masz kogoś do pomocy? Nie mówię o Florku, bo jeśli on pracuje w szkole, praktycznie na dwóch etatach... tak mówił...

– Moim zdaniem na dwóch i pół. Inaczej byśmy nie uciągnęli. Poza tym on się udziela w parafii. A pomocy żadnej nie mam. W zasadzie to ja daję sobie radę, przecież nie pracuję, tylko zajmuję się domem i dziećmi... Ja tylko teraz jestem taka zmęczona, bo to już ósmy miesiąc i strasznie mi ciężko.

– Rodzice wam nie pomagają? Jakieś babcie?

– Moi rodzice zostawili nam to mieszkanie i się wynieśli do siostry, do Cedyni. Oboje pracują, mama jest dyrektorką szkoły, nie mogłaby tak sobie zostawiać pracy i przyjeżdżać do Szczecina, bo córeczka sobie nie radzi. Przyjedzie, jak będę w połogu, na jakieś dwa tygodnie.

– Ty masz jakieś studia? Pracowałaś kiedyś, czy tak cały czas jesteś panią domu?

– Zaczęłam ochronę środowiska, ale musiałam zrezygnować, bo pojawił się Krzysio. A potem to już poleciało szybko. Tak że, jak widzisz, nie zdążyłam popracować poza domem. Ale ja to naprawdę bardzo lubię... to, co robię.

Tylko cię to zabija – pomyślała Anita i zachowała tę myśl dla siebie.

– Asia... – nie wytrzymała jednak. – Ty naprawdę mówisz o szóstym dziecku?

– Jestem płodna jak królik – mruknęła gorzko Joanka.

– Boże mój, a my się staramy bezskutecznie już kilka lat...

– No widzisz. Każdy dostanie to, na czym mu mniej zależy. Ja bym już wolała nie mieć więcej dzieci, tylko spokojnie wychowywać tę piątkę, ale cóż poradzę, kiedy zachodzę. Rozumiesz: zachodzę i już.

– Jakaś antykoncepcja?...

– Antykoncepcja to grzech. Słuchaj, ja się na momencik przyłożę koło Helenki, bo mi się robi słabo...

– Jasne. Kładź się, ja im wytłumaczę wszystko.

Joanka już spała, na siedząco. Anita pchnęła ją delikatnie na poduszki, nadając wymęczonej biedaczce właściwy kierunek. Matka i córka, przytulone do siebie, spały jednakowo, z półotwartymi ustami i zarumienionymi policzkami.

Anita narzuciła na nie lekki polarowy kocyk i cicho wyszła z sypialni.

Sytuacja w salonie wyglądała następująco: dwójka starszych chłopców siedziała na dywanie, układając klocki. Dywan zaświniony był brązową masą, podobnie jak obaj bracia i wszystkie klocki. Dwuletniego Januszka trzymał na kolanach ojciec i wpychał w niego ptysia za ptysiem, zapewne po to, żeby synka zająć czymś konkretnym i mieć święty spokój. On sam zabsorbowany był jakąś niezwykle ciekawą konwersacją z Elizą. Oczy obojga błyszczały, na policzkach mieli rumieńce wypisz wymaluj takie same, jak śpiąca Helenka i jej mama.

– Słuchajcie – zaczęła Anita od progu. – Asia, to znaczy Joanka poczuła się kiepsko i zaległa w sypialni. Nie trzeba jej ruszać, ona musi odpocząć, jest na ostatnich nogach. Florciu, trzeba było ją powstrzymać, żeby nie robiła tej całej wyżerki. Ona się musi oszczędzać...

– Czekaj, Anitko – przerwał jej Florian. – Co ty mówisz, jakie „zaległa"? Śpi?

– Śpi. Padła jak kawka. Helenka też śpi.

– Chwila!

Florian zdjął Januszka ze swoich kolan i posadził go na dywanie obok braci, sam zaś wstał, otrzepał się i przeskakując długimi susami własne dzieci, wybiegł z pokoju.

Anita znalazła czysty kawałek kanapy i usiadła.

– Co on tak wyleciał?

Eliza wzruszyła ramionami.

– Nie mam pojęcia. Mieliśmy tu małą dyskusję światopoglądową. Na twój temat zresztą.

– Jak to, na mój temat?

– On ci sam na pewno powie, bo bardzo się przejął.

– Ty, słuchaj, my się musimy stąd jak najszybciej wynosić. Ta cała Aśka naprawdę ledwie żyje...

W tym momencie ledwie żywa Aśka weszła do salonu, doprowadzona przez kochającego męża.

– Joanko, kochana moja, najlepsza, musisz mi teraz koniecznie pomóc – mówił do niej kochający mąż, gestykulując żywo. – Błagam, słoneczko, zabierz dzieci, bo ja nie mam już do nich siły. My tu mamy coś strasznie ważnego, nie wyobrażasz sobie jak ważnego do omówienia, opowiem ci jutro, tylko chłopcy nam strasznie przeszkadzają!

Mały Januszek puszczał właśnie obfitego pawia do klocków.

– No, sama widzisz, kochanie...

Anita, chociaż zbrzydzona w stopniu najwyższym, poczuła, że musi tej nieszczęsnej Aśce pomóc, inaczej nigdy w życiu sama sobie w oko przy malowaniu nie spojrzy. Ruszyła się z miejsca, ale silna dłoń Florka skłoniła ją do pozostania na kanapie.

– Anitko, siedź, kochana, Joanka sobie świetnie poradzi, a my musimy koniecznie porozmawiać! Przecież to ciebie dotyczy bezpośrednio!

Joanka zgarnęła synów, którzy rozwrzeszczeli się natychmiast, mruknęła pod nosem jakieś „przepraszam" i wyszła, ciągnąc dzieci za sobą.

– Florek, słuchaj mnie. – Anita zdobyła się na stanowczość. – Nie wiem, co masz takiego ważnego, co mnie dotyczy, ale odmawiam konferencji w takim syfie. Sprzątamy. Elizka, rusz się, proszę! Florek, zgarnij te wymioty, nie mogę na nie patrzeć.

Dziesięć minut później w salonie panował względny porządek. Na stole stała w dzbanku świeżo zaparzona herbata, a dywan wraz z klockami i pozostałą zawartością, zwinięty w rulon, spoczywał na balkonie. Jakimś procentem świadomości Anita zastanawiała się, czy zrobiło jej się niedobrze tylko z powodu tego bajzlu, czy może jest już w ciąży...

– Anitko. – Twarz Floriana przybrała wyraz niezwykłej powagi. – Anitko.

Zamilkł, jakby nie był w stanie wykrztusić z siebie, o co mu chodzi.

– Eliza, ty mu coś naopowiadałaś głupiego na mój temat?

Eliza wzruszyła ramionami i nalała sobie herbaty.

– Anitko – zaczął znowu Florek. – Wspominałaś, że staracie się z mężem o dziecko.

– No – odparła lakonicznie, lekko już zła. – Staramy się.

– Anitko – powtórzył Florek. – Rozmawialiśmy o tobie z Elizką, bardzo życzliwie, co do tego chyba nie masz wątpliwości... Słuchaj. Eliza mówi, że staracie się o dziecko tą okropną, sztuczną metodą...

– No. To się nazywa in vitro. Zapłodnienie pozaustrojowe.

– Anitko. Ty nie zdajesz sobie sprawy z tego, jaki to jest straszny grzech? Jak bardzo obciążasz swoje sumienie?

– Nic sobie nie obciążam.

– Anitko, ta metoda jest metodą zbrodniczą.

– Florciu, co ty chrzanisz!

– Anitko, ja ci chętnie wszystko wytłumaczę. Nie słyszałaś dyskusji w telewizji? Nie czytałaś w prasie? Światłe umysły się wypowiadały na ten temat. To jest wyrafinowana forma zabicia swoich własnych dzieci, Anitko.

Anita poczuła, że dłużej tego nie wytrzyma. Cała ta wizyta była jednym wielkim nieporozumieniem.

– Florek, ja nie mam zamiaru tego słuchać. Wychodzę. Elizka, ty jak sobie chcesz. Florek, a ty zamiast się wtrącać w cudze życie, zajmij się własną żoną. Zanim ją wykończysz. Zawiadamiam cię, że Aśka jest w złym stanie. Do widzenia. Nie odprowadzaj mnie.

Musiał ją jednak odprowadzić, bo sama nie dałaby sobie rady z ryglami przy drzwiach. Nie zamienili już ani słowa. Anita była na Floriana wściekła i nie chciała nawet okiem rzucić w jego stronę. Eliza natomiast wymieniła z Florkiem porozumiewawcze spojrzenia.

– Będziemy w kontakcie – mruknęła i głośno dodała. – Pozdrów Joankę od nas. Pa!

Projekt rozwojowego domku jedno- lub wielorodzinnego „Rodzinne Gniazdo" otrzymał jedną z dwóch równorzędnych pierwszych nagród na konkursie SARP-u i zrobił ogólną furorę w środowisku. Onże domek był nadzwyczaj pomysłowy, rozwijał się wzdłuż i wszerz, w pionie i w poziomie, zależnie od chęci i możliwości jego mieszkańców. Architekci z pracowni „Mata chatę" pękali z dumy. Po odbiór nagrody pojechali do Warszawy oboje Grabiszyńscy, Idzikowski i Henio Ryba. Heniowa Rybowa i Justyna Idzikowska też by się chętnie przewietrzyły, ale miały obowiązki domowe, Anita była więc jedyną damą w towarzystwie. Cypek miał nadzieję, że mała wycieczka dobrze jej zrobi, bo cholerna czwarta próba też okazała się nieudana i Anita zaliczyła kolejną załamkę. Cypka zaniepokoił fakt, że załamka była stosunkowo mało spektakularna, a on nie wiedział, czy to już depresja czy wręcz przeciwnie – okrzepnięcie w bojach. Wolał myśleć, że to drugie.

Nagroda została odebrana i pokwitowana, bankiet z mnóstwem zasłużonych gratulacji zaliczony, następny zaś dzień w stolicy miał być dla utalentowanych i szczęśliwych architektów dniem wypoczynku. Ten ostatni – po bankiecie! – był rzeczywiście bardzo potrzebny. Mówiąc wprost – Cypek, Krzyś i Henio mieli kaca giganta, kaca niespotykanych doprawdy rozmiarów. Anita nie miała, bo prawie nie piła. Niewykluczone, że przeżycia ostatnich miesięcy i te wszystkie leki, którymi została nafaszerowana, obniżyły jej możliwości alkoholowe. Kiedyś miała o wiele większe i nawet chętnie je wykorzystywała, nie zamierzała więc teraz rzucać kamieniami w swoich skacowanych współpracowników. Zostawiła ich po prostu odłogiem w hotelu „Maria", z perspektywą na doskonałe rosołki i barszczyki, a sama zawołała sobie taksówkę i kazała się zawieźć na Stare Miasto. Sztuczna ta warszawska Starówka, bo sztuczna, ale jakieś duchy przeszłości przecież tam grasują. Poza tym Anita lubiła czasem popatrzeć na inny rodzaj architektury niż ta, którą sama uprawiała. Wysiadła na placu Zamkowym i zanurkowała w wąskie uliczki na tyłach katedry. Kiedyś poleciałaby jeszcze popatrzeć na swój ukochany Teatr Wielki – uwielbiała tę wspaniałą, cudowną w swoich proporcjach bryłę! Odkąd jednak na frontonie pojawił się nerwowy zaprzęg powodowany przez szalonego woźnicę, nieumiejącego najwyraźniej poradzić sobie z końmi... za chwilę przecież rozerwą kwadrygę na strzępy, a potem uszkodzą budynek, do którego są przytwierdzone!... No więc ta rzeźba, skądinąd zapewne źródło czyjejś dumy, denerwowała Anitę okropnie i sprawiała, że nie chciało jej się już biegać na plac Teatralny. Trudno. Wolała zachować w pamięci fronton bez narowistych rumaków pasujących do spokojnej, klasycznej całości jak pięść do nosa.

Wczesny marzec nie jest sezonem turystycznym i chociaż po Starówce kręciły się grupy większe i mniejsze, to jednak nie było tam tego straszliwego letniego tłoku. Knajpeczki i kawiarenki kusiły wolnymi miejscami. W jednej z nich Anita zjadła jakieś naleśniki, w drugiej wypiła kawę. Obejrzała kilka sklepików z pamiątkami – również zawsze bardzo je lubiła, nie zwracając uwagi na okropną tandetę, której były pełne. Ale to taka miła, beztroska, wakacyjna tandeta! Oczywiście, różne wartościowe rzeczy też można było znaleźć, biżuterię drogą horrendalnie, jakieś stare bibeloty.

Na jednej z wystaw leżał pierścionek, który dosłownie spojrzał na Anitę swoim ciemnoniebieskim oczkiem i zawołał do niej wielkim głosem. Takiemu wołaniu żadna normalna kobieta nie jest w stanie się oprzeć. Anita weszła do środka i poprosiła o pokazanie biżutki.

– To jest szafir?

– Nie sądzę, proszę pani – odpowiedział jej sprzedawca, wypisz, wymaluj Ignacy Rzecki tylko w młodszym wieku niż literacki pierwowzór. Jeszcze paręnaście lat i będzie prawdziwym Starym Subiektem. – Szafir tej wielkości byłby dużo droższy. Moim zdaniem to jest wyjątkowo piękna akwamaryna. Być może podgrzewano ją dla uzyskania tego odcienia. Takie ciemnoniebieskie w naturze raczej nie występują. Podoba się pani, prawda?

Anita pokiwała głową i nie powiedziała Młodemu Staremu Subiektowi, że kamień ma wypisz, wymaluj kolor oczu jej męża w pewnych momentach... których nie omawia się z nieznajomymi. A poza tym urzekła ją oprawa, stosunkowo prosta.

– Art dèco – pokiwał głową sprzedawca. – Również wyjątkowo piękne art dèco, jeśli wolno mi zwrócić pani uwagę. Przepraszam, czy pani jest artystką? Albo historykiem sztuki?

– Jestem tylko architektem – zaśmiała się. Może to była tylko sztuka marketingu, ale MSS miał ją opanowaną. Miło, kiedy nas biorą za artystę.

– No to jednak artystka. I turystka, prawda? A wie pani, na ogół nasze turystyczne klientki wolą inne style. Dużo zawijasków, mówiąc najprościej. I brylanciki dookoła. Mogą być cyrkonijki. Swarowszczyzna. Przymierzy pani? Jest dość mały. W sensie obrączki.

– Ja mam rączki małe, do pierścionków doskonałe – strawestowała Anita znany wierszyk o praniu.

Obrączka była w sam raz na jej serdeczny palec. „Oko Cypka" w prostej, niemal ubogiej oprawie wyglądało tak, jakby ktoś je wymyślił specjalnie dla niej. Spojrzała na swoją dłoń z uznaniem i zadała sobie pytanie, czy ten metal to platyna czy tylko białe złoto? Ani na jedno, ani na drugie stać jej nie będzie. Ci skubani sklepikarze nie wystawiają cen na widok publiczny! Jeśli pytasz, ile to kosztuje – znaczy, nie stać cię. Jakaś mikroskopijna meteczka wisiała wprawdzie przy pierścionku, ale cena była wypisana tak małymi cyframi, że właściwie wcale nie było jej widać.

– Siedemset pięćdziesiąt złotych – westchnął sprzedawca.

– No to chociaż sobie na niego popatrzałam – westchnęła Anita. – Myślałam, że będzie droższy... i tak nie mam tyle.

– Droższy nie, bo to srebro. Za to dzieło sztuki i już właściwie zabytek. Proszę go jeszcze przez chwilę nie zdejmować.

Pasował do niej.

Dostali wczoraj całkiem sporo pieniędzy za to „Rodzinne gniazdo".

Przecież ich część już ma swoje przeznaczenie. Pójdą na kolejną próbę.

Westchnęła jeszcze raz i zdjęła pierścionek.

– Sprzedam go pani za pięćset – powiedział nagle sprzedawca. – On do pani pasuje. Taniej nie mogę, bo za tyle go kupiłem. Przyniosła mi go w styczniu starsza dama... przeważnie starsze damy sprzedają takie cacka. Mąż jej go kiedyś dał, za syna. Tam jest grawerka w środku: A, L, B i rok. Więcej się nie zmieściło, bo tamta pani też miała wąskie paluszki. Anna, Ludwik i Broniś, o ile dobrze pamiętam. Opowiedziała mi historię swojego życia.

One czasem opowiadają historie życia, te damy, co mi przynoszą pamiątki. Tak to jest.

– Ale to okropne, że musiała go w końcu sprzedać!

– Wcale nie. Sprzedała go mnie, bo wiedziała, że jej nie oszukam, znała z dawnych czasów moich rodziców. Zamierzała dać pieniądze na Owsiaka, na tę jego Orkiestrę. Mówiłem jej, żeby wystawiła pierścionek na licytację, ale nie chciała. Powiedziała, że forsa w garści to forsa w garści, a jakby przypadkiem poszedł za bezcen, to ją by szlag trafił. Przepraszam, cytuję.

– Nic nie szkodzi... Oni... byli szczęśliwi? Mam na myśli tę rodzinę, Annę, Ludwika i ich syna...

– Bronisia. Jak najbardziej. Wszyscy byli lekarzami, z dziećmi Bronisia włącznie. Może stąd ten pomysł z Orkiestrą. Babcia, to znaczy pani Anna, uznała, że pierścionek już jej nie jest potrzebny, a wolała go dać na pomoc dzieciom, niż podarować komuś czy zostawić. Całkiem była z naszej transakcji zadowolona.

– I dostała go za syna...

– Tak mówiła.

– No to ja go kupię. Kartą można?

– Oczywiście. Czy mam pani czegoś życzyć, oprócz tego, żeby się dobrze nosił?

– Syna. Albo córki. Mnie tam jest wszystko jedno.

Wyszła ze sklepiku z pierścionkiem na palcu. Pięć stów rzecz nabyta. Zarobi następne.

Bardzo potrzebne jej było takie psychiczne podparcie, bardzo. W czasie tej imprezki sarpowskiej, w podróży, a przedtem w domu – trzymała fason. Rozklejała się czasem w łazience, gdzie obkładała sobie twarz maseczkami i zabraniała Cypkowi wchodzenia, no bo mąż nie może jej widzieć z taką zielonkawą ohydą na twarzy. Siedziała potem z tą ohydą w wannie i płakała rzewnymi łzami. Zbierała się w sobie i ukazywała Cypkowi w miarę kwitnąca. Fizycznie, bo psychicznie była na granicy rozpadu.

Dołożył jej cholerny Gajek. Tą gadaniną o grzechu. Początkowo nie przejęła się tym, przejęła się raczej sytuacją tej jego bezgrzesznej Joanki, Aśki, która na ostatnich nogach będąc, nie mogła się spodziewać właściwie żadnego wsparcia od kochającego męża. Anita miałaby ochotę zdrowo nim potrząsnąć… a mówiąc prostym, budowlanym językiem, kopnąć go w cztery litery tak, żeby poleciał na księżyc. Nie mogła tego, niestety, zrobić, podobnie jak nie miała szans w jakikolwiek sposób pomóc Aśce.

– Solidarność jajników? – mruknęła nieco złośliwie Eliza, kiedy dwa dni po wizycie u państwa Gajków przyjaciółki spotkały się na wyprzedaży w „Galaxy" i zmęczone bieganiem po sklepach siadły na dole w barze kawowym. – Przecież właściwie jej nie znasz.

– Może i solidarność jajników. Ona nie ma żadnego życia, a on jest wobec niej absolutnie bezwzględny. Kocha ją, szanuje i nie popuści. Cholerny bigot.

– Zaraz bigot. Przecież sama ostatnio bywasz w kościele… częściej niż kiedyś. Florek zawsze był ideowy i po prostu postępuje zgodnie ze swoim światopoglądem. A ty się zastanawiałaś nad tym, co ci mówił na temat in vitro?

– Że co, że grzech? To jakaś bzdura. Ja rozumiem, że usuwanie ciąży można uznać za grzech, ale co jest złego w leczeniu niepłodności?

– To nie jest leczenie niepłodności, bo nawet jak urodzisz tą metodą, to dalej będziesz niepłodna – powiedziała Eliza obojętnym tonem, który wstrząsnął Anitą. Przyjaciółki nigdy dotąd nie rozmawiały z sobą w taki sposób.

– No więc dobrze, będę nadal niepłodna!…

– Nie tak głośno, Anita…

Kilka osób z kelnerką włącznie spojrzało na nie z zainteresowaniem. Anita była zarumieniona z emocji, Eliza, przeciwnie, blada i spokojna.

– Nie denerwuj się. Ja ci nie wróg, przecież to chyba sama wiesz. Zakładam, znając cię wiele lat, że masz swoje zasady. Jedną z nich jest to, że myślisz. I nie jesteś bezwzględna. Przestałaś ostatnio czytać gazety i oglądać telewizję?

– O co ci chodzi?

– O te wszystkie dyskusje, których pełno. Słuchaj, ja ci to powiem najprościej. Do kościoła latasz, prosisz o to dziecko, modlisz się. A jednocześnie spokojnie zabijasz poczęte dzieci. Tylko dlatego, że jak dotąd żadne nie chciało się w tobie zagnieździć.

– Czyś ty oszalała?

– A kim są dla ciebie te wszystkie zarodki, które mrozisz w lodówce w Białymstoku? Anita, nie bądź hipokrytką. To są wasze dzieci, Cypka i twoje.

– Jakie dzieci? – Anita zachrypła. – To kilka komórek! Zygota! Zarodek!

– A to nie człowiek?

Zamiast odpowiedzi Anita zerwała się, zrzuciła filiżankę z kawą na podłogę i nie troszcząc się o to, wybiegła z baru i z galerii. Omal nie wpadła pod samochód, wyjeżdżający spod Żeglugi. Za nim przejeżdżała pusta taksówka. Anita zamachała gwałtownie rękami, kierowca zatrzymał się z wizgiem na mokrej nawierzchni, ryzykując, że oberwie w kufer od jadących z tyłu.

– Wszystko jedno gdzie! – rzuciła.

– Coś się stało?

– Ktoś mnie wkurzył.

– Mężczyźni to dranie – powiedział taksówkarz tonem głębokiego przekonania. Normalnie Anita wybuchnęłaby śmiechem, ale teraz nie do śmiechu jej było. Cała się trzęsła z nerwów.

Taksówkarz skręcił w Malczewskiego i pojechał wzdłuż parku Żeromskiego, zawinął w Kapitańską i zjechał nad Odrę.

– Mnie osobiście zawsze woda dobrze robiła – odezwał się, jadąc wolno wzdłuż rzeki. – Niech pani tylko popatrzy, jak tu u nas ładnie. Te światła mam na myśli, mianowicie. Nie trzeba się przejmować głupim chłopem. Portowe światła zawsze będą piękne.

Trochę to było pokrętne, niemniej przemówiło do Anity. Portowe światła zawsze są piękne.

– Wjadę tu na Traskę – kontynuował taksiarz poeta. – Popatrzy pani sobie z góry. Proszę rzucić okiem w stronę dworca.

Taki widok jest jak relanium. Moja żona objada się relanium, a ja przejeżdżam tędy z klientami i nigdy nie zapomnę popatrzeć. Dzięki temu mam zdrowszą wątrobę. Słoneczko nam zachodzi. Właściwie już zaszło. Prawie. Ale te odblaski, wie pani, co mam na myśli. No i światła portu. Czy mamy jakiś docel czy tak sobie jedziemy?

– Możemy wylądować na Wojska Polskiego – zdecydowała się Anita, którą portowa poezja pana taksówkarza wreszcie odblokowała. – Bliżej POLMO.

– Czy pani sugeruje, żebyśmy nie zawracali, tylko pojechali dalej, przez Zdroje, Międzyodrze, Dziewoklicz i Unię Lubelską? Odblask zachodu na wodach Międzyodrza. Wie pani, co chciałbym przez to powiedzieć.

– Chyba wiem. Jedźmy tamtędy. Bardzo proszę.

Droga do domu zrobiła się na tyle długa, że Anita zdążyła się pozastanawiać, dlaczego właściwie tak się strasznie zdenerwowała. Pan taksówkarz był człowiekiem delikatnym; zasugerowawszy pasażerce sposób ukojenia rozedrganych nerwów, przestał mówić i dał jej szansę milczącego podziwiania barw zachodu na Międzyodrzu. Trochę żałował, że nie złapała go pół godziny wcześniej, byłoby jeszcze o wiele piękniej. No ale pół godziny temu to ona dopiero zrywała z tym głupim chłopem.

Nie było prawdą, że do Anity nie docierały echa debaty na temat in vitro. Zawsze była zwierzęciem społeczno-politycznym, słuchała w radiu i oglądała w telewizji wiadomości, dyskusje i polemiki, czytała „Politykę", „Gazetę Wyborczą" oraz „Rzepę" i rozumiała, o czym wszędzie tam jest mowa. Ostatnio jednak przykładała do tego mniejszą wagę, zajęta sobą, własnym nieposłusznym ciałem i próbami zmuszenia go do wykonywania obowiązków kobiety-matki. Owszem, była świadoma toczącej się dyskusji, tyle że puszczała ją mimo uszu.

Florek Gajek uprzytomnił jej, że trzeba by się zmierzyć z problemem. Eliza wyartykułowała to w sposób bezwzględny i dobitny.

Czy naprawdę zabija własne dzieci?

Może powinna porozmawiać o tym z Cypkiem. Albo z mamą. Albo z ojcem. Z teściem lekarzem. Do takiej rozmowy jednak musiała dojrzeć. Chwilowo nie umiałaby się na nią zdobyć.

Panikara jesteś – powtarzała sama sobie. Panikara. Babcia Pindelaczka nieodżałowanej pamięci powiedziałaby: ogniem srasz, dziewczyno. Owszem. To właśnie robiła. W jakiś nieracjonalny sposób przytłoczyła ją myśl o tym, że może być morderczynią.

Cypek na pewno powiedziałby, że to bzdura. Cała reszta rodziny też. Profesor Piątkowski, do którego powzięła duże zaufanie, zapewne wzruszyłby tylko ramionami. Ale to ona w swoim własnym sumieniu musiała rzecz rozstrzygnąć.

Po powrocie do domu nie powiedziała nic nikomu, tylko zagłębiła się w stosach starych „Polityk", a potem w internecie. Niestety, przemawiały do niej jednakowo argumenty obu stron. Nie potrafiła wybrać właściwej opcji.

Musiałaby wiedzieć, czy zygota jest człowiekiem. A skąd ona ma to wiedzieć?

Ale co to jest zygota? Parę komórek!

Myślała na ten temat nawet podczas sarpowskiego bankietu, kiedy starsi koledzy architekci, których od dawna podziwiała, podchodzili do niej, gratulując sukcesu i talentu jej i całej młodej szczecińskiej grupie. Gdyby mogła się porządnie strąbić – tak jak kochani koledzy – pewnie byłoby lepiej. Ale odrzucało ją od alkoholu na kilometr. A tak potrzebowała chwili odprężenia!

Pierścionek „za syna" odrobinę poprawił jej humor. Przyjrzała się swojej ręce – niebieskie oczko błysnęło porozumiewawczo.

Będzie dobrze.

Czas pomału wracać do hotelu. Skierowała się w stronę placu Zamkowego.

Katedra Świętego Jana objawiła się przed nią w całej swojej monumentalnej okazałości. Zupełnie inny kościół niż betonowa sala koncertowa na Wieniawskiego. Anita kochała stare świątynie, zapewne jak większość architektów, poza tym ostatnimi czasy wyrobił jej się odruch wchodzenia do kościołów, które znajdowały się na jej drodze (nie zaszkodzi pomodlić się w sprawie dziecka, nieprawdaż?). Weszła do środka i pierwsze, co jej się rzuciło w oczy, to dzieci w ławkach. Małe, większe, spore, z rodzicami, z dziadkami, z całymi rodzinami. Było wczesne popołudnie niedzielne; zawsze w tym czasie odprawiano tu msze dla dzieci, ale Anita tego nie wiedziała. Natychmiast zaczęła się zastanawiać, czy to jest dobra wróżba czy może jakiś znak – ale jaki?

Wariuję – przemknęło jej przez myśl. Znalazła sobie wolne miejsce na skraju ostatniej ławki, przysiadła i poczuła, że jest zmęczona tym łażeniem, myśleniem, wszystkim. Msza biegła swoim torem, a ona siedziała. Połowa jej umysłu wciąż była przy tych dzieciach, druga połowa, ta od architektury, chłonęła urok gotyckiego wnętrza i pięknego gwiaździstego sklepienia. Niebo gwiaździste nade mną, a co z prawem moralnym, to już zupełnie inna historia.

Przy konfesjonale klęczała jakaś osoba nieokreślonej płci. Średniego wzrostu, patykowata, z długimi włosami, w spodniach i kożuszku. Po chwili wstała i odeszła rozpromieniona. Nadal nie było wiadomo, czy to mężczyzna czy kobieta. Nieważne. Liczy się, że rozpromieniona. Pozbyła się grzechów i może spokojnie iść do domu.

Anita podniosła się ze swojej ławy i podeszła do konfesjonału. Za kratką widać było postać księdza, ale nie dało się stwierdzić, czy jest młody czy stary, czy ma twarz dobrotliwą czy jest surowym sędzią.

– Czy ja mogę?... – odezwała się Anita niepewnie. – Jestem przejazdem. A w ogóle dawno nie byłam u spowiedzi.

– Może więc dobrze się składa – usłyszała zza kraty. – Zapraszam.

To zaproszenie wydało się jej nietypowe, ale nie pamiętała, co na ogół mówi ksiądz w takim przypadku. Nie pamiętała też, jak sama powinna się zachować. U spowiedzi była w życiu trzy razy: z okazji pierwszej komunii, bierzmowania i własnego ślubu. Spowiednik w konfesjonale nie był chyba jednak jakimś specjalnym ortodoksem i nie wymagał formułek, sam ich też nie stosował.

– Proszę mówić.

Głos zza kratki był przytłumiony i niewyraźny, podobnie jak twarz i sylwetka. Nie przynaglał, zapraszał. Był gotów poczekać i wydawał się neutralny.

– Staram się o dziecko – powiedziała Anita bez wstępów. – Metodą in vitro. Czy to bardzo źle?

Odpowiedź poprzedziła sekunda namysłu.

– Skoro tu przyszłaś, to chyba sama wiesz, że bardzo. Dawno to robisz?

– Przeszło rok próbujemy z mężem... mieliśmy cztery próby, wszystkie nieudane.

– Mów dalej.

– Staraliśmy się o dziecko normalnie, to znaczy naturalnie, ale okazało się, że jestem chora i nie mogę zajść w ciążę. Leczyłam się, bez skutku. Bardzo nam zależy na tym dziecku i zdecydowaliśmy się...

– Nie za łatwo wam to poszło?

– Lekarze nie dawali mi szansy inaczej...

– Zawsze jest szansa. Zdarzają się nawet cuda. Wiele kobiet, które utraciły nadzieję, modliło się i otrzymało łaskę od Pana Boga.

– Modliłam się, proszę księdza. Pan Bóg jakoś mnie nie wysłuchał...

– Zapewne były ku temu jakieś powody. Może jesteś małej wiary. Radziłaś się kogoś?

– Stale siedziałam u lekarzy...

– Nie mówię o lekarzach. Są poradnie rodzinne w parafiach. Wyglądasz na osobę inteligentną. Czym się zajmujesz?

– Jestem architektem.

– No właśnie. Na pewno doskonale wiedziałaś, czym jest metoda, na którą się zdecydowaliście z twoim mężem. Bo nie sama jesteś tutaj winna, jak sądzę. Gdzie jest teraz twój mąż?

– W hotelu. Ja postanowiłam się przejść, a on jeszcze spał, kiedy wychodziłam.

– Powinien być tu z tobą. Powinniście oboje prosić o przebaczenie, żałować za grzechy i nade wszystko natychmiast przysiąc, że nigdy więcej nie będziecie mordować swoich niewinnych dzieci.

– Jak to, mordować?

– Doskonale wiesz, o czym mówię. Nie rozumiem, na co liczyłaś, przychodząc tutaj...

– Ale o jakim morderstwie ksiądz mówi?

– Mówię o eliminacji słabszych dzieci... bo kobiecie wszczepia się tylko te mocniejsze, prawda?...

– Zarodki!

– Dzieci. Mocniejsze dzieci wszczepia się do łona kobiety, a te słabsze są eliminowane! Nie przypomina ci to czegoś przypadkiem? Selekcji do gazu ci nie przypomina? Młoda jesteś, ale przecież wykształcona, o obozach śmierci słyszałaś, prawda? Uczyłaś się historii? No więc czym się różnicie: ty, twój mąż i ten wasz pseudolekarz, kiedy decydujecie, którym dzieciom dać życie, a które skazać na śmierć? A jeszcze które zamrozić, żeby czekały w ciekłym azocie na swoją szansę? Metoda, o której mówisz, jest chyba jeszcze gorsza niż aborcja. Jest potworną hipokryzją i ty tę hipokryzję uprawiasz, razem z mężem i lekarzem. Hipokryzję i mordowanie dzieci. Jeżeli myślisz, że ktokolwiek ci to wybaczy, to źle myślisz. Jeśli nawet wam się uda, to co odpowiesz dziecku, kiedy cię spyta „mamo, gdzie są moje siostry i moi bracia"? Odpowiesz, że w azocie, czy że pozwoliliście im zginąć, bo nie spełniały waszych oczekiwań? I ty przychodzisz do mnie po rozgrzeszenie? Dziecko powinno powstać w akcie miłości rodziców, a nie jako potomek Frankensteina!

~

– Na litość boską, Anita, co ci przyszło do głowy?

Siedzieli obok siebie na obszernym łóżku w hotelu „Maria". Cypek był przerażony stanem, w jakim jego żona wróciła z miasta. Początkowo nie chciała mu nic powiedzieć, ale łagodną perswazją wyciągnął z niej wszystko.

– Anita, czy on ci wmówił, że jesteśmy mordercami?
– Cypek, a jeżeli jesteśmy?
– Opanuj się, kobieto. Nie jesteśmy ani mordercami, ani Frankensteinami. Nasz profesor nie jest żadnym cholernym zbrodniarzem, tylko wprost przeciwnie, robi świetną robotę. Czego?!
Ten ostatni okrzyk skierowany był w stronę drzwi, w których stał Idzikowski z lekko zmierzwioną czupryną, ale już całkowicie przytomny, trzeźwiutki i gotów do czynu.
– Pukałem – powiedział Idzikowski uprzejmie. – Macie tu jakieś nieporozumienia rodzinne? To ja przepraszam, pójdę sobie, czy coś...
– Nie idź – jęknął Cypek. – Pomóż mi ją przekonać, bo ja już nie mam siły, a ona mi tu wariuje...
– Nie wiem, czy ja będę miał siły – zastrzegł się Idzikowski i usiadł na brzegu fotela. – Sfatygowałem się wczoraj nad miarę i miałem nadzieję, że dzisiaj Anitka poprowadzi samochód. Bo tak w ogóle to powinniśmy zbierać się do odlotu. Ale Anitka też nie w formie?
– Słuchaj, Krzysiu. Anita była na spacerze i przy okazji poszła do spowiedzi.
– To nie jest naganne.
– I wyspowiadała się, że staramy się o dziecko metodą in vitro...
– A staracie się? Nic nie wiedziałem. Znaczy wiedziałem, ale myślałem, że tak normalnie...
– Bo nie było się czym chwalić! Staramy się już drugi rok, bez skutku. Nieważne. W każdym razie ten ksiądz ją chyba przeklął, bo... no, sam popatrz na nią, jak wygląda!
Idzikowski spoważniał i rozsiadł się w fotelu wygodniej, jakby zrozumiał, że rozmowa może mieć poważny ciężar gatunkowy. Anita rzeczywiście wyglądała, jakby odpracowała właśnie poważny atak histerii. No to Cypek ma zgryz.
– Anitko, niech zgadnę. Usłyszałaś o morderstwach, dzieciach Frankensteina, selekcji zarodków, akcie miłosnym niezbędnym do poczęcia... tak?

– Jakbyś przy tym był – potwierdził Cypek, bo Anita oklapła całkiem i chwilowo zrezygnowała z jakiejkolwiek aktywności. – A ty co, skąd wiesz takie rzeczy?

– Anita, popatrz na mnie. Proszę cię. Spręż się i popatrz. Ja wiem, że nie prezentuję się dzisiaj najpiękniej, ale powiedz, czy ja wyglądam na Frankensteina? Albo lepiej. Przypomnij sobie mojego Dżuniora. Czy on wygląda na dziecko Frankensteina?

– Dżunior?! – Okrzyk wyrwał się z piersi Cypka, ale i w oczach Anity zapłonęło zainteresowanie połączone ze zdziwieniem. – A co twój Dżunior ma do tego?

– Dżunior jest z in vitro, moi kochani. To nowe, cośmy sobie ostatnio z Justynką zrobili, też jest z in vitro. In vitro, mówię.

– Nic nie wiedziałem! Czemu nie mówiłeś?

– Bo nie było się czym chwalić, że zacytuję kolegę z pracy. Nie zgadało się po prostu. Dla nas to nie jest sprawa wstydliwa.

– Jeździcie do Białegostoku?!

– A po cholerę do Białegostoku? To znaczy, my wiemy, że tam są ci pionierzy, świetni specjaliści i tak dalej, ale w Szczecinie też jest bardzo dobry ośrodek, w którym robią zupełnie to samo. Kurka wodna, Cypek, te wasze wszystkie wyjazdy... to było to?

– To – przytaknął Cypek ponuro.

– Czemu nie chcieliście w Szczecinie?

– Żeby się moja matka nie dowiedziała.

– O Boże! Kochani, przepraszam was, ale jesteście nienormalni. Przecież dopiero takie wyjazdy robią się podejrzane! Chodzilibyście do przychodni w Szczecinie i wasza matka w ogóle by o tym nie miała pojęcia!

Anita i Cyprian patrzeli na Idzikowskiego, widzieli jego niepomierne zdumienie – i może jeszcze nie do Anity, ale na pewno do Cypka zaczęło powoli docierać, jak bardzo dali się oboje zwariować. Dokładniej: on dał się zwariować Anicie. To dlatego, że ją kocha. Stracił zdrowy rozsądek. Pora go odzyskać. Ale co zrobić z Anitką?

Anitka jakby zamknęła się w sobie. Może nie była w stanie zaakceptować rozmiarów swojej... no właśnie – swojego czego? Paranoi? Szajby?

Swojego PROBLEMU.

– Słuchajcie – zaczął poważnym tonem Idzikowski. – Myśmy te wszystkie wątpliwości przerobili razem przed podjęciem decyzji. Nam żaden ksiądz ani żaden obrońca pojedynczych komórek w rozumie nie namiesza. Nie robimy niczego innego niż to, co robilibyśmy normalnie, w łóżku, jako wzorowe małżeństwo. Tylko z pewnych względów trzeba to robić poza łóżkiem. Anita, nie daj sobie wmówić, że to nie ma nic wspólnego z miłością. To jest właśnie miłość. Tylko aktu seksualnego nie ma. Rozumiesz, jest seks inaczej. Moim skromnym zdaniem, o wiele mniej przyjemnie. Ale skoro chce się mieć dzieci, czasem trzeba się poświęcić. Ja to rozumiem prosto: zarodek nie ma ochoty sam się zrobić, to go robi pan doktor, ale przecież z tego, co normalnie przyroda przewidziała.

– Te zarodki się selekcjonuje – szepnęła Anita, wpatrzona w powietrze przed sobą.

– Natura też wybiera – wzruszył ramionami Idzikowski. – Zwyciężają silniejsi. Nasz uczony pan doktor mówił, że słabsze zarodki w naturze obumierają same.

– Nasz pan profesor też – wtrącił Cypek.

– No więc co to za gadanie o selekcji! Nie ma sprawniejszego selekcjonera od natury, jak mniemam. A skoro natura wzięła sobie chwilowo wolne, to co złego w tym, że paru jajogłowych ją wyręczy? Słuchajcie, nie można tak do tego podchodzić jak wy, bo wam się w głowach kompletnie pozajączkuje. I nawet jak wam się wreszcie uda, to zakatujecie się poczuciem winy. My z Justynką teraz jesteśmy szczęśliwymi rodzicami, ale napracowaliśmy się porządnie, bo też mieliśmy próby nieudane, a nasz drugi bączek jest właśnie z zamrażarki. Jak mówią badania, rozwija się całkiem dobrze. Może jeszcze zdecydujemy się na trzecie. A może nie. To jest kwestia do przedyskutowania w przyszłości. Tym profesorom, co to się zastanawiasz, Anitko, czy nie zbrodniarze, to ja bym wódkę stawiał nieustannie, gdyby tylko chcieli się ze mną napić w dużych ilościach. Ale oni nie chcą, bo to pracoholicy.

– Swoją drogą to niesamowity przypadek, że akurat wy też... – zauważył Cyprian.

Idzikowski wzruszył ramionami.

– Nie wiem, czy taki akurat niesamowity. My z Justynką traktujemy sprawę, za przeproszeniem, rozumowo, bez tych wszystkich waszych emocji. To tylko medycyna, a nie żadne podejrzane sztuczki. W Polsce żyje ponad trzydzieści tysięcy ludzi z in vitro. To jest od zarąbania. Trzydzieści tysięcy dzieci Frankensteina! W tym moje dwa Dżuniory! Nie, nie mogę o tym myśleć spokojnie. Idę na obiad do tej knajpy na dole, wam też radzę, bo naprawdę trzeba się zbierać do domu. Ostatecznie mogę poprowadzić, resztę moich promili zajem jakimś kotletem schabowym albo goloneczką. Otrzepcie się i chodźcie, Ryba już tam jest.

– Martwię się, moi drodzy, bo nie wiedziałem, że Anitka ma taką słabą psychikę. To znaczy, że jest taka podatna na sugestie wszelkiego rodzaju... Ona zawsze tak miała?

Teść Bożysław siedział w najwygodniejszym fotelu u państwa Pindelaków na Jana Styki i właśnie kończył relacjonować gospodarzom wydarzenia ostatnich dni, o których to wydarzeniach poinformował go dwa dni temu syn, prosząc jednocześnie o jakąś radę. Doktor D-G najpierw się żachnął, twierdząc, że jako prosty chirurg, w dodatku plastyk, nie ma pojęcia, co można zrobić z Anitkowym PROBLEMEM (eufemistyczna nazwa przyjęła się w rodzinie). On już od dawna radzi Grzesia Wrońskiego, i to ekspresowo, zanim jej szajba odbije totalnie, na co się, niestety, ewidentnie zanosi. Cypek uświadomił ojcu, że Anita do psychiatry nie pójdzie, bo nie. Ojciec westchnął i udał się na naradę do rodziców synowej.

– Anita zawsze była nadwrażliwa – westchnęła pani Lonia Pindelakowa. – Strasznie łatwo było jej wszystko wmówić. Jak tylko ktoś krzywo na nią spojrzał, to od razu była ciężko nieszczęśliwa. Jak dostała gorszy stopień, to już była pewna, że zawali klasę, nie zda matury, a w ogóle jest głupia i nie ma żadnych zdolności.

– A przecież ma zdolności – wtrącił pan Marek Pindelak, kochający tatuś, dumny z córki niezmiernie, zwłaszcza po tej ostatniej nagrodzie, co to było wiadomo, że dzieciaki ją dostały w dużej mierze dzięki pomysłom Anitki. – Sam wiesz, Sławku, że ma. I jest naprawdę bardzo dobrym.... człowiekiem.

Chciał powiedzieć „dzieckiem", ale nie miał całkowitej pewności, czy się przypadkiem nie rozklei, nie popłacze... Strasznie kochał swoją Anitkę i cierpiał, kiedy wiedział, że ona cierpi. Przychyliłby jej nieba, tylko jak to zrobić? Jak to zrobić?

Teraz pani Lonia spojrzała na męża z mieszaniną rozczulenia i zniecierpliwienia. Ona też bardzo kochała swojego Mareczka, niemniej podejrzewała, że tę cholerną nadwrażliwość Anita wzięła właśnie po nim. Boże jedyny, dwie takie mimozy w jednym domu! Marek – mimoza budowlana, cud natury. Konstruktor! Wytwórca ciasteczek i hodowca róż! A jednak się zdarza. Dobrze, że Stasinek przytomny, chociaż filozof. To po niej, po mamusi. Jakąś dziewczynę ostatnio chyba spotyka, koleżankę z uniwerku, miejmy nadzieję, że nie jest to kolejny kwiatek dzikiej róży w ciemnych smreczynach.

Skąd się pani Loni wziął ten kwiat róży w smreczynach, nie miała pojęcia. Może był taki wiersz. Tylko co to są, cholera, smreczyny? Świerki... czy coś?

– Wszystko wiem. – Doktor Grabiszyński westchnął bardzo ciężko. – Oprócz tego, co możemy teraz dla niej zrobić. Dla nich właściwie, bo Cypek też się męczy. Mówię wam, jak mi to wszystko opowiedział po ich powrocie z Warszawy, to zdrętwiałem. Nie doceniałem skali problemu. Obawiam się jednak, że nam, starszym, nie pozostaje nic więcej, jak tylko ich wspierać. Muszą mieć świadomość, zwłaszcza Anitka, że cokolwiek zrobią, jesteśmy z nimi.

– Przecież jesteśmy – bąknęła pani Lonia. – A ty wiesz, co oni chcą dalej robić?

– Nie wiem. Nic nie mówili na razie. Chyba najpilniejsze jest teraz przekonanie Anity, że nie robią nic złego. Mam na myśli in vitro. To znaczy... nie wiem, jakie jest wasze zdanie w tej sprawie?

– No, przestań! – Pani Lonia była oburzona. – Myślałam, że nas już poznałeś i wiesz, że jesteśmy rozsądni!

– Przepraszam cię, Loniu. Przyznam się wam, że jestem zgnębiony. Strasznie mało możemy zrobić, strasznie mało.

– Mnie to też przygnębia – odezwał się pan Marek. – Przyszedłeś piechotą, prawda? To ja proponuję łyskaczyka z lodem.

– Dlaczego wy ze mnie robicie jakąś poczwarę? – spytała pogodnym głosem pani Kalina. – Czy ja naprawdę jestem jakąś poczwarą? Jestem podobna do bazyliszka? Lub czegoś w tym rodzaju?

Wytwornym gestem sięgnęła po ptifurkę. Wraz z mężem Bożysławem siedzieli na tarasie i cieszyli się wiosennym przedpołudniem. Wprawdzie trzeba się było w tym celu okutać swetrami i szalami, ale powietrze niosło już to wiosenne coś, czego tylko babcia Dobrochna nie doceniła. Stwierdziła, że dla niej jest o wiele za zimno, i poszła do swojego pokoju, oglądać w oryginale angielski serial „Morderstwa w Midsomer", który przywiózł jej z Londynu dawny kolega męża. Sto dwadzieścia godzin rozkoszy intelektualnej w dwugodzinnych kawałkach! Starsza pani uwielbiała nadzwyczaj brytyjskiego inspektora Toma Barnaby, podobnie jak specyficzną, niepodrabialną atmosferę angielskiej prowincji. Prowincji, na której każdy człowiek w każdej chwili narażony jest na gwałtowną śmierć – czego nas uczą angielskie kryminały, poczynając od Agaty Christie i jej niezrównanej panny Marple.

Pan Bożysław zdziwił się i też sięgnął po ptifurkę.

– Kto cię uważa za poczwarę, na litość boską? Kalinko, czemu tak mówisz?

– Sławciu, przecież nie jestem kretynką. Cypek z Anitą strasznie się tajniaczą, nie wiem w jakiej sprawie, no bo właśnie się tajniaczą. Jednocześnie odnoszę wrażenie, że wszyscy dokoła wszystko wiedzą, tylko nie ja. Próbowałam podpytać mamę, ale mnie zbyła.

– Jak cię zbyła?

– Po swojemu. Udawała sklerotyczną staruszkę na wymarciu. Twoja mama, mój kochany, łeb ma lepszy niż my oboje, a poza tym przeżyje nas wszystkich. Co daj Boże, amen. No. Anita na mój widok prawie ucieka z krzykiem. Cypek robi głupie miny. Sławciu, ja zaczynam czuć się nieswojo.

– Niepotrzebnie... – bąknął pan Bożysław, który nie wiedział, co powiedzieć.

– Zastanawiałam się nad sobą. Zrobiłam rozliczenie. Rachunek sumienia.

– I co ci wyszło?

– Że może na początku rzeczywiście dałam Anicie trochę popalić, no ale sam wiesz, że miałam powody. A nawet jeśli nie miałam, to trudno, teściowa musi być trochę megiera. Ale ja już od jakiegoś czasu nie jestem megiera. Chodzę dokoła nich na paluszkach.

Pan Bożysław pomyślał chwilę i wyszło mu, że istotnie, żona ma sporo racji. Złagodniała, przestała mieć pretensje i wydziwiać. Dlaczego on tego nie spostrzegł?

– Jesteś przepracowany, to nie zauważyłeś – powiedziała żona, jakby słyszała jego myśli. – Powiedz mi, czy jej przypadkiem nie zaszkodził ten brak dziecka? Ja wiem, że się czepiałam, może nawet przesadnie, ale nie mów mi, że wpędziłam ją w jakąś obsesję...

– Czekaj, kochana, zaraz pomówimy o Anicie... Zaintrygowałaś mnie. Dlaczego właściwie przestałaś być megiera? Przepraszam, sama używałaś tego określenia...

– Znudziło mi się – wyjaśniła pani Kalina ze zniewalającą prostotą.

Jej mąż spojrzał na nią zaskoczony, po czym wybuchnął śmiechem.

– Kalinko, serce moje kochane, ja za tobą nigdy do końca nie trafię!

– I nie musisz. Jakbyś tak o mnie wszystko, do końca wiedział, to może ty byś się mną znudził. A tego nie chcę. Nie zagaduj mnie. Co z Anitą i Cypkiem?

Pan Bożysław westchnął ciężko. Jako człowiek prostolinijny i prawdomówny z natury, najchętniej opowiedziałby żonie wszystko od początku do końca. Nie mógł tego jednak zrobić, bowiem obiecał Anicie tę absurdalną dyskrecję. Przede wszystkim w odniesieniu do teściowej.

– To, co powiedziałaś. Z dzieckiem im nie wychodzi, Anita się leczy, nerwicy od tego dostaje, Cypkowi też nie jest lekko...

– Coś tu jeszcze jest na rzeczy, tylko nie chcecie mi powiedzieć. Te ich wyjazdy! Nie powiesz mi, że się szykują do jakiejś adopcji?

– Nie, do adopcji nie. Anita się leczy, mówiłem ci. Kalinko, ja przecież za nimi nie chodzę, nie wiem wszystkiego, oni mi się nie spowiadają...

– Łżesz jak pies, mój mężu. Ale widzę, że dzisiaj nic z ciebie nie wyciągnę. Nie to nie. Piękny dzień, nie uważasz?

Wiosna dwa tysiące ósmego roku przyszła dość wcześnie i była urocza, jak wszystkie wiosny. Stasinkowi Pindelakowi podobała się szczególnie, bo wraz z tymi ukochanymi przez ojca malutkimi kwiatkami (krokusy, fiołki et caetera) zakwitało jego pierwsze porządne, chociaż wciąż młodzieńcze, uczucie do kobiety. Tą kobietą była Miranda Wiesiołek. Ona też zakwitała jak nigdy w życiu – z daleka od rodzinnego domu, który jej zawsze źle robił, za to w otoczeniu nowych, sympatycznych przyjaciół – wesołych, beztroskich, pełnych twórczego zapału. Na razie jeszcze ani ona, ani Stasinek nie byli na etapie wyznań, czułego porozumienia i tych wszystkich rzeczy. Zdecydowanie jednak lubili mieć się nawzajem gdzieś w zasięgu ręki. Internetowa telewizja studencka, w którą się bardzo zaangażowali, dawała im do tego mnóstwo okazji. Przydała się też Mirandzie do budowania własnego, nadszarpniętego w dzieciństwie ego – okazało się bowiem, że jest ona po prostu urodzoną reporterką i prezenterką. W ogóle nie wiadomo jakim cudem, bo w domu telewizję oglądała rzadko, a jeśli już, to na pewno nie reportaże ani wywiady. Talenciara i tyle – stwierdzał obiektywnie Stasinek.

– Obie są talenciary – prostował Duży Światopełk Marzec, mając na myśli Gonię Pawelec. – Mówię ci, stary, one są najlepsze z całego naszego zespołu.

Było coś w tym, co mówił. Po kilku programach, zrealizowanych w improwizowanym studiu na elektronice, Gonia i Mirka stały się rozpoznawalne na wszystkich uczelniach Szczecina. Furorę zrobił ich program, pierwszy z cyklu, który zatytułowały mało oryginalnie „Trudne rozmowy" i w którym przez czterdzieści minut odpytywały profesor Ewę Grabarczyk o to wszystko, co na jej temat napisali w sieci internauci.

Eliza Trumbiak obejrzała sobie całą tę „trudną rozmowę" z uwagą i z przykrością. Przykrość wywołana była konstatacją, że po pierwsze, program był, niestety, dobry, a po drugie – i jeszcze bardziej niestety – Ewa G. wyszła z całej sprawy obronną ręką. Co najbardziej obrzydliwe, już tego samego wieczoru słupki pani profesor Grabarczyk w sondażach podniosły się. Kretyński pomysł, żeby studenci oceniali wykładowców na internetowych forach uniwersyteckich!

Dla poprawienia sobie humoru Eliza posiedziała godzinkę nad komputerem, zmieszała z błotem swoje dwie ulubione klientki – prezenterkę telewizji publicznej i siatkarkę z kadry narodowej, potem odwiedziła uniwersyteckie forum i, używając kilku nicków, nie zostawiła suchej nitki na żałośnie amatorskiej telewizji międzyuczelnianej („te dwie laski są nie tylko głupie jak stodoła, ale na dodatek brzydkie jak kupa"), pohasała na kilku portalach literackich („napisz swoją recenzję" – no więc napisała, cha, cha!) i ostatecznie poczuła się troszkę lepiej.

Trzeba będzie opieprzyć koleżankę Mirandę. Taka z niej wielka redaktorka się zrobiła, a w kuchni jest kurz na okapie, od wierzchu! Niech no ona lepiej nie zapomina o priorytetach!

~

– Synu! Małe męskie posiedzenie?

– A co, tato, napiłbyś się?

– Napiłbym się z tobą. Może tam gdzie ostatnio?

– Dobrze. To nawet fajny pomysł. Zamierzałem pracować, ale chętnie zrezygnuję z tego dziś wieczór. Anita idzie na jakiś wernisaż i zabiera z sobą Elizę, więc nie muszę jej towarzyszyć.

– O siódmej? Może jakąś kolację zjemy przy okazji. Niezdrową i niedietetyczną. Podjechać gdzieś po ciebie?

– Dziękuję, będę w mieście.

Kiedy syn, spóźniony o dziesięć minut, wchodził do restauracji, ojciec przeglądał właśnie kartę dań. Karta win leżała obok.

– Chyba jestem skazany na czyściochę – powiedział ojciec na powitanie. – Zassało mnie na golonkę.

– No, jak cię zassało na golonkę, to jasne. Zostawiłeś matkę odłogiem?

– Twoja matka od rana leży odłogiem w jakimś salonie kosmetyczno-masarskim. Nie, to jakoś nie najlepiej brzmi. Masarski.

– Bo to trochę co innego znaczy.

– Niż co?

– Niż trzeba. Ojciec, błagam. Ja jestem życiem zmęczony, nie katuj mnie językowo. Golonki jadł nie będę. Ale jeśli tu mają takie rzeczy... to ja też pójdę w staropolszczyznę. Kotlet, kapucha, ziemniaczki. I czysta, dobrze zamrożona.

Panowie złożyli zamówienie, zaznaczyli, że porcje nie muszą być małe, i nietypowo poprosili o kawę na początek. Kelnerka obrzuciła ich wzrokiem pełnym uznania. Obaj panowie Grabiszyńscy prezentowali się bowiem naprawdę atrakcyjnie – mimo tych cholernych zatok czołowych, u młodszego wchodzących w etap szybkiego rozwoju, a u starszego sięgających już potylicy. Dodajmy, że zatoki znienawidzone były jednakowo przez obu panów, a kelnerce nie przeszkadzały w najmniejszym stopniu. Owszem, młodszego wzięłaby chętnie razem z zatokami i perspektywą, że tak jak u tatusia przejdą po jakimś czasie na drugą stronę człowieka. Cóż – życie kelnerki jest smutne, nie mogła im tego powiedzieć. Fajnie, że w ogóle czasem zdarzają się tacy przystojni i dobrze wychowani klienci.

Urok osobisty zawsze był mocną stroną mężczyzn z rodziny Dolina-Grabiszyńskich.

Nie przyszli tu jednak dla roztaczania uroków i podrywania kelnerek.

– Co tam u was słychać ostatnio – zagadnął ojciec, wrzucając ciemny cukier do kawy. – Odkąd wróciliście z tej Warszawy, nie pokazujecie się prawie wcale. Matka mnie napastowała w waszej sprawie, nawiasem mówiąc.

– Matka coś wie?

– Mówi, że nie i że ją to denerwuje. Próbowała czegoś się dowiedzieć od twojej babki, ale babcia dała jej odpór. Babcia teraz prawie nie odchodzi od telewizora, ogląda te angielskie kryminały w oryginale. Tam się stale mordują kłonicami, szpadlami i z dubeltówek, więc ma uciechę. Pokochała inspektora. Nic jej nie powiedziałem, oczywiście. Twoją matkę mam tym razem na myśli. Ale ja tam nie mam złudzeń, prędzej czy później ona się dowie.

– Kto jej powie, twoim zdaniem?

– Krasnoludki. Dam sobie głowę uciąć, że Kalina ma cały dywizjon. Trzysta trzy krasnoludki biegające dla niej na posyłki. Cypek, może by ją wtajemniczyć? To bez sensu, że ona nic nie wie. I moglibyście przestać wygłupiać się z tym Białymstokiem. W Szczecinie chłopcy robią to równie sprawnie. Kiedy macie wyznaczoną następną próbę?

– W maju. Teoretycznie. Ale nie wiem, tato, jak z tym będzie, bo Anita coś jakby chciała rezygnować.

– Teraz? Po czterech próbach? Szkoda by było, Cypek! Porozmawiałem sobie kilka dni temu z jednym moim kolegą, wybitnym ginekologiem zresztą, który się doskonale na tym wszystkim zna. On mówi to samo, co ten wasz profesor z Białegostoku – piąta próba często bywa udana. A jak nie, to szósta.

– Ale co ja poradzę na to, że moja żona zamknęła się w sobie?

– Całkiem?

– Nie, tylko w sprawie dziecka. Poza tym, sam się dziwię, ale jest bardzo fajnie. Jakby ta cała sprawa przestała istnieć. Pracujemy, chodzimy na imprezki, do kina, jak zawsze. To znaczy jak kiedyś, zanim zaczęliśmy świrować.

– Już się boję – mruknął rodzic. – Jesteś pewien, że to nie cisza przed jakąś burzą? Patrz, idzie nasza staropolska wyżerka. To przynajmniej jest niezawodne w swej prostocie.

Wernisaż dobrze zapowiadającego się grafika i karykaturzysty (chwilowo jeszcze bez nazwiska, ale święcie przekonanego, że już niebawem wykosi Sawkę, Mleczkę, Czeczota i wszystkich innych starców) wyglądał dokładnie tak jak wszystkie wernisaże. Młody zdolny mógłby mieć jakiś oryginalny pomysł na imprezę, ale go nie miał, niestety. Wszystko było dość napuszone.

„Facet, jesteś podobno satyrykiem, tak? Masz poczucie humoru, tak? Jak ja mam w to uwierzyć, skoro od godziny nudzę się jak cholera? Obrazki też cieniutkie, zupełnie jak twój dowcip. Oj, nie wróżę ci ja świetlanej przyszłości, dożywotnia stara pierdoło".

Taki tekścik wpisała drukowanymi literami Eliza Trumbiak do wyłożonej na stoliku księgi pamiątkowej wyłożonym tam długopisem, po czym szybko przewróciła kartki i własnym charakterem pisma oraz własnym piórem Pelikan nakreśliła zdawkowe wyrazy uznania. Podpisała. A to się adresat uśmieje, jak se książkę poczyta. Cha, cha, cha.

– Słuchaj, Anita, chodźmy gdzieś. Może kogoś spotkamy. Tu jest okropnie.

– Jesteśmy gdzieś – odrzekła rozsądnie Anita. – I dookoła jest pełno ludzi. Z kim się chcesz spotykać osobno?

– Ale jest okropnie – powtórzyła Eliza. – Nudzę się.

– Nudno jest, to prawda. Chcesz iść na zakupy?

– Nie mam pieniędzy. Chyba że mi pożyczysz.

– A ile chcesz i do kiedy?

– A odkąd to pani architekt tak liczy każdy grosik? Co to dla ciebie trzy stówy. No, pięć.

– Pięć stów to pięć stów. Przecież wiesz, na co idą nasze pieniądze.

– Pięć stów wydałaś na pierścionek – wypomniała Eliza, zupełnie jakby miała do tego prawo. – Nie opowiadaj, że żyjecie w nędzy.

– Nie opowiadam. Ale nie chce mi się nigdzie latać, szukać ludzi, żebyś się miała z kim spotkać. Mogę cię zaprosić na pizzę tu obok. Zgłodniałam od samego patrzenia na te słone paluszki.

– No proszę. A pamiętasz, jak u Gajka nie chciałaś tortu, tylko pouczałaś Joankę, że wystarczyłyby słone paluszki? Ty to jesteś zmienna. Chodź na tę pizzę, niech ci będzie.

Dwadzieścia minut później przyjaciółki siedziały w bezpretensjonalnej pizzerii, w której, z racji jej położenia, chętnie pożywiali się antykwariusze i galernicy z pobliskich galerii sztuki.

– Ty masz jakieś kontakty z Gajkami? – zagadnęła Anita.

– Czasem dzwonimy do siebie z Florkiem. Mają czwartego syna, to wiesz.

– Wiem, dzwoniłam, gratulowałam.

– Tylko gratulowałam? A ja myślałam, że się na ochotnika zgłosisz jako pomoc dla koleżanki Aśki, bo taka byłaś przejęta jej losem...

Anita pociągnęła wody gazowanej przez słomkę i zabulgotała w szklance ostrzegawczo.

– Eliza, uważaj. Zaczynasz przeginać z tą zgryźliwością i zaczynasz mnie wkurzać. Daruj sobie.

– Mogę sobie darować – powiedziała Eliza pojednawczo. Wcale nie chciała tracić przyjaciółki przez jakieś drobiazgi. – Florek kazał cię pozdrowić i powiedzieć, że pamięta o tobie w modlitwach. Pytał, jak twoje decyzje życiowe.

– To dlaczego nie zadzwonił z tym prosto do mnie? Sama bym mu powiedziała.

– Powiedz mnie. Mnie też ostatnio niewiele mówisz. Kolejna próba?

W tym momencie kelnerka przyniosła dwa wielkie talerze z kolorowymi plackami i konwersacja chwilowo uległa zahamowaniu. Anita wyglądała, jakby przy okazji walki z ciastem stawiającym opór tępemu nożowi (nie ma na świecie pizzerii, gdzie noże byłyby ostre) zbierała rozproszone myśli. Doszedłszy mniej więcej do połowy dania, odłożyła sztućce i zamyśliła się głęboko.

– Coś cię żre – zauważyła Eliza, również zwolniwszy tempo walki z gigantycznym krążkiem. – Ja to widzę. Mnie możesz powiedzieć. No, co z tą piątą próbą, czy szóstą, czy która to ma być?

– Piąta.

– No i co?

– Nie wiem – westchnęła ciężko Anita i poniechała jedzenia na dobre. – Nie wiem.

– Z tobą nie da się dziś rozmawiać. Stale tak masz ostatnio? Czy tylko ten wernisaż ci zaszkodził?

Anita nie odpowiedziała. Eliza Trumbiak, niezależnie od tego, jaki miała charakterek, to przecież inteligencję posiadała w najlepszym gatunku. Znając fakty, potrafiła kojarzyć je z sobą, a także wyciągać wnioski. I formułować je.

– To nie wernisaż, co? – powiedziała powoli. – Florek ci zaszkodził. Florek dał ci do myślenia. Po raz pierwszy zaczęłaś się zastanawiać, co robisz. I straciłaś pewność, że robisz bezwzględnie dobrze. Bo przecież nie wiemy tego, prawda? Są argumenty twoich profesorów i twojego racjonalnego teścia... Nawiasem mówiąc, masz uroczego teścia i pozdrów go ode mnie. No więc z jednej strony teść, Cypek, rodzice i profesory. A z drugiej Florek i inne profesory. I ten ksiądz z Warszawy, co to cię przeklął. Mam rację? Zastanawiasz się, czy przypadkiem naprawdę nie jesteś damską wersją króla Heroda?

– Frankensteina – westchnęła znowu Anita w powietrze. – Ksiądz mnie nie przeklął.

– Ale rozgrzeszenia ci nie dał.

– Eliza, ty się mną nieźle bawisz, co?

No, tego się Eliza nie spodziewała. Anitka, cielęcina, nie powinna dokonywać takich spostrzeżeń.

– To nie ma znaczenia, moja droga, czy ja się tobą, jak powiedziałaś brzydko, bawię czy nie. Nie wiem zresztą, skąd ci to przyszło do głowy. Ja po prostu usiłuję jakoś zracjonalizować twoją szamotaninę.

– A jakie jest twoje zdanie na ten temat?

– Na jaki temat? Czy jesteś Herodem albo Frankensteinem? Mówię ci przecież, moje zdanie się nie liczy. To ty musisz wiedzieć, czy jesteś w stanie żyć ze swoimi decyzjami. A jak nie jesteś, to ich nie podejmuj.

– To co mam zrobić?!

Dyżurna odpowiedź na takie pytanie brzmi „powieś się". Z wielu względów Eliza nie chciała jej udzielić. Pomilczała chwilę, zastanawiając się, czyby nie podpowiedzieć przyjaciółce pewnego rozwiązania, o którym czytała niedawno na jakimś forum internetowym. Wprawdzie sama była zdania, że rozwiązanie jest raczej szemrane, ale dlaczego nie dać małej Anitce do myślenia?

Anita, nie doczekawszy się odpowiedzi, snuła tymczasem monolog na temat swoich wszystkich rozlicznych wątpliwości. Eliza znała je na pamięć i po prawdzie miała ich już wyżej uszu.

– Słuchaj, kochana – przerwała bezceremonialnie. – Taką gadaniną to najwyżej ugruntujesz sobie nerwicę, czy co tam masz na tle swoich ciężkich przeżyć prokreacyjnych. Zdecyduj się na coś.

– Mam zrezygnować?

– Szukaj wyjścia.

– Tu nie ma wyjścia.

– Zawsze jest jakieś. Uważaj. Zaczęłaś mieć opory. Nie chcesz popełniać grzechu. No to go nie popełniaj.

– To ma być rozwiązanie?

– Nie skończyłam. Nie wszyscy dokoła mają takie same poglądy. Pojęcie grzechu też nie jest jednakowe dla wszystkich. Nadążasz?

– Nadążam.

– No więc jaki z tego wniosek? Coś, co jest grzechem dla ciebie, nie musi być grzechem dla kogoś innego.

– Eliza, co ty mi właściwie proponujesz?

– Ja? Ja ci nic nie proponuję. Ja na pewno twojego dziecka nie urodzę.

– O czym ty mówisz?!

– Nie krzycz. Za chwilę wszyscy będą wiedzieli, o czym ja mówię, bo wszystkich zawiadomisz. Uważaj. O ile dobrze zrozumiałam twoje wątpliwości w sprawie Frankensteina, to chodzi o te wszystkie niewykorzystane zarodki, tak? Im więcej nieudanych prób, tym więcej ich ginie, tak?

Anita kiwnęła głową. Zaczynała pojmować.

– No więc trzeba zrobić wszystko, żeby już nie ginęły. U ciebie ta ciąża nie chce się zagnieździć... bo o to chodzi, tak? Ja dobrze rozumiem? No to trzeba znaleźć kogoś, u kogo się zagnieździ bez kłopotu. Jakąś młodą, zdrową kobitkę. Ona ci to dziecko donosi i odda. Ty jej zapłacisz. Mało to jest studentek potrzebujących pieniędzy?

Anita wpatrywała się w przyjaciółkę wielkimi oczami. Eliza przerwała na chwilę wywód. Raz, żeby dać biedaczce szansę porządnego ogarnięcia problemu, a dwa – bo coś jej przyszło do głowy. Przecież ona zna studentkę potrzebującą pieniędzy! Na razie jednak jeszcze nie pora, żeby się wyrywać z gotową kandydatką na matkę-surogatkę. Anita mogłaby odnieść mylne wrażenie, że to jakiś przygotowany spisek czy coś w tym rodzaju. Tymczasem wszystko jest radosną improwizacją wybitnego umysłu!

– Jestem w szoku – powiedziała Anita.

– Widzę. Nie mówmy już o tym, bo ci się rozum zagotuje, sierotko. Ja ci dałam materiał do przemyśleń. Jak przemyślisz, jak się na coś zdecydujesz, to będziemy dalej radzić. Na razie to ja bym panią poprosiła, żeby mi zapakowała te połówki, odgrzeję sobie w domu, w piecyku, będzie doskonałe śniadanie jutro rano. A teraz bym może wciągnęła kawałek szarlotki z lodami. I porządną kawę. Chcesz też?

Materiał do przemyślenia, który Anita otrzymała od niezawodnej przyjaciółki, w istocie nieźle zagotował jej w głowie. Wróciła do domu – jak wiemy, pustego, gdyż Cypek był właśnie z tatusiem na męskiej kolacji – i usiadła w głębokim fotelu przy oknie. To, co mówiła Eliza, na pierwszy rzut oka miało ręce i nogi. Samo w sobie wydawało się jednak nie do przyjęcia. Jak to, obca kobieta miałaby nosić jej dziecko? Jej syna?

Spojrzała na pierścionek z ciemnoniebieską akwamaryną. Nie zdejmowała go od powrotu z Warszawy. Ten pierścionek dodawał jej otuchy, był jej dobrą wróżbą.

W jednej sprawie Eliza miała rację na pewno. Trzeba było podjąć jakąś decyzję i albo jechać do Białegostoku na tę piątą próbę, albo z niej definitywnie zrezygnować. W obecnym stanie ducha Anita była bliska rezygnacji.

Ale co potem, co potem?

Eliza Trumbiak wróciła do domu zadowolona z życia. Wiosna jest piękną porą roku. Człowiek rozkwita od nowa, otwierają mu się oczy na nowe możliwości, znikają przeszkody i zimowa bezsiła. Chyba nie ma na świecie nikogo, kto by nie kochał wiosny.

Miranda Wiesiołek tego wieczoru kochała wiosnę upostaciowaną w pęczkach rzodkiewek, szczypiorku i młodziutkich marchewek. Współlokatorka zastała ją w kuchni, komponującą jakąś wielobarwną sałatkę. Nawet biały serek i jajka na kuchennym stole wyglądały optymistycznie. Winegret, mocno pachnący czosnkiem, lał się strumieniem.

– O, jak tu ładnie pachnie – nie wytrzymała Eliza. – Dasz odrobinę? Mogę się zrewanżować kawałkiem pizzy do odgrzania.

– Spoczko – kiwnęła głową Miranda. – Specjalnie zrobiłam więcej. Pyszne jest takie wiosenne żarcie, nie? Wirginia wyjadała mi spod ręki, ale musiała iść, bo się umówiła ze swoim Kafelkarzem. A może Elektronikiem. Zostawię dla niej porcję osobno.

Chwilę później pizza trafiła do opiekacza, a obie młode kobiety zasiadły do królewskiej uczty.

– Wydałaś majątek na te wszystkie nowalijki – zaczęła konwersację Eliza, która miała swój powód, aby pogadać o pieniądzach.

– Nie jest tak źle, one już nie są bardzo drogie. A te tutaj nic mnie nie kosztowały, bo to Gonia Pawelec przyniosła od swojej ciotki. Ona ma ciotkę z działką, ciotka zakładała ogródek, jak miała wielką rodzinę, teraz jej się dzieci rozjechały, rodzina zmalała do dwóch sztuk, bo tylko ona z mężem, a sadzi tyle wszystkiego, co dawniej. No to rozdaje. Gonia od niej regularnie dostaje warzywka. Mamy też zaproszenie na truskawki, maliny, czereśnie, wiśnie i tak dalej. Zdrowa żywność.

– Jajka też od cioci?

– Nie, jajka ze sklepu, ale zerówki. Ja nie mogę tych fermowych plastikowych. Całe życie jadłam dobre, bo kupowaliśmy od takiej jednej pani w Łukęcinie...

– Myślisz, że uda ci się w tym roku nie pracować w Łukęcinie?

Miranda westchnęła prosto w szczypiorek, który posypał się na stół.

– Może mi się nie udać. W ogóle jest kiepsko. Oszczędzałam, jak mogłam, ale właśnie sięgam dna. Chyba zacznę pisać wypracowania za pieniądze.

– Oj, uważaj, komu to mówisz...

– Przecież pani też pisze – wzruszyła ramionami dziewczyna.

– Co ci do głowy przychodzi?

Eliza w istocie dorabiała sobie do uniwersyteckiej pensji, pisząc prace roczne, a nawet magisterskie. Wpadła na ten patent w internecie. Okazało się, że jest takie zapotrzebowanie, więc dlaczego miała nie skorzystać? Nie ona, to ktoś inny by napisał. Gdyby musiała trzymać jakiś przyzwoity poziom, to może cała zabawa okazałaby się nieopłacalna, bo pisanie zbyt długo by trwało. Nie było jednak takiej potrzeby. Nawet przeciwnie. Prace za dobre byłyby niewiarygodne. Powinny być na trójki – a pracami na trójki mogła Eliza sypać jak z rękawa, prosto z inteligentnej głowy. Oczywiście, cały proceder trzymano w ścisłej tajemnicy – jej zleceniodawcy występowali pod pseudonimami, ona sama również, adresy zakamuflowano i tylko numer konta Elizy, na który spływały pieniądze, był prawdziwy. Założyła sobie takie specjalne konto w internetowym banku, innym niż ten, z którego korzystała na co dzień. Miała nadzieję, że żaden z jej klientów nie wpadnie. Nawet jeśli, to banki tak łatwo kont nie zdradzają. Musiałyby być wytaczane procesy, wystawiane nakazy... W sumie dużo zachodu, komu by się chciało. A zresztą... no risk, no fun. Nie ma ryzyka, nie ma zabawy.

Nie sądziła jednak, że Miranda coś wie na ten temat!

– Pani doktor, pamięta pani, jak potrzebowała mojej pomocy, kiedy serwer nam wariował? Pomagałam pani wysyłać kilka rzeczy. Co najmniej dwie to były prace semestralne, poznałam po adresach. Bo ja się już wtedy przymierzałam i te adresy widziałam na konkretnych portalach. Niech się pani nie przejmuje, przecież pani nie wsypię. Ja to rozumiem, że trzeba jakoś zdobywać forsę. Tylko strasznie jej nie lubię zdobywać w pensjonacie. Te wypracowania się opłaca pisać?

– Średnio – wzruszyła ramionami Eliza, częściowo uspokojona. – Zależy, jakie ma się wymagania.

– Ja mam niewielkie. Ale coś tam muszę pozarabiać na czynsz i na życie. Rodzinka mi za dużo nie przysyła. Jeśli znajdę pracę na wakacje gdzie indziej, to na pewno nie pojadę do Łukęcina. Już rozpuściłam wici, chłopaki szukają, Gonia też, ja szukam przede wszystkim... Proszę jeść. Śmiało.

– Jem śmiało. Myślałam o czymś.

– W sensie zarobku?

– Tak. Ale ja bym na to nie poszła z różnych względów. Mogę ci natomiast powiedzieć, o co chodzi. Z tym że od razu muszę cię ostrzec. To bardzo trudny i ryzykowny sposób na zarobienie pieniędzy.

– Dużych?

– Sporych.

– Jakich?

– Nie wiem. Zresztą to by była sprawa między tobą a twoimi kontrahentami. Pamiętaj, mówię ci o tym, bo chcesz wiedzieć, ale dla mnie to by było za duże ryzyko.

Miranda siedziała już jak na szpilkach. Czy Trumbiaczka wreszcie wydusi, w czym rzecz, na litość?!

– Ale kiedyś mi pani powie, o co chodzi?

– O urodzenie cudzego dziecka. I spokojnie mogłabyś za to wziąć dwadzieścia tysięcy. Albo więcej.

Eliza oczekiwała jakiejś bardziej dramatycznej reakcji, ale się zawiodła. Miranda tylko podniosła brwi.

– Ktoś szuka zastępczej mamusi?

– To się nazywa matka-surogatka.

– Paskudnie brzmi. Ile płacą?

– Nie wiem. Musiałabyś rozmawiać z nimi bezpośrednio. Nie jestem pewna, czy oni już się zdecydowali.

– Rozumiem. A to jest jakaś taka historia, że ktoś nie może zajść w ciążę, czy tam donosić, tak?

– Tak. Potrzebny jest inkubator dla dziecka na całe dziewięć miesięcy. Zdecydowałabyś się?

– Musiałabym przemyśleć. Czy miałabym się przespać z jakimś facetem? Bo na to chyba bym nie poszła. Nie chciałabym, żeby to było moje dziecko. Musiałoby być absolutnie nie moje. W żaden sposób. Bo tak wszczepić, nosić, urodzić... nie wiem. Chybabym nie miała specjalnych przeciwwskazań. To jest legalne?

– Nie wiem. Chyba nie jest zakazane. Słuchaj, nie rozpędzajmy się. Jeszcze nie wiem, czy ta oferta wypali w ogóle... Będę się dowiadywać. Rozumiem, że byłabyś w stanie potraktować taką sprawę wyłącznie handlowo?

– Oczywiście.

– W takim razie musiałybyśmy się zastanowić, jaki procent w razie czego byłby dla mnie. Za pośrednictwo. I proszę, absolutna dyskrecja.

Maj zbliżał się ku końcowi. Architekci z pracowni „Mata chatę" prawie już zapomnieli o sukcesie „Rodzinnego Gniazda" i z pieśnią na ustach zabrali się do następnych projektów. Oczywiście, licząc na kolejne, powalające na kolana, zbiorowe sukcesy. Sukces indywidualny odniósł ostatnio Idzikowski, którego żona Justyna urodziła drugiego Dżuniora, a właściwie Dżuniorkę. Rzecz odbyła się bez komplikacji i cały dzień potem dubeltowy ojciec podtykał wszystkim pod nos komórkę ze zdjęciem dziewuszki jak ta lala, trzy i pół kilo, wszystkie parametry w normie. Żona, której też koniecznie chciał strzelić zdjątko na porodówce, próbowała w niego rzucić stojakiem na kroplówkę. Nie wiedział dlaczego, ale podporządkował się bez szemrania i zaniechał robienia zdjęć szczęśliwej mamie. Przez trzy dni Dżunior Nr 1 chodził z tatą do pracy, potem Justyna wróciła do domu, gdzie czekała jedna z mam z pomocą, Idzikowski wrócił do komputera i wszystko wróciło do normy. Oprócz tego, że pan inżynier, pracując, głośno śpiewał kołysanki.

– Śpij, dziecino moja mała, zaśnij, zaśnij juuuuuuuuuż, ja cię będę kołysała, a ty oooczka zmruuuuuuuuż...

Fałszował okropnie, ale nikt nie miał serca go o tym zawiadomić. Łuna od niego biła i ogólnie rzecz biorąc, stanowił bardzo przyjemne zjawisko przyrodnicze.

Kiedy pierwszy raz tak ryknął, a potem dwadzieścia minut wyśpiewywał te dwa wiersze (ciągu dalszego nie znał) to głośniej, to ciszej, Cypek trochę się zdenerwował, czy przypadkiem Anitka drogą skojarzeń się nie zdenerwuje, nie dostanie – broń Boże – załamki, nie popłacze się znienacka. Anita niczego podobnego nie wykonała, natomiast wieczorem przygotowała dla kochanego męża jego najulubieńsze pierogi leniwe z tartą bułeczką.

Cypek uwielbiał to niezbyt wyszukane, za to dość pracochłonne danie (nasze matki uśmiałyby się jak norki na określenie „pracochłonne", ale one nie miały mikrowelek i dań gotowych leżących hałdami w zamrażarkach, dla nich takie pierogi to był pikuś). Bardzo się więc ucieszył i trochę wzruszył. Anitka nie rozpieszczała go ostatnio gotowaniem kolacyjek.

Kiedy już się najadł do wypęku, zaczął podejrzewać, że został tak pysznie nakarmiony z jakimś ukrytym zamysłem. Być może chodziło o pozbawienie go męskiej stanowczości, twardości, takich tam rzeczy. Bo rzeczywiście – wyłożył się teraz na kanapę z kieliszkiem dziesięcioletniej rezerwowej madery (gdzie ona wypatrzyła takie fajne wino?), w towarzystwie odrobiny sera peccorino – i był gotów dla swojej żony zrobić wszystko.

– Wszystko? – Anita spojrzała na niego spod długich rzęs. – Słowo dajesz?

– Daję – powiedział, choć już mu świtało, że ona coś na niego szykuje. Było mu zbyt błogo, żeby miał zastanawiać się, co to takiego.

Boże, ileż on by dał, żeby nigdy w życiu nie kombinować, nie używać dyplomacji, chachmęcić, przewidywać sto różnych wariantów, wczuwać się w myśli przeciwnika! Ileż dałby za to, żeby w ogóle nie było przeciwników. Żadnych. Żeby wszyscy byli równie twórczo i pozytywnie nastawieni do świata i do siebie nawzajem, jak on sam był nastawiony do świata i ludzi. Zodiakalny Strzelec, syn Strzelca – uosobienie prostolinijności, prostoduszności i szlachetnej prostoty, nie mylić z prostactwem. Pełen uroku pacyfista. Oczywiście, gdyby okoliczności nakazały, umiałby dać w dziób, komu trzeba. Ale nie robiłby tego z przyjemnością. Radosny epikurejczyk i solidny inżynier z zacięciem artystycznym – oto, kim był facet, którego Anita kilka lat temu pokochała z wzajemnością.

Dawała mu ostatnimi czasy nieźle popalić z tą swoją niestabilnością emocjonalną, że użyjemy eufemizmu. A teraz wrzuci mu na głowę problem, który wybije go z tego błogostanu kanapowego... aż szkoda, taką ma zadowoloną minę...

– Dałeś – powiedziała. – Pamiętaj o tym.

Cypek jęknął i usiadł. Nastrój rozkosznego spokoju, beztroski i bezpieczeństwa szlag trafił.

– Powiedz, co wymyśliłaś. Jestem gotów na wszystko.

– No, nie wiem, czy na wszystko...

– Anita, to jest dręczenie. Mów. Jedziemy do Białegostoku? Piąta próba?

– Właśnie nie. Cypek... ja nie mogę.

Anita powiedziała to i zamilkła, wpatrując się w męża wielkimi oczami.

Cypek nienawidził spiskowej teorii dziejów. Nienawidził, kiedy zmuszano go do wchodzenia w cudzą osobowość i zastanawiania się – o co rozmówcy chodziło. Nienawidził jak zarazy, kiedy musiał domyślać się cudzych motywacji. Tym razem w grę mogły wchodzić te wszystkie wątpliwości co do etycznej strony przedsięwzięcia albo obudziły się w niej uczucia religijne, albo nie wiadomo co...

– Anita, przemyślałaś to? Szanse nam się zwiększają. Nie szkoda zmarnowanego roku z hakiem? Te wszystkie badania, hormony, tyle nadziei...

– Cypek, ale to były złudne nadzieje. Ja nie zaszłam w ciążę, bo nie mogę zajść i nie zajdę. Żaden z tych zarodków nigdy się we mnie nie zagnieździ.

– Lekarze mówią co innego.

– Cypek, ja to wiem. Możemy jeszcze próbować i próbować, do uśmiechniętej śmierci. Marnować te zarodki...

– Anitka, w naturze one też się marnują...

– Ale ja nie chcę ich mieć więcej na sumieniu. Czekaj, nic nie mów. Jest jeden sposób, żeby... no, żeby coś zrobić w tej sprawie. Ja wiem, że to bardzo... nietypowy sposób rozwiązania problemu. Słuchaj... no, najkrócej mówiąc, można wynająć kogoś, kto zajdzie w ciążę, donosi ją i urodzi dziecko. Nasze dziecko, rozumiesz. Nasze. Można próbować wszczepiać zarodki mnie i te zarodki tracić, a można wynająć osobę zdrową, która spełni tylko funkcję inkubatora. Bo będzie zdrowa, rozumiesz? Zdrowa, nie tak jak ja...

Cypek poczuł się jak ktoś, komu spuszczono na głowę tonę węgla. Albo czegokolwiek innego. W każdym razie tonę.

Co ona wymyśliła? Obca baba jako inkubator?

– Anitko... nie podoba mi się to, co mówisz. To nie może się udać...

– Twoim zdaniem, dlaczego?

– Jeszcze nie wiem, nie przemyślałem, jestem ogłuszony, ale czuję, że mi się to nie podoba! Jak ty to sobie wyobrażasz?

– Bardzo prosto. Znajdujemy taką osobę, może przez ogłoszenie w internecie, a może jakoś inaczej, to najmniejszy kłopot...

– Ja mam się z nią przespać?

Anita oburzyła się. Jeszcze tego brakowało!

– Oszalałeś? Załatwimy sprawę in vitro!

– Anita, kobieto! Przecież in vitro przestało ci odpowiadać, bo masz te zastrzeżenia moralne! Gdzie konsekwencja?

– Cypek, skup się! To będzie ostatni raz! Można stworzyć tylko jeden, dwa zarodki i wszczepić jej oba. Nie marnować żadnego! Ona musi być stuprocentowo zdrowa!

– Anita! Nie można tak robić! To jest cholernie niemoralne!

– Dlaczego?! Nie będziemy przecież nikogo zmuszać. To tylko wynajęcie brzucha, rozumiesz? Brzucha potraktowanego jako inkubator! Przeszczepia się organy, dlaczego nie wypożyczyć brzucha?

– Za opłatą...

– Oczywiście! Właśnie dlatego to nie jest niemoralne! Ona nawet nie zobaczy tego dziecka. Przeżyje tylko pewien stan fizjologiczny, za co dostanie honorarium. A my będziemy mieli własne dziecko. Twoje i moje. Z naszych komórek, z naszego zarodka.

– Anita, a pomyślałaś, co powiedzą nasi rodzice? Twoi, moi?

– Nic nie powiedzą, bo się nie dowiedzą.

– I co, będziesz udawała, że jesteś w ciąży? Wypchasz się poduszkami?

– Nie wiem, może się i wypcham. Cypek, słuchaj, nie odpowiadaj mi teraz, nic nie mów, przemyśl sobie to wszystko, co ci powiedziałam, i pamiętaj, że dałeś słowo.

– Gdybym wiedział, o co ci chodzi...

– Ale nie wiedziałeś i dałeś. To znaczy, że masz do mnie zaufanie. No więc zaufaj mi teraz. Nie mów nikomu. Ja się nie wstydzę mojej decyzji, tylko to by nic nie dało, a może zaszkodziło...

– To znaczy, że ty już podjęłaś decyzję?

– Podjęłam i mam nadzieję, że cię do niej przekonam. Cypek, proszę, dzisiaj już o tym nie rozmawiajmy. Jutro do tego wrócimy na spokojnie.

Cypkowi przeleciało przez głowę pytanie, dlaczego, do diabła, ona sobie wyobraża, że on będzie tak spokojnie czekać, aż jej się zachce wrócić do tematu? Najchętniej wdałby się teraz w zasadniczą dyskusję i przekonałby żonę, że to, co chce zrobić, jest jakimś kompletnie nieodpowiedzialnym szaleństwem. Niestety, żona znikła w drzwiach łazienki, rzucając mu tylko krótki komunikat, że posiedzi tam ze dwie godziny, bo będzie sobie robić maseczki, pilingi i masaże ujędrniające.

Siedziała trzy, a kiedy wyszła, Cypek był już w łóżku. Anita w powiewnych szyfonach pod kolor oczu wyglądała tak ponętnie i zachowywała się tak uwodzicielsko, że nastawionemu na dyskusje światopoglądowe mężowi ochota do dyskusji przeszła jak ręką odjął. Zanim uległ pięknej (i własnej) kobiecie, zdążył pomyśleć jeszcze, jak cudownie byłoby, gdyby ona teraz zaszła w ciążę...

Następnego dnia rano również nie zdołał jej dopaść i przygwoździć, bo z pełną premedytacją wyłączyła budzik, wstała po cichutku, zrobiła śniadanie i obudziła go tak późno, że zdążył tylko się umyć, ogolić i zjeść to śniadanie w dzikim pośpiechu. Potem oboje popędzili (po schodach) do biura, gdzie już reszta załogi firmy „Mata chatę" dawała z siebie wszystko.

Cypek obserwował żonę z mieszaniną irytacji i podziwu. On nie był w stanie tak się skupić na pracy jak ona. Do tej pory to Anita była kłębkiem nerwów, a on starał się zachować spokój. Dziś było dokładnie na odwrót. Własne rozedrganie było dla Cypka nie do zniesienia. Z najwyższym trudem wytrzymał do pierwszej po południu i pod jakimś pretekstem wyszedł z biura. A dokładniej – wybiegł, jakby go ktoś gonił.

Ruszając spod willi na Wojska Polskiego i włączając się do ruchu, omal nie staranował radiowozu policyjnego. Zahamował w ostatniej chwili. Był pewien, że nic mu to nie da, że policjanci zatrzymają się, wjadą na chodnik, a potem zatrzymają jego i on beknie. Lekko oszołomiony patrzył, jak na dachu radiowozu zaczyna migać niebieski kogut, usłyszał wycie syreny i nagle radiowóz zniknął mu z oczu. Dotarło do niego, że miał dużo szczęścia, bo chłopcy pewnie w tym momencie zostali gdzieś wezwani. Ostrożnie zjechał na jezdnię i pierwsze, co zrobił, to zadzwonił do Elizy Trumbiak.

Odebrała po trzecim sygnale.

– Cześć, Cypciu. Mam zajęcia. Mów szybko.

– Eliza, muszę pogadać.

– Kiedy chcesz gadać?

– Jak najszybciej, bo mnie szlag może trafić.

– Teraz nie mogę. Za godzinę.

– Dobrze. Podjechać po ciebie?

– Podjedź pod wydział i zaproś mnie gdzieś na obiad.

Eliza wyłączyła się, a jemu przyszło do głowy, że obiecał Anicie dyskrecję. Trudno, mleko się wylało. Zresztą Eliza z pewnością wie. Te papużki nierozłączki wszystko sobie mówią i z dzióbków jedzą. Anita na pewno powiedziała jej o swoim poronionym pomyśle.

Poronionym. Tfu!

Godzinę, która mu pozostała do spotkania z Elizą, spędził, wałęsając się po jednym z salonów Empiku. Nawet kupił kilka książek, ale gdyby go tak znienacka zagadnąć, co kupił, chyba nie umiałby poprawnie wymienić tytułów.

Eliza czekała na niego pod budynkiem wydziału polonistyki. Miała na sobie dyżurne powyciągane szaty w barwach podejrzanej zieleni – Cypkowi przyszło do głowy, że ona w ten sposób czci wiosnę, bo zazwyczaj preferowała czernie i szarości. Drewniane korale zostały zastąpione przez szklano-plastikowe świecidełka, nawet z tych ostatnio modnych i ładnych, ale w kolorze zielonym gryzącym się zaciekle z odcieniem szaty. Cypek, podobnie jak Anita, miał zacięcie kolorystyczne i cierpiał, widząc ten zestaw. Na szczęście siedząc za kierownicą nie musiał, a nawet nie mógł się jej przyglądać.

– Gdzie chcesz ten obiad zjeść? – spytał, otwierając jej uprzejmie drzwi samochodu.

– Może być „Radetzky" – zadysponowała swobodnie. – Tylko nie myśl, że dam się przed obiadem wyciągnąć na jakieś rozmówki!

Cypek zgrzytnął bezgłośnie. Cholerna baba. Czy ona myśli, że on wydusi z niej informacje, a potem nie zafunduje tej wyżerki?! Zostawi z rachunkiem?

Parkowanie na Tkackiej było, oczywiście, drogą przez mękę. Eliza zakaprysiła, że ma niewygodne buty i nie będzie szła trzystu metrów z parkingu na Orła Białego, Cypek więc, wciąż zgrzytając tymi zębami, musiał zrobić kilka kółek wzdłuż całego kwartału, aż wreszcie jakiś mercedes ustąpił mu miejsca pod sklepem rybnym. Eliza już nie kaprysiła, może zobaczyła mord w Cypkowych oczach.

W „Radetzkym” miejsce znaleźli bez kłopotu, bo było jeszcze dość wcześnie. Cypek przeczekał jej spotkanie z kartą win i kartą dań, pozwolił jej złożyć zamówienie, sam poprosił o pierwszy z brzegu makaron z czymś tam i odprowadził wzrokiem odchodzącego kelnera. Eliza spoglądała na niego figlarnie spod ciemnej grzywki.

Nie rzucił grubym słowem, chociaż miał wielką ochotę.

– Eliza, słuchaj. Nie każ mi czekać, aż oni to wszystko ugotują i przyniosą, a potem ty to będziesz godzinę jadła. Powiedz mi teraz...

– Ale co?

– Anita zastrzeliła mnie wczoraj taką ideą, że sobie wynajmie dziewczynkę, która za nią urodzi. Rzuciła we mnie pomysłem i zamknęła się, więcej gadać na razie nie chce, kazała mi się z tym przespać, przemyśleć, sratatata. Ja nie mam co myśleć, mnie się to nie podoba. Eliza, czy ty wiesz, skąd jej się to wzięło?

– I myślisz, że to ja jej podpowiedziałam?

– Podpowiedziałaś?

– A skąd. Cypek, napij się wody, bo nerwy masz na wierzchu, to bez sensu. Powinieneś być spokojny, bo ona musi się na tobie móc oprzeć w każdym momencie.

– Jestem spokojny.

– Akurat. Ja ci mogę powiedzieć, jaka jest moja teoria na ten temat, ale ty nie możesz się na mnie z tego powodu złościć. Moja chata z kraja.

– Mów.

– Otóż z mojej obserwacji wynikają następujące wnioski: twoja żona, a moja przyjaciółka Anita, jest kobietą wrażliwą i podatną na sugestię. Na samym początku, kiedy byliście świeżutkim małżeństwem, wcale nie miała takiego parcia na dziecko. Ktoś jej zasugerował, nieważne kto, że musi je mieć, i po jakimś czasie ona już nie wyobrażała sobie życia bez niego. Dlatego próbowała tych głupich wizualizacji, latała do kościoła, modliła się, dzielnie pakowała w siebie hormony i znosiła te wszystkie, nazwijmy to, niedogodności wynikające z in vitro.

– Ja też znosiłem.

– Tak, ale nie o tobie teraz mówimy. No więc ona znosiła i wszystko byłoby dobrze, gdyby znowu ktoś jej czegoś nie zasugerował. Tym razem, że popełnia grzech. Dodatkowo nasłuchała się tego całego gadania w radiu i w telewizji zwłaszcza, no i naprawdę poczuła się grzesznicą. Morderczynią. Słuchaj, Cypek, nikt nie chce być morderczynią. Ona też nie chce. No więc zaczęła szukać rozwiązania sytuacji – żeby nie być morderczynią, a jednocześnie wyjść na swoje. Rozumiesz: zjeść ciastko i mieć je nadal. Usłyszała o matkach-surogatkach i uznała, że dla niej to dobre wyjście, bo zmniejsza rozmiar jej grzechu, częściowo przenosząc go na inną osobę... a może pomóc w rozwiązaniu zasadniczego problemu.

Cypek milczał. Wywód Elizy wydawał się mieć ręce i nogi, ale był dość przerażający.

– Twoim zdaniem co powinienem zrobić?

Eliza wzruszyła ramionami.

– Niewiele możesz zrobić. Ja się nawet zastanawiałam, czy nie dałoby się jej jakoś zasugerować, że tak powiem, w drugą stronę, w przeciwnym kierunku, ale wygląda na to, że nie. Może najprościej byłoby jej pomóc w tym, co chce zrobić. Osiągnie cel i uspokoi się.

– A jak się nie uspokoi?

– Myślę, że jednak tak. Zajmie się dzieckiem. Poza wszystkim to jest dość pracochłonne, więc nie będzie miała czasu na głupie myśli. Ale Cypek, ty nie wybiegaj przed orkiestrę. Niech ona ci powie, czy ostatecznie się zdecydowała i co zamierza teraz zrobić.

– Mówiła, że już podjęła decyzję.

– No to nie pozostaje ci nic innego, jak poczekać na jej kolejny ruch. Patrz, to chyba nasze jedzenie idzie. Ja się teraz zajmę obiadem i tobie radzę to samo. Będziesz miał jeszcze czas na myślenie i na martwienie.

Miranda siedziała w swojej służbówce na wielkim starym fotelu, obłożona poduszkami, a w ręce trzymała książkę, której nie czytała. Nawet próbowała, ale jakoś jej to nie wychodziło. Czuła się bardzo samotna. Chyba po raz pierwszy w życiu aż tak bardzo. Powinna teraz porozmawiać z kimś, poradzić się – ryzykować to przedziwne macierzyństwo bez dziecka czy dać sobie spokój? Nie miała z kim.

Zrobiła pospieszny remanent.

Eliza, która jej powiedziała o kobiecie potrzebującej matki-surogatki (co za wstrętne określenie!), a właściwie brzucha na dziewięć miesięcy, na powiernicę się nie nadaje w najmniejszym stopniu. Miranda uważała, że pani doktor Trumbiak jest osobą zimną, wyrachowaną, egoistyczną i tak naprawdę nie interesuje się nikim poza samą sobą.

Rodzice, niestety, odpadają w przedbiegach. Nie traktowaliby jej w ogóle jako partnerki do rozmowy. Zrobiliby awanturę, zabronili, ojciec rzuciłby kilka paskudnych epitetów z jednym dyżurnym na czele i na tym by się skończyło. Dosia uznałaby ją za idiotkę. Biedny, kochany Wiesio pewnie próbowałby ją zrozumieć, tylko on akurat nie miałby na to najmniejszych szans.

Gonia, chłopaki?

Jakoś głupio byłoby z nimi rozmawiać na takie tematy. Nawet z Gonią. Ona jest taka prostolinijna, dla niej dobre to dobre, a złe to złe. No i nigdy nie miała prawdziwych kłopotów finansowych. Panienka z dobrego domu z fortepianem.

Tego o dobrym domu i fortepianie Miranda nie pomyślała bynajmniej z jakąś złośliwością. Absolutnie nie. Naprawdę bardzo lubiła Gonię, tylko traktowała ją troszeczkę jak młodszą siostrę, której nie wszystko jeszcze się mówi. Jak podrośnie, to się zobaczy.

Sasza Winogradow?

Co za pomysł!

A właściwie czemu nie? Sasza zachowywał się jak przyjaciel. Był życzliwy. Od samego początku, wtedy, w katedrze.

Fajnie byłoby znaleźć się teraz z Saszą w wirydarzu – kwitną tam pierwsze kwiatki i jest już naprawdę zielono. Kurczę... Sasza mówił kilka razy, że chciałby wiosną pojechać do Kamienia, zobaczyć ten cały wirydarz, nad którym Mirka tak się unosiła. Może prawdę mówił?

Sasza jest starszy od nich wszystkich, ma jakieś przemyślenia życiowe, doświadczenie, coś przeżył, coś widział. Na pewno zgodziłby się porozmawiać, doradzić, a przynajmniej wysłuchać.

To nie jest w porządku – nie mieć żadnego zaufanego przyjaciela!

No więc może Sasza się zgodzi na poważną rozmowę z biedną, zagubioną dziewczyną?

Miranda naprawdę czuła się biedna, samotna i zagubiona.

Wystukała numer na komórce. Przeczekała kilka sygnałów i telefon odezwał się przyjemnym głosem Saszy.

– Halo, halo! No cześć, moja młoda przyjaciółko! Miło...

Sygnał.

Coś się przerwało. Bywa. Zadzwoniła raz jeszcze. Połączenie odrzucone. Jak to? Spróbowała ponownie. Odrzucone. Niemożliwe! Jeszcze raz.

– Halo!

Damski głos?

– Dzień dobry pani, czy mogę rozmawiać z panem Winogradowem?

– Nie może pani. Pan Winogradow nie ma czasu. Nie życzy sobie, żeby pani wydzwaniała i zawracała mu głowę. DO WIDZENIA!

Boże święty, a co to? Jakaś wariatka. Jeżeli to nowa flama biednego Saszy, to pogratulować!

Wbrew sobie samej Miranda rozpłakała się. To okropne, nie mieć z kim poważnie porozmawiać! To naprawdę okropne, że będzie musiała taką trudną decyzję podjąć sama, samiutka, bez żadnego wsparcia...

O ile w ogóle będzie okazja do podejmowania tej decyzji. Na razie jeszcze nic nie wiadomo.

Anita miała więcej telefonicznego szczęścia od Mirandy, bo wprawdzie też dzwoniła kilkakrotnie, ale w końcu udało jej się dodzwonić do tego, do kogo chciała.

– Dzień dobry, panie profesorze, Anita Grabiszyńska...

– Aaa, dzień dobry, pani Anito. Miło panią słyszeć. Skoro pani dzwoni, to znaczy, że pewnie niebawem się zobaczymy, prawidłowo wnioskuję?

– Jak najbardziej, panie profesorze. Chciałabym się umówić... tylko że jest pewna nietypowa sprawa...

– Śmiało. Ja właśnie jestem na obiedzie i czekam, aż mi go przyniosą.

– To może ja jednak później...

– Teraz, mówię. Czekam w knajpie na kogoś, ten ktoś nie przychodzi, no więc w sam raz mam kilka swobodnych chwil dla pani. Co najmniej kwadrans, bo tu się nie spieszą, łobuzy. No już. W czym rzecz?

– Panie profesorze... no więc rzecz jest w tym, że ja postanowiłam...

– Co pani postanowiła?

W tym momencie Anita poczuła, że ani słowa więcej nie powie. Może zresztą powie, ale nie o TEJ zasadniczej sprawie. Nie przez telefon.

– Pani Anito?

– Przepraszam, na chwilę straciłam głos... tego... guma do żucia mi wpadła, gdzie nie trzeba. To kiedy możemy przyjechać?

Cypek – jeśli nie liczyć rozmowy z Elizą – słowa danego Anicie dotrzymał, choć problem, z jakim się borykał, omal go nie rozsadził od środka. Najchętniej pogadałby z ojcem, którego zazwyczaj się radził w trudnych chwilach, tym razem jednak wiedział, co by usłyszał. Być może ojciec umiałby nawet wyperswadować Anicie zamiar wynajęcia cudzego brzucha, ale Cypek już sam nie był pewny, czy tego właśnie by chciał. Z drugiej strony Anita była taka strasznie biedna, tak bardzo pragnęła tego dziecka, a jednocześnie tak się zapętliła w sprawach wiary i moralności... Dałby wiele za to, żeby ktoś mu powiedział, jak jej pomóc.

Jazda do Białegostoku jednak po to tylko, żeby spytać profesora, czy zgodzi się wszczepić ich zarodek innej kobiecie, wydała się Cypkowi bez sensu.

– Dlaczego nie uzgodniłaś tego z nim przez telefon? Anita, mnie coś mówi, że pojedziemy tam po nic. Nie chcę jechać ośmiuset kilometrów w jedną stronę, razem tysiąc sześćset, po nic. Zadzwońmy tam. Powiemy, o co chodzi, a potem pojedziemy już we trójkę.

– Cypek, ja nie potrafię o tym rozmawiać przez telefon. Próbowałam, naprawdę, słowo ci daję. Takie rzeczy trzeba omawiać oko w oko.

– A co za różnica? Anitko, jeśli ty masz na myśli coś takiego, że on może nie chcieć, a my mu zaproponujemy jakąś forsę ekstra do łapy, to proszę, nie licz na mnie. Mnie to przez usta nie przejdzie, a poza tym dam sobie głowę uciąć, że on nas wtedy za drzwi wywali. Jeśli ty nie chcesz, to ja zadzwonię.

– Cypek, jedźmy, proszę...

Tym razem kochający mąż nie ugiął się jednak. Wykorzystał moment, kiedy Anita musiała posiedzieć przy komputerze (stał nad nią Henio Ryba i uzgadniali razem jakieś szczegóły), poszedł pod jakimś pretekstem do mieszkania, czyli piętro wyżej, i tam, w spokoju, niepodsłuchiwany przez nikogo dodzwonił się do profesora Piątkowskiego. Profesor był życzliwie nastawiony, gdyż podobnie jak wczoraj Anita, Cypek zastał go w ulubionej restauracji, tuż po spożyciu znakomitego obiadu. Ktoś, z kim był umówiony, tym razem przyszedł, ale już poszedł. Okoliczności do poważnej rozmowy były sprzyjające.

– Czyżby coś się stało, panie Cyprianie? – zapytał profesor przyjaźnie. – Przekładamy nasze spotkanie?

– Panie profesorze, są komplikacje – wyznał ponuro Cypek. I opowiedział wszystko: o religijnej przemianie Anity, jej skrupułach, kontrowersyjnym pomyśle. – Panie profesorze – zakończył nieco rozpaczliwie. – Ja sam nie bardzo wiem, co o tym wszystkim sądzić, coś mi mówi, że to nie jest dobry pomysł, ale żona się upiera...

– Ma pan rację, to nie jest dobry pomysł. – Głos profesora znacznie spoważniał. – Ale dobrze, że pan do mnie dzwoni. Państwa przyjazd w tym układzie nie miałby wielkiego sensu, bo ja się absolutnie nie zgodzę na implantowanie zarodka osobie obcej. Nikt w klinice się nie zgodzi, znam moich kolegów. Prywatnie też. Nie może pan przekonać żony, żeby jednak zdecydowała się sama? Piąta próba. To się często udaje.

– Próbowałem, proszę mi wierzyć. Jestem w trudnej sytuacji, panie profesorze. Okazało się, że nie znam własnej żony i nie mam pojęcia, jakimi ścieżkami chadzają jej myśli. Byłem pewien, że jest racjonalną kobietą bez cienia histerii. I ona taka jest we wszystkich sprawach z wyjątkiem tej jednej. Nie mam pojęcia, dlaczego nagle zaczęła mieć te wszystkie etyczne zahamowania...

– Panie Cyprianie, na tematy moralne ja się nie wypowiadam. Dorośli ludzie sami odpowiadają za swoje wybory. Ale czy braliście państwo pod uwagę, że to jest pomysł niebezpieczny? Znacie dobrze tę osobę, której chcecie powierzyć tę... misję specjalną?

– Chyba na razie nie mamy jeszcze kandydatki. Anita, zdaje się, uzależniała jej poszukiwanie od zgody pana profesora.

– No to w tej sprawie mamy jasność. Nie ma zgody. Niestety, ja się boję, wnioskując z tego wszystkiego, co pan mi mówi o żonie, że ona się uprze i znajdzie lekarza. Znajdzie surogatkę. I będzie chciała rzecz całą doprowadzić do końca. Będzie na pana nalegać.

– Możliwe. A czemu pan mówi, że to niebezpieczne?

– Bo przede wszystkim ta kobieta może wam nie oddać dziecka. Proszę pamiętać: według prawa matką jest ta, która urodziła.

– Przypuszczam, że Anita będzie chciała podpisać z nią jakąś umowę...

– Umowa to tylko papier, panie Cyprianie. A instynkt macierzyński jest naprawdę potężny. Ta kobieta, surogatka, może myśleć, że jej to nie dotyczy, ale zapewniam pana: większości kobiet dotyczy. Hormony po prostu zrobią swoje, że tak powiem, jak do laika.

Cypek poczuł, że kręci mu się w głowie.

– Panie profesorze, przyznam, że jestem przerażony...

– Słusznie. Ma pan powody. Proszę pamiętać, ja wam życzę jak najlepiej. Dlatego zdecydowanie wolałbym, żebyście nie ryzykowali. Jesteście miłą parą i chciałbym, żebyście byli parą szczęśliwą. Ja wam niczego nie zabronię ani nie nakażę. Jesteście dorośli.

Cypek pojął, że to już koniec rozmowy.

– Panie profesorze. Dziękuję za wszystko. Zrobię, co będę mógł, żeby przekonać żonę.

– Proszę tak zrobić. Wszystkiego dobrego.

Cypek odłożył telefon i poszedł do kuchni, napić się wody. A potem musiał już wrócić do biura, bo nie wypadało mu znikać na tak długo.

Rozmowa z Anitą przeprowadzona jeszcze tego samego wieczoru nie dała żadnych pozytywnych rezultatów, czego zresztą można się było spodziewać. Cypek zaczął się zastanawiać, czy ta nieustępliwa, zacięta kobieta jest tą samą wesołą, beztroską Niteczką, która potrafiła śmiać się z kłopotów, podchodzić do świata niefrasobliwie, cieszyć się życiem, a przede wszystkim ich związkiem, do diabła! Niteczką, w której się zakochał, z którą się ożenił i z którą mu było tak dobrze. Jej przecież też było dobrze!

– Jest mi z tobą dobrze – powiedziała, kiedy nie wytrzymał i powiedział jej, co czuje. – Jest mi z tobą bardzo dobrze, tylko sam wiesz: żebyśmy naprawdę byli rodziną, powinniśmy mieć dziecko, chociaż jedno.

– Robimy, co możemy.

– Nie do końca. Jest jeszcze coś do zrobienia i ja sobie nie wyobrażam, że nie wykorzystamy tej możliwości.

– Ale profesor się nie zgodził...

– Niejeden profesor na świecie. Poradzimy sobie.

– Anita, ty się niczego nie boisz?

– Nie, nie boję się niczego poza tym, że ty mnie zostawisz...

Tu nieugięta kobieta nagle się załamała i Cypek zobaczył znowu swoją kochaną Niteczkę, w dodatku we łzach.

Nie chcemy absolutnie sugerować, że Cypek był kapciem albo kimś w tym rodzaju. Chyba nawet wręcz przeciwnie – był dżentelmenem, który na widok damskich łez zrobi wszystko, żeby damę uszczęśliwić.

Po tym wieczorze, zakończonym kompletną kapitulacją Cypka, który zgodził się na wszystko, czego zażądała lub dopiero zamierzała zażądać od niego Anita, ta ostatnia zasiadła do internetu i grzebała w nim przez dwa dni.

Przeryła wszystko, co znalazła pod hasłami „matki surogatki", „wynajmę brzuch", „agencja matek zastępczych" i tak dalej. Przeczytała setki wpisów na forach. Dowiedziała się, że w Polsce są nie tylko lekarze, którzy podejmą się tego, czego nie chciał się podjąć profesor Piątkowski – są również dwie czy trzy agencje pośredniczące w kontaktowaniu osób chcących mieć dziecko i kandydatek na matki-surogatki. Koszty całego przedsięwzięcia były różne, zawsze jednak spore.

Anita poczuła się spłoszona. Zanosiło się na długą wędrówkę przez ciemny las, bez gwarancji, że gdzieś tam, na końcu duktu będzie stał ten domek z piernika. Chociaż domki z piernika też bywają zdradliwe.

Od czasów licealnych Anita, kiedy dochodziła do ściany, sięgała światłych porad swojej niezawodnej przyjaciółki, Elizy. Tak zrobiła i teraz, nie mając świadomości, że Eliza już od jakiegoś czasu czeka na to, zastanawiając się, ile można by jej policzyć za Mirandę. Z jednej strony nie powinno się przesadzić, z drugiej jednak – Miranda odpali jej, Elizie, procent za pośrednictwo. Niechby było z czego obliczać ten procent.

Przyjaciółki spotkały się tym razem u Elizy na uniwersytecie. Pani doktor Trumbiak była w świetnym humorze, bo właśnie zamieściła na internetowym forum wyjątkowo zjadliwe uwagi na temat swojej ulubionej siatkarki. Oczywiście nie tylko Eliza pisywała pod jej adresem obelżywe posty, towarzystwo było większe i dosyć nawet twórcze, miło było znaleźć się w dobranym gronie. Ciekawe, ile tam pisze jej najlepszych przyjaciółek. Ciekawe też, kiedy kierownictwo telewizji zauważy wreszcie, co się wypisuje na forach na temat pani prezenterki... i wyciągnie z tego wnioski. A nawet nie czekając na to, warto poszukać sobie jakiegoś nowego forum, porozwijać się trochę na różnych polach. Można by na przykład zająć się tymi wszystkimi nawiedzonymi mamuśkami – porządniej niż dotychczas. Do tej pory Eliza, używając różnych nicków, wygłosiła kilka pochwał dla idei matek-surogatek. Wcieliła się nawet w osobę zleceniodawczyni, dzięki surogatce trzymającą teraz w ramionach wymarzoną córeczkę, o którą starali się z mężem tyle lat, tyle lat...

Anita czytała ten post i trzeba przyznać, że bardzo dodał jej otuchy. Opowiedziała o nim Elizie.

– Tylko wiesz, zastanawiałam się, czy skorzystać z takiej agencji pośredniczącej czy odpowiedzieć na jakieś ogłoszenie z internetu. Bo nie wiem, czy wiesz, zgłaszają się różne kobiety. Mnóstwo tego. Ale skąd wiedzieć, na kogo się trafi? Taka surogatka – Anita nie używała określenia „matka", rezerwując je dla siebie – musi być przecież absolutnie zdrowa, nie może palić ani pić, musi prowadzić higieniczny tryb życia. Kurczę, jak taką zweryfikować?

– No więc powiem ci, moja droga, że ty to masz szczęście. Zgadało mi się niedawno z tą moją młodą współlokatorką, że ona szuka jakiegoś zarobku, bo rodzice mało jej dają. Ona u nas nie płaci prawie nic, bo sprząta chałupę, ale musi mieć na życie. Podjęłaby się urodzić ci dziecko.

– To jakaś fajna dziewczyna? – Anita była trochę nieufna, ale już, już świtała jej nadzieja... Cypek skona, kiedy zobaczy, jak szybko i sprawnie załatwiła te sprawy.

– Z punktu widzenia twoich potrzeb chyba tak. Jest z tych porządnych, z małego miasteczka i nie zachłysnęła się dużym, w sensie swobody, picia, palenia właśnie, tych rzeczy, za które tatuś leje pasem. Normalna dwudziestolatka. Wygląda zdrowo.

Anita wzdrygnęła się lekko.

– Matko jedyna, my tak o niej mówimy, jakbyśmy krowę taksowały...

– Taksowałaś kiedy krowę? – roześmiała się Eliza.

– Oj tam, wiesz, co mam na myśli.

– Chcesz mieć dziecko?

– No, chcę, chcę. Trzeba teraz znaleźć lekarza. Bo ten nasz z Białegostoku miał opory moralne, Cypek powiedział. Czytałam w internecie o kilku takich, co to robią. W Poznaniu jeden, w Bydgoszczy, we Wrocławiu. Podzwonię do nich. Od razu. Zrób jakąś herbatkę, co? A ja będę telefoniczna...

Niestety, żaden z wymienionych na forach lekarzy nawet słyszeć nie chciał o zapładnianiu kogoś cudzym zarodkiem.

– Moim zdaniem żaden ci się przez telefon nie zgodzi – zauważyła Eliza, popijając herbatę z wielkiego kubka. – Każdy się będzie bał podpuchy. Dziennikarka może zadzwonić, on się zgodzi, a ona go potem opisze z detalami. A jak będzie przypadkiem od ojca dyrektora, to nazwie go zbrodniarzem albo Frankensteinem. Musiałabyś do każdego jeździć i ryzykować, że jedziesz na darmo. Moim zdaniem chyba będziesz musiała skorzystać z którejś z tych agencji pośrednictwa. Tam piszą, że mają zaprzyjaźnionych lekarzy. Od razu kompleksowa opieka dla twojej surogatki-inkubatorki. Może nawet mają kogoś w Szczecinie.

– Gdzie są te agencje?

– Jedna pod Warszawą, druga koło Wrocławia i trzecia w Poznaniu. Dzwoń do Poznania, najbliżej jest.

Anita poczuła się lekko spłoszona. Jakiegoś strasznego tempa zaczynała nabierać cała sprawa.

No i dobrze. Szybko się pozałatwia, szybko pojedzie, a potem... potem trzeba będzie tę małą w ciąży jakoś chyba sprawdzać, czy się odżywia prawidłowo, czy prowadzi racjonalny tryb życia. Kurczę, rzeczywiście, jak w hodowli... Ale nie można sprawy puścić na żywioł, kto wie, ile w niej odpowiedzialności za cudze dziecko? Na szczęście Eliza będzie w pobliżu.

Jak oborowa – przemknęło jej przez myśl skojarzenie z tą taksowaną krową.

Nie, nie, tak myśleć nie wolno!

– Elizka, ja zadzwonię z domu – powiedziała niepewnie. – To trzeba na spokojnie. Tu może w każdej chwili wejść jakiś student, czy ja wiem zresztą, kto.

Eliza spojrzała uważnie na przyjaciółkę. Nooo, tego tylko brakowało, żeby się rozmyśliła. Jakieś ma takie rozpaczliwe oczka. Nic to, zaradzimy.

– Ja widzę, że ty się strasznie przejęłaś. Może zmieniłaś decyzję?

– Nie, tylko...

– Słuchaj, jeżeli ty masz takie opory, a naprawdę ci zależy, to ja mogę podzwonić po tych agencjach i powiem ci, jak poszło.

– Naprawdę, podzwoniłabyś? Ja się zaczęłam czegoś bać.

– No to zrezygnuj – rzuciła Eliza wbrew sobie, z pozorną obojętnością.

– Nie.

– To spadaj i przestań chwilowo o tym myśleć. Ciocia Elizka wszystko ci załatwi. Idź do swojego Cypka i ugotuj mu porządny obiad. Facet musi być w formie.

Anita kiwnęła gwałtownie głową, pożegnała się z przyjaciółką, sypiąc wyrazami wdzięczności, i wybiegła z gabinetu, zbierając po drodze torebkę, apaszkę i torbę z zakupami odzieżowymi, które zrobiła wcześniej.

Eliza odczekała chwilę, zamknęła drzwi na zamek i zadzwoniła pod numer poznańskiej agencji pośrednictwa.

– Halo, słucham – zaszemrał w słuchawce delikatny głosik.
– Halo, dzień dobry. Czy to Agencja Bejbi?
– Tak, agencja. Pani chodzi o wynajęcie matki-surogatki czy może sama pani chce pracować u nas jako matka?
– Pracować nie. Ale potrzebuję surogatki. Czy możemy chwilę porozmawiać?
– Oczywiście, słucham panią. Skąd pani ma nasz telefon, mogę wiedzieć?
– Z internetu. Nie jesteście tajni.
– Oczywiście, że nie, byłam tylko ciekawa. Okazuje się, że internet bardzo ładnie nam się sprawdza. Słucham panią uprzejmie.
– No więc tak. Moja przyjaciółka ma kłopoty z zajściem w ciążę...
Delikatny głosik jakby nieco stwardniał.
– Pani jest może dziennikarką?
Eliza roześmiała się, odrobinkę sztucznie.
– Nie, nie, zapewniam panią, nic z tych rzeczy. Nie zastawiam na panią żadnych pułapek. Naprawdę mam przyjaciółkę z kłopotami. Dzwonię w jej imieniu, bo jak się pani domyśla, ona jest w nerwach cała. Próbowali z mężem in vitro, ale im nie wyszło.
– Dobrze w takim razie, że pani zadzwoniła. Możemy pomóc. Byłoby dobrze, gdyby jednak sama zainteresowana pani do nas wpadła. Państwo są z Poznania?
– Niestety nie, ze Szczecina. I jeszcze jedno. My mamy własną kandydatkę na matkę zastępczą. Chodziłoby tylko o znalezienie lekarza, który zgodziłby się...
– Rozumiem. To też jest do załatwienia, tylko w tym przypadku my jako agencja nie możemy wziąć odpowiedzialności za kontakty z tą surogatką. Będziecie państwo sami musieli...
– Kontrolować.
– Właśnie. Zabrakło mi słowa. Za to jest i dobra wiadomość. Mamy w Szczecinie swojego lekarza. Doktor nauk medycznych, z własnym gabinetem, z porodówką. Dobrze jest, jeśli surogatka rodzi nie w publicznym szpitalu, bo chodzi o to, żeby jej nie dawać dziecka do ręki.

– Zbędne ryzyko, rozumiem.

– Właśnie. Miło się z panią rozmawia, tak rzeczowo. Zastanawiam się, co zrobić z umową. Bo rozumie pani sama, że nazwisko i kontakt do pana doktora możemy przekazać dopiero po podpisaniu umowy i wpłynięciu pieniędzy od państwa na nasze konto. Za pośrednictwo bierzemy trzy tysiące pięćset złotych. Honorarium pana doktora to już odrębna sprawa, bo w grę wchodzą wstępne badania, zapłodnienie in vitro, regularne kontrole surogatki już w ciąży, wreszcie poród i wstępna opieka nad dzieckiem. To załatwicie państwo z panem doktorem. Proszę mi podać jakiś adres, przyślę pani umowę z nami na wzór i umowę z surogatką, żebyście mieli świadomość, czego się trzeba trzymać. To tak z życzliwości już dla pani, bo te surogatki są różne, a poza tym naprawdę dobrze tak załatwiać sprawy z klientami jak z panią. Żeby to wszyscy tak wiedzieli, czego chcą! Tylko niech pani uważa na surogatkę, żeby nie załatwiała niczego za pani plecami.

– A proszę mi jeszcze powiedzieć, ile orientacyjnie biorą surogatki za usługę?

– Przeciętnie pięćdziesiąt tysięcy. Chyba że któraś ma zacięcie na panią charytatywną, to mniej. No i koszta jej badań i tak dalej ponosi kontrahent. Ja pani taką informację przyślę, to pani będzie wszystko wiedziała.

Eliza początkowo chciała podać pani Bejbi jeden ze swoich adresów elektronicznych, wychodząc założenia, że Anicie i tak nie jest potrzebny podpis właścicielki agencji na umowie, zwłaszcza że miała to być umowa bardzo uproszczona. Najważniejsze te trzy i pół tysiąca na konto Pani Cwaniaczki. Chociaż może ona forsę skasować, a lekarza nie dać. Jakiś kwit trzeba mieć.

Podała adres domowy Anity i obie panie rozstały się we wzajemnym świergocie.

Niewykluczone, że warto pomyśleć o założeniu jakiejś agencji pośrednictwa w czymkolwiek. Elektronicznie. Kontaktować różnych gamoni, którzy sami nie potrafią znaleźć dróg i ścieżek. Ona, Eliza, znajdzie wszystko i może skontaktować wszystkich ze wszystkimi. To tylko kwestia sprawności umysłowej. Czas by chyba zacząć sprzedawać własną inteligencję, a nie tylko cholerną literaturę staropolską. Inaczej żaden drugi, trzeci ani czwarty filar nic nie pomoże. Uboga starość zapuka do bram.

Może by nawet pójść w te surogatki. Dopóki ich chłopcy i dziewczynki z sejmu nie zdelegalizują, do czego pewnie w końcu dojdzie. Na razie pałują się w sprawie in vitro i to prawdopodobnie trochę potrwa. W końcu ten profesorek z Białegostoku i wszyscy jego koledzy od in vitro pójdą siedzieć na trzy lata bez zawieszenia, a przecież jeszcze trzeba posadzić tych od aborcji, a może i od antykoncepcji... to wymaga czasu. I właśnie przez ten czas ona, Eliza Trumbiak, mogłaby jako Agencja Dzidzi albo Centrum Bociek zarobić na swój czwarty filar. Ciekawe, jakie pani Bejbi ma obroty.

Nie jest to takie całkiem głupie. Jak już będzie miała przez Anitę dojście do tego lekarza, to przecież z nim też się dogada. Surogatkę na początek też ma, bo pewnie Mirandę da się jeszcze kilka razy wykorzystać twórczo. I całe Zachodniopomorskie jej. Elizy T.

Nowe perspektywy!

Eliza roześmiała się głośno. Naprawdę nowe perspektywy.

Zadzwoniła do Anity i przekazała jej treść rozmowy z panią Bejbi.

Teraz przyszła kolej na rozmowę z Mirandą.

~

Tego dnia międzyuczelniana telewizja studencka w osobach Goni Pawelec, Mirandy, Stasinka Pindelaka i Dużego grasowała w Empiku w „Galaxy", wędrując między półkami i przeprowadzając wywiady mające dać widzowi obraz kulturalnego szczecinianina płci dowolnej oraz jego preferencji literackich. Różnie było z tymi preferencjami, bowiem duża część populacji interesowała się głównie książkami typu „Chcę schudnąć w dwa tygodnie" albo „Jak zrobić karierę bez wysiłku w miesiąc". Trafiali się jednak przyjemni intelektualiści, którzy sięgali po literaturę prawdziwą, ambitną, nagradzaną i hołubioną przez krytykę. Kiedy tylko Gonia lub Miranda zauważały takiego, ekipa dopadała go natychmiast i dwie niestrudzone reporterki kulturalne robiły mu ekspresowe pranie mózgu. Niektórzy wychodzili z tego zwycięsko, inni padali pod naporem fachowej terminologii świeżo przez reporterki przyswojonej na zajęciach z teorii literatury albo czegoś podobnego.

W sumie zabawa była duża.

Po kilku godzinach ciężkiej pracy dziewczyny poczuły, że po prostu muszą się natychmiast napić kawy, zregenerować, posiedzieć chwilę – i oznajmiły kolegom, że idą do barku. Koledzy mogą iść z nimi albo gdzie chcą, ale one ogłaszają właśnie przerwę na posiłek regeneracyjny. Ciastko lub coś. Koledzy postanowili porobić jeszcze trochę obrazków rodzajowych i dopiero potem do nich dojść.

– No i dobrze – powiedziała beztrosko Gonia. – Pogadamy sobie. Ja widzę, Mirka, że coś cię gryzie.

– Na razie to ja będę gryzła ciastko. Taką wielką szarlotę. Szarlota po mnie chodzi. Z bitą śmietaną.

– No, to się specjalnie nie nagryziesz – zauważyła rozsądnie Gonia. – A ja sobie strzelę... też szarlotę. Bez śmietany. Z polewą czekoladową.

– Tak można? – zdziwiła się Miranda. Siadały właśnie przy jednym ze stolików w samym środku kotła, jakim było wnętrze „Galaxy".

– Jak poproszę, to będzie można. Zobaczysz. Proście, a będzie wam dane. Czekolada na szarlotce. I kawa. I powiedz mi, co cię żre.

Miranda westchnęła bardzo ciężko.

– To jest raczej skomplikowane. Nie wiem. Zamówmy najpierw. Muszę odetchnąć, nalatałyśmy się solidnie.

– Teraz chłopcy będą mieli co montować. Mirka, podoba ci się Stasinek?

– Bo co?

– Bo robi do ciebie słodkie oczy. Ja uważam, że Stasinek jest w porządku. Fajny chłopak. O matko, Sasza!

W istocie, Sasza Winogradow wchodził właśnie między stoliki, z tą charakterystyczną, lekko gapiowatą miną człowieka poszukującego wolnego miejsca. Parę kroków za nim szła piękna kobieta w typie hiszpańskim, z burzą czarnych włosów, figurą modelki i błyskiem w oku.

– Sasza! – Obie dziewczyny nie wytrzymały i wrzasnęły jednocześnie. Sasza odwrócił się, zauważył swoje młode przyjaciółki i wielbicielki, i rozpromienił się natychmiast.

– Chodźcie do nas! – zawołała spontanicznie Gonia, wskazując na dwa wolne fotele obok. – Mamy dla was miejsca!

Sasza wykonał coś jakby ruch w ich stronę, co spotkało się z natychmiastową reakcją. Dama w typie Carmen złapała go za rękaw i nadała mu właściwy kierunek. Jak najdalej od dwóch młodych, ślicznych dziewczyn. Sasza, nie sprzeciwiając się wcale, zmienił azymut, rzucając tylko wielbicielkom spojrzenie mające zapewne wyrażać kompletną bezradność.

– To ta jego baba megiera – powiedziała Gonia, a oczy jej błyszczały. – Ładna jest, ale chyba go bije...

– A on nie ma nic przeciwko temu – zaśmiała się Miranda. – Poszedł jak w dym. To dlatego telefonów nie odbiera. Opanowała go. O rany, ale wielkie!

Ta ostatnia uwaga dotyczyła gigantycznych porcji szarlotki, które kelnerka właśnie stawiała przed nimi.

– Zamawiałam podwójne – przypomniała Gonia. – Nie protestowałaś.

– Bo nie zwróciłam uwagi. No nic, chłopaki nam pomogą, jak wrócą do nas...

– Na pewno nie. Moja szarlota jest moją twierdzą. Powiedz, co cię żre.

Miranda podłubała widelczykiem w bitej śmietanie i zdecydowała się. Gonia jest mądra, nie będzie prawiła kazań bez sensu. Zrozumie. A jej, Mirandzie, tak bardzo potrzebne jest czyjekolwiek wsparcie!

– Słuchaj, Gonia – zaczęła półgłosem. – Tylko błagam, nie próbuj mnie umoralniać ani nic takiego, bo się załamię. Mam cholerny problem finansowy. Muszę coś wymyślić. Korepetycje to żaden pieniądz. Miałam jakieś, ale to orka na ugorze za grosze. Już lepiej pisać prace semestralne i wypracowania, ale to też dużo nie daje, a jest dość upierdliwe. Trafiła mi się okazja, żeby zarobić raz a dobrze. Wstępnie się zgodziłam.

Tu jakby straciła mowę. Grzebania w szarlotce też zaniechała. Siedziała i patrzyła gdzieś przed siebie. Gonia poczuła się zaniepokojona.

– Mirka, co ty zrobiłaś?

– Jeszcze nic. – Mirandę odblokowało. – Ale zrobię. Zgodziłam się urodzić cudze dziecko.

– No nie!

– No tak.

– Mirka, ty zwariowałaś.

– Nie wiem. Oni mi dają pięćdziesiąt tysięcy. Gonia, ja za to będę urządzona przez trzy lata. Trzy lata spokoju. Jak nie więcej. Może cztery, jeśli się nie rozszaleję. Ale chciałabym kupić sobie jakieś autko. Pozarabiam trochę na wypracowaniach, a latem będę miała wakacje. Od podstawówki nie miałam wakacji, zawsze był ten pieprzony pensjonat, którego nienawidzę jak zarazy...

Gonia od kilku minut też poniechała szarlotki. Ona mogła tylko uruchomić empatię i wyobrazić sobie jak to jest nie mieć pieniędzy i pracować w każde wakacje. Jej rodzice byli nieźle sytuowani i kochający. Żadne luksusy, ale miły dom, bezpieczeństwo finansowe, dziecięca beztroska. Miranda prawdopodobnie nie zaznała żadnej beztroski, odkąd przestała być dzieckiem. Nic dziwnego, że perspektywa zarobienia takich pieniędzy zawróciła jej w głowie.

– Mirka, ja staram się zrozumieć, ale to jest... jakieś takie straszne. Sprzedajesz własne zdrowie...

– Nic podobnego. Nawet przeciwnie. Ciąża nie jest chorobą, tylko stanem fizjologicznym. W sumie korzystnym dla kobiety. Jeszcze będę miała zapewnione badania lekarskie.

– Mirka, a jeśli je pokochasz? No to jak będzie? Jakbyś im oddawała własne dziecko. Ono przecież będzie trochę twoje, nie?

– Nie. Ja będę dla niego tylko inkubatorem. Chodzi o to, żeby przeżyło, rozumiesz? U tej kobiety zarodki nie przeżywają, próbowała. Ja go nawet nie zobaczę.

– Boże, Mirka, to jakoś okropnie brzmi...

– No. Trochę tak. Ale ja tak strasznie potrzebuję tych pieniędzy... Gonia, przecież nie zacznę się puszczać po galeriach. Już wolę urodzić cudze dziecko.

– Puszczać po galeriach! Co za pomysł!

– Robią tak dziewczyny, przecież wiesz.

– Wiem. Tak źle i tak niedobrze.

– Gonia, ja mam do ciebie wielką prośbę... Słuchaj, ja się nie wycofam. Nie mogę. Ja muszę skończyć te studia i zacząć normalne życie na własny rachunek. Ja cię tylko strasznie, strasznie proszę. Mówiłaś, że jesteśmy przyjaciółkami. No więc bądź ze mną, dobrze? Niech ja mam do kogo zadzwonić, jak się zacznę bać albo co... Gonia, co ty?...

Gonia, dobra dziewczyna, rozpłakała się właśnie nad swoją porcją szarlotki. Łzy leciały jej do polewy czekoladowej. Miranda pospiesznie wyjęła z torby paczkę chusteczek higienicznych.

– Błagam, nie rycz, bo ja się za chwilę też poryczę. Znaczy, zgadzasz się?

– A co ty myślałaś, że cię zostawię samą z tym wszystkim? Cholera, chłopaki idą. Dawaj te chusteczki.

Kiedy Duży ze Stasinkiem dołączyli do swoich koleżanek i lekko zaniepokojeni zapytali, czemu one się mażą, kazano im pilnować swojego nosa.

Spotkanie na szczycie zleceniodawców z przyszłą matką-surogatką zostało umówione w tej samej "Willi West-End", gdzie spotykali się czasem w konspiracji dwaj panowie Grabiszyńscy. Były tam takie wygodne kąciki z wielkimi fotelami, w których to kącikach można się było zaszyć i konspirować do woli.

Anita i Cypek przyszli pierwsi. Cypek wciąż miał coraz bardziej dojmujące uczucie, że oto robią coś złego, coś głupiego, coś, za co przyjdzie im słono zapłacić. Nie tylko w sensie dosłownym. Anita była zdeterminowana. Dzień wcześniej poszła do kościoła, ale nie do betonowej hali na Pogodnie, tylko do katedry. Zapaliła świecę i przyrzekła samej sobie, Bogu, Matce Boskiej i świętemu Judzie Tadeuszowi, że to będzie jej ostatnie podejście. Jeśli teraz nie wyjdzie, to koniec z in vitro, w jakiejkolwiek wersji. Nie będzie kombinowała z żadnymi matkami-surogatkami. Nie będzie próbowała sama. Teraz daje sobie ostatnią szansę.

Żeby jednak móc sobie tę szansę dać, trzeba było pomyśleć o pieniądzach. Sama surogatka miała kosztować sześćdziesiąt tysięcy (Eliza uznała, że tyle będzie w sam raz, dziesięć dla niej i pięćdziesiąt dla Mirandy; oczywiście Anita nie miała pojęcia, że przyjaciółka bierze jakąkolwiek prowizję). Pośredniczka, ta cała Agencja Bejbi, potem lekarz... Razem co najmniej sto tysięcy, a nie wiadomo, czy nie więcej.

Jedynym wyjściem była pożyczka bankowa. Taką kwotę mogli wziąć bez problemu na firmę, ale trzeba by to było uzgodnić ze wspólnikami, tłumaczyć się... Nie, to nie wchodziło w rachubę. Muszą próbować jako indywidualni Grabiszyńscy.

Po kilku telefonach Cypek znalazł bank, który zgodził się udzielić im pożyczki na dość przerażający procent. Jeden problem był mniej więcej rozwiązany. Mniej więcej, bo wciąż nie wiedzieli, ile będzie ich kosztował lekarz. Może ta surogatka spuści z ceny?

– Eliza mówiła, że nawet nie ma co z nią próbować – westchnęła Anita. – Harpia jest.

– A nie wygląda – zauważył Cypek.

Do sali wchodziła właśnie Eliza w towarzystwie młodej dziewczyny, w typie trochę nawet podobnym do Anity. Popielatoblond włosy miała trochę dłuższe i była nieco wyższa. Nie robiła wrażenia chciwej harpii. Miała coś spokojnego w sobie.

Małżonkowie wymienili spojrzenia. Kandydatka spodobała się obojgu.

– Pani Miranda Wiesiołek – oznajmiła Eliza. – Państwo Anita i Cyprian Grabiszyńscy.

– Mirka Wiesiołek – dziewczyna podkreśliła Mirkę. – Nie wiem, co rodzicom strzeliło do głowy z tą Mirandą...

– Piękne imię w sumie – bąknął Cyprian. – Niespotykane, ma pani rację. Każdy niesie swój krzyż. Ja jestem Cyprianem, cholera.

– To nie tak źle – zaśmiała się. – Mógłby pan być Tristanem...

– Do rzeczy. – Eliza przywołała ich do porządku. – Wy się nie macie zaprzyjaźniać, tylko załatwiać konkretny interes. Anita, Cypek, warunki znacie. Macie tę umowę od pani Bejbi?

Cypek skinął głową i wydobył z teczki plik papierów.

– Pokaż – zakomenderowała Eliza. – Przejrzę. Ja tego nie widziałam.

Ku jej zdziwieniu Miranda wyciągnęła rękę po egzemplarz. Co ona taka dociekliwa?

– Tu najważniejsze jest jedno – powiedziała cichym głosem Anita. – Zrzeczenie się dziecka przez panią natychmiast po jego urodzeniu. Rozumie to pani, prawda?

– Prawda. Ja się nie piszę na dziecko, tylko na pracę. Proszę być spokojną. Wszystkie koszty związane z badaniami i porodem ponoszą państwo, jak rozumiem?

– Oczywiście – zapewniła ją Anita. – Sześćdziesiąt tysięcy dostaje pani od nas na czysto. Kiedy moglibyśmy?...

– Kiedy państwo chcą.

– Im szybciej, tym lepiej – orzekła Eliza. – Tu jest sprawa nie tylko badań, ale też wywołania owulacji, tak, Anita? Jakieś hormony, te rzeczy.

– Tak. Ja też byłabym za tym, żeby jak najszybciej...

– Chwila. – Miranda zwinęła umowę w trąbkę. – Jest jeszcze sprawa płatności. Chciałabym dostać połowę po badaniach u lekarza i połowę, kiedy będę w szóstym miesiącu.

– A jeśli pani nie donosi? – spytała Anita.

– W szóstym miesiącu już na ogół wszystko wiadomo. A poza tym takie są moje warunki.

– Dobrze – zgodziła się Anita. – Niech tak będzie. Wpiszemy do umowy.

Cypek słuchał tej rozmowy prowadzonej przez trzy kobiety i czuł się tak, jakby go ktoś oszukał. Dlaczego ta obca – sympatyczna, ale obca – dziewczyna miałaby urodzić jego dziecko? To jakieś szaleństwo. Jego dziecko powinna urodzić jego Anita. Przy nim, czy nie przy nim, to już nieważne. Cypek nie uważał, żeby mąż koniecznie musiał rodzić razem z żoną. Byle to była żona. Po to się z nią żenił, między innymi. Choć tak naprawdę niespecjalnie myśleli wtedy oboje o dzieciach. Gdzieś tam jednak z tyłu głowy zawsze ma się świadomość, że jak jest rodzina, to są i dzieci. Nasze. Jej i moje. Bez pomocy obcych bab!

Niestety, najwyraźniej było już za późno na takie dywagacje. Anita podsuwała mu umowę do podpisania. Podpisał, ale wciąż myślał o tym, co mu powiedział profesor Piątkowski: według prawa matką jest ta, która urodziła. Co zrobią, jeżeli dziewczynie się odwidzi? Jeśli nie zechce oddać im dziecka?

– Panikujesz – powiedziała mu Anita kilka godzin później. – Na co jej nasze dziecko? Bo to przecież wciąż będzie nasze dziecko. Ani jednej komórki tej całej Mirandy. Ani jednej. Nie ma powodu, żeby ona się do niego przywiązywała. I nie opowiadaj mi o hormonach. Cypek, zrozum. Klamka już zapadła. Kobyłka u płota. Stało się. Nie chcę już sobie budować żadnych wątpliwości. Jutro dzwonię do tego lekarza.

Lekarz nazywał się Tomasz Jagliński, rzeczywiście miał tytuł doktora nauk medycznych i był sympatycznym pięćdziesięciolatkiem. Miał swój prywatny gabinet z recepcjonistką i dwiema położnymi. Miał też, czym nie omieszkał się pochwalić, znakomicie wyposażoną porodówkę, uruchamianą w razie potrzeby, z anestezjologiem na telefon, i dwa pokoje dla położnic z dziećmi. Właśnie wczoraj jedna pani z bliźniakami opuściła ten przybytek – poinformował mimochodem. Wszystko to razem stwarzało doskonałe warunki do załatwiania takich spraw, jak ta tutaj... państwa Grabiszyńskich.

– Czy zbieżność nazwisk przypadkowa czy pan doktor Grabiszyński...

– To mój ojciec – powiedział krótko Cypek. – Prosimy jednak o dyskrecję. Wobec wszystkich.

– Oczywiście, to zrozumiałe. Tylko wasza trójka ma prawo wiedzieć. Ale pragnąłbym zaznaczyć, że mam wiele szacunku do pańskiego ojca. To znakomity specjalista. A pani Kalina jest uroczą damą. Żałuję, że nie mogę jej tym razem przesłać mojego uszanowania.

Wyraziwszy owo ubolewanie, doktor Jagliński darował sobie reweranse i przystąpił do rzeczy. Na wstępie omówiono finansowe warunki przedsięwzięcia, po czym Cypek zrozumiał, że ta stówa z banku nie wystarczy, przyjdzie dołożyć to, co mieli na kolejne próby in vitro, a co schowali chwilowo do pończochy, czyli na konto.

Kiedy sprawy finansowe były już jasne dla wszystkich, ustalono harmonogram działania. Wynikało z niego, iż najdalej na początku lipca Miranda będzie już w ciąży.

W momencie ogłoszenia tego terminu Cypek spojrzał na dziewczynę. Robiła wrażenie, jakby cała ta sprawa kompletnie nic jej nie obchodziła. Anita też próbowała tak wyglądać, ale jej się to niespecjalnie udawało. Widać było po niej napięcie. Czy możliwe, żeby po Mirandzie spływało wszystko jak woda po kaczce?

Cypek nie wiedział, jaką wieloletnią wprawę w maskowaniu swoich uczuć miała ta dziewczyna o łagodnej urodzie. W rzeczywistości wcale nie była taka spokojna. Była natomiast zadowolona z rzeczowości lekarza i tych swoich kontrahentów. Kobiety głównie, bo facet prawie się nie odzywał. Musi im strasznie zależeć na tym dziecku. Bez protestu wydają przeszło stówę. Niewykluczone, że na biednego nie trafiło. Chociaż facet zbladł, jak usłyszał wyliczenia pana doktora. A Eliza, harpagonica straszna, przecież to jacyś jej przyjaciele, mogłaby im zaoszczędzić tę dychę, ale w ogóle nie miała takiego pomysłu. Pracowicie udaje przed nimi bezinteresowność. Ciekawe, czy bardzo by się zdziwili, że ona, Miranda, bierze nie sześćdziesiąt, tylko pięćdziesiąt.

Nie jej pies, nie jej pchły, nie ona się będzie drapać. Niech sobie przyjaciele sami wyjaśniają, co i jak.

Teraz sesja na uczelni, te wszystkie badania, zapłodnienie. A w lipcu i sierpniu nie będzie musiała pracować! Ba, nie będzie mogła pracować! Zarodek tak kosztowny trzeba chronić! Nie można ryzykować żadnych poronień z przepracowania!

Ciekawe, czy ci Grabiszyńscy będą ją w jakiś sposób kontrolować. Co robi, co je, czy się dobrze prowadzi... Trochę by to było upokarzające.

Ach, nieważne. Będzie miała prawdziwe wakacje!

~

– Dziewczyny, suszi mnie, a was?

Gonia i Miranda, siedzące na ławce pod platanami i uczące się pilnie (każda czego innego) do egzaminów, podniosły głowy i zobaczyły nad sobą wyniosłą sylwetkę Światopełka Marca, kiwającego się na boki.

– Co ty, Światuś, masz chorobę sierocą? – Gonia zmarszczyła nos, bo Duży stał pod słońce, a ono z kolei robiło, co mogło.

– Chorobę sierocą ma się w drugą stronę – poinformował ją Duży, zmieniając kierunek kiwania. – Nie z boku na bok, tylko tak: przód, tył, przód, tył... Chodźcie, dziewczynki, na suszi. Dawno nie jadłem. Potrzebuję fosforu, czy co tam jest w środku, w suszi. Zadzwonię do Pindelaka. Pójdziemy? Ostatnio dwa razy byliśmy na pizzy. I raz na makaronie. I raz na naleśnikach. Już jest najwyższy czas na suszi. Dziewczyny?

– Gonia, on się tak będzie kiwał do jutra i nie da nam spokoju. Chodź, pójdziemy na to jego suszi. Jeść mi się zachciało.

– Ja przecież nie lubię suszi.

– Ja też nie lubię. Będziemy jadły tempurę, ona jest fajna całkiem. Góry tempury. Oni stawiają.

Duży już trzymał słuchawkę przy uchu.

– Pindel, idziemy do Japończyka... Przyprowadzę dziewczyny... Mirkę i Gonię, osiole. Zaraz.

Dwadzieścia minut później cała czwórka z dużą wprawą machała pałeczkami. Panowie dokonywali cudów, jedząc prawie bez patrzenia. Oczy mieli konsekwentnie wlepione w swoje towarzyszki. Duży gapił się na Gonię, a Stasinek na Mirandę. Obie od tego pięknaiały, co jest zjawiskiem zupełnie zrozumiałym i znanym od wieków.

Gonia myślała sobie przy tym, że tempura to też żadne cudo, zdecydowanie wolałaby makaron albo prostego schaboszczaka... ale czego się nie robi dla tego śmiesznego wielkoluda, amatora surowej ryby... właśnie żeby tak patrzył...

Myśli Mirandy krążyły wokół rachunku za tę całą tempurę. Niedługo będzie miała dość forsy, żeby nigdy więcej nie przymawiać się o postawienie obiadu. Niby żartem, ale co to za żarty? Miała nadzieję, że Stasinek nie domyśla się, dlaczego ona ich naciąga. Kurczę, jak skasuje tych Grabiszyńskich na pierwszą ratę, zaprosi całą czwórkę do Japończyka. Tak będzie. Nie inaczej.

Uprzejmy do szaleństwa Japończyk przyniósł im właśnie świeżą porcję tempury. Bardzo go lubili, chociaż były trudności ze wspólnym językiem. Japończyk mówił głównie po japońsku i nie zamierzał się uczyć polskiego. Kilka podstawowych zwrotów opanował i uznał, że to wystarczy.

– Ty, Japończyk-san – zagadnął go uprzejmym tonem Duży. – A fugu rybę macie?

Japończyk zamachał gwałtownie rękami.

– Fugu nie! Fugu niedobre! Fugu – tu przesunął sobie dłonią po gardle – kaput! Tempura dobra, nie?

– Bardzo dobra – odpowiedziały chórem dziewczyny i zadowolony Japończyk pomknął dalej zwijać swoje suszi w zgrabniutkie rolki.

– Fajny on jest, ten Japończyk – zauważyła Miranda. – Ja go lubię.

– My też – powiedział Duży, pakując sobie do ust wielką porcję czegoś, co nie podobało się ani Goni, ani Mirandzie. – Tylko do języka niekumaty.

– Nie chce mu się – uznał Stasinek. – Ja go rozumiem. Radzi sobie przecież. A jakby go tak każdy klient naciągał na pogaduszki, to on by oszalał. Ma tu od zarąbania roboty.

– Może masz rację – powiedziała zgodnie Miranda. – A co to jest fugu kaput?

– To taka rybka, Mireczko – wyjaśnił Stasinek. – Podobno bardzo smaczna, tylko przy okazji cholernie trująca. Piętnaście gramów... a może miligramów? I kaput.

– To skąd wiadomo, że smaczna? – zainteresowała się naukowo Gonia. – Samobójcy przed śmiercią opisują, jak smakuje?

– Rzecz jest bardziej skomplikowana – wtrącił się Duży, który zdołał już przeżuć i przełknąć tę górę jedzenia. – Fugu truje, ale nie cała. Wątpia ma trujące, rozumiesz, Mireczko, bebechy. Mięsko wprost przeciwnie. Mięsko to ten niebywały delikates. Bardzo drogi.

– W Japonii rybę fugu przyrządzają specjalnie szkoleni kucharze – wtrącił Stasinek, który też chciał się popisać przed dziewczynami wiedzą tajemną. – Mają specjalne certyfikaty. Bez nich nie dostaną ryby fugu do ręki. Rzecz w tym, rozumiecie, żeby przyrządzić mięsko, a nie uszkodzić flaków. Żeby się ta toksyna nie przedostała do mięska. Podobno i tak co roku jakieś dziesięć, dwadzieścia osób idzie do piachu z powodu rybki fugu.

– To po co ludzie w ogóle to jedzą? – wzruszyła ramionami Gonia.

– No risk, no fun, kochana. Nie ma ryzyka, nie ma zabawy.

– Wiem, co to znaczy – prychnęła. – Moim zdaniem to głupota. Mam na myśli jedzenie tego świństwa.

– Ale to nie jest świństwo – sprzeciwił się Stasinek. – To delikates. Tylko trzeba umieć się z nim obchodzić. Nie można dawać delicji do byle jakiej, niepowołanej i niecertyfikowanej łapy jakiegoś profana. Jakiegoś ignoranta, który weźmie rybkę i niewiele myśląc, ugotuje z niej zupę. Z głową, ogonem, skrzelami i bebechami. Musi być pełna profeska. Inaczej kaput.

Żeby się tylko nie okazało, że ja właśnie zaczynam gotować taką zupę z ryby fugu – przeleciało Mirandzie przez głowę. Wynajęła brzuch. Oby nie okazał się źródłem trucizny, jak u ryby fugu. Niby wszystko przemyślała, przeliczyła, wzięła pod uwagę, a jednak czuła pewien niepokój. Mogą się zdarzyć niespodzianki. Jakie? Nie wiadomo. Niespodzianki to niespodzianki. Niedawno sama mówiła sobie „jest ryzyko, jest zabawa". Teraz nie była tego pewna tak do końca. Może jeszcze nie jest zbyt późno na odwrót?

Nie, już nie może się wycofać. Musi mieć te pieniądze, inaczej nadal będzie wegetować.

No to niech się dzieje, co się ma dziać. Pojutrze ma termin badań. I dobrze.

– Poszłabym do kina – oznajmiła. – Mam w nosie egzaminy. Uczyłam się już tyle, że mi głowa spuchła. Kto idzie ze mną?

~

Badania Mirandy, co było do przewidzenia, wykazały, iż dziewczyna jest zdrowa jak rydz. Nic nie stało na przeszkodzie, aby wszczepić jej zarodek Anity i Cypriana. Doktor Jagliński osobiście zadzwonił do Cypka z tą dobrą wieścią.

– Możemy zaczynać – oznajmił głosem pełnym zawodowego optymizmu. I podał Cyprianowi termin, kiedy chciałby zobaczyć z kolei Anitę, którą osobiście chciałby zbadać, no i której „należała się kolejna porcja hormonów", jak to filuternie określił.

Cypek poczuł, że nie znosi tego faceta.

Wieczorem, przy dość byle jakiej kolacji (w domu nie było ostatnio atmosfery do przysmaczania, wszystko kręciło się wokół jednego tematu), przekazał Anicie wiadomość od ginekologa.

– To znaczy, że z tą małą wszystko jest w porządku – westchnęła Anita, jakby doznała jakiejś wielkiej ulgi. – Wyglądała zdrowo, ale dobrze mieć pewność...

– Anitko. – Cypek dolał sobie do kieliszka wina, też dość byle jakiego. – Ja nie mogę tego słuchać. Czy ty nie słyszysz sama siebie?

– O co ci chodzi?

– O to, jak mówisz o tej dziewczynie. To nie jest jakieś zwierzę hodowlane. Ona przez dziewięć miesięcy ma nosić nasze dziecko...

– Cypek, myślisz, że będzie lepiej, jeżeli zaczniemy ją traktować jak członka rodziny? Przeciwnie, będzie gorzej. Ja też miałam na początku takie opory, ale uwierz mi, tak jest naprawdę dobrze. Ona musi pozostać dla nas obca. To, co robimy, to tylko zwykły handel.

Cypek wypił swoje wino i wstrząsnął się.

– Pamiętajmy, żeby nigdy tego świństwa nie kupować. Jest okropne. Sam kwach. Anitko, słuchaj, chciałem z tobą poważnie porozmawiać.

– Mamy lepsze wino – powiedziała. – Chcesz, to przyniosę. Może deserowe? I trochę sera. Ta kolacja się nie udała.

– Anitko...

– Otworzysz muszkatel? Dostałam butelkę od taty. Twojego. Ja szybko znajdę jakiś serek. Słodkie ze słonym. Dziwne, ale to pasuje.

– Anita, ja mogę zjeść sera i mogę wypić coś lepszego niż ten sikacz, ale proszę, daj mi powiedzieć, co mam do powiedzenia. Nie traktuj mnie jak idiotę, proszę. Chodź tu i usiądź. Proszę cię.

– Czy ja cię traktuję jak idiotę? – zdziwiła się spektakularnie, podając mu butelkę Moscatel de Setubal. – Tata Sławek mówił, że to jest najlepszy muszkatel na świecie. Zaraz sprawdzimy. Serek z lodówki, ale zaraz się ogrzeje. Przyniosę nowe kieliszki.

Cypek pojął, że musi przeczekać atak nadaktywności żony. Kiedy już nie miała nic do zrobienia, usiadła wreszcie naprzeciwko niego. Starała się nadal rozsiewać uśmiechy, ale w jej twarzy widać było napięcie.

– Anitko – powiedział ciepłym głosem. – Anitko, kochanie. Proszę cię, zrezygnujmy z tej surogatki. Wróćmy do normalnego in vitro. Przecież z punktu widzenia moralności wszystko jedno, czy to ty nosisz to dziecko czy jakaś obca baba. Zarodki trzeba wyprodukować tak czy inaczej. Anita, w naturze one też giną. Te słabsze. Giną same. Tysiąc razy to wszystko wałkowaliśmy, dlaczego się upierasz?

– Mówiłam ci też tysiąc razy. Nie wiadomo, ile jeszcze nieudanych prób musielibyśmy zrobić ze mną. A ona po prostu urodzi. Nie będziemy marnowali zarodków. Nie będziemy zabijali naszych dzieci. Zrobimy jeden zarodek. Albo dwa. Żadnego zamrażania.

– Mam wrażenie, że dopiero to, co robimy teraz, jest naprawdę nieludzkie. Traktujemy kobietę, człowieka, jak cholerny inkubator...

– Cypek, ona sama chce być traktowana jak inkubator! Dostanie za to kupę pieniędzy i urządzi się na co najmniej dwa lata. Będzie spokojnie studiować. Albo nie wiem, kiecek sobie nakupi, co mnie to obchodzi. Przepije. Przegra w chińczyka.

– Anitko, a jeżeli próba się nie uda?

– Uda się. Po to ją wynajmujemy, tę całą Mirandę, żeby się udała. Doktor Jagliński jest jak najlepszej myśli. A jak się nie uda, to...

Chciała powiedzieć „spróbujemy drugi raz", ale przypomniało jej się, po co niedawno była w katedrze.

– Uda się – powtórzyła.

– Anita, ja się boję, że to jest jakaś bomba z opóźnionym zapłonem.

– Nie kracz! Bo w końcu pomyślę, że tak naprawdę nie chcesz tego dziecka! A może właśnie nie chcesz?

Ona jest kompletnie rozregulowana hormonalnie – pomyślał Cypek, spoglądając na żonę bliską histerii. Dlatego ma takie reakcje. Albo to jakoś przeczekam, albo sam zwariuję. To już niedługo. Jakoś dam radę.

– Ależ chcę, Niteczko – powiedział. – Bardzo chcę.

Miranda jeszcze nie czuła się jak inkubator. Na razie przeszła pomyślnie wszystkie badania, dostała jakieś leki, ale i tak najważniejsza była sesja. Zgodnie z przewidywaniem szło jej dobrze, momentami nawet bardzo dobrze. To naprawdę były JEJ studia. Ojciec może się wypchać zarządzaniem.

Cholera. Ojciec. Teraz jeszcze nic nie będzie widać, ale jak pojedzie do Kamienia na Boże Narodzenie... a pojedzie przecież... to będzie szósty miesiąc. Musi być widać, nie ma cudów. Ojciec oszaleje. Zażąda pokazania narzeczonego. To nawet głupstwo, Stasinek Pindelak może robić za narzeczonego. Tylko że przecież nie przywiezie dziecka rodzicom. O matko!

Właściwie najchętniej to by powiedziała prawdę i niech się dzieje, co chce. Tylko trochę strach.

Sympatyczny ten potencjalny tatunio. Wyglądał na trochę wypłoszonego podczas wizyty u doktora Jaglińskiego. Może ma jakieś skrupuły moralne czy coś takiego. Żona niby wiotka i słodka, ale tak naprawdę twarda jak kamień. No, jeśli jest psiapsiółeczką Trumbiakowej, to nic dziwnego.

Ech, życie.

Sasza Winogradow miał koncert w „Kanie", ale nie poszły. Potem miał koncert w „Porto Grande" i poszły z Gonią, cóż kiedy na Saszy trzymała twardo łapę ta jego hiszpańska laska. Szkoda, fajnie byłoby pogadać o czymś innym niż to, co już nosem i uszami wychodzi. A ładnie śpiewał Sasza. Miał jakieś nowe przekłady, mówił ze sceny czyje, ale nie zapamiętały. Żadnej znanej osoby. Jakiejś baby w każdym razie. No, bab Sasza ma zawsze na zawołanie dowolne ilości, to już wiedziały. To nie miało znaczenia; one dwie przecież były platoniczne.

Może go puści kantem ta czarnula.

⁂

Doktor Tomasz Jagliński był nieco zdziwiony.

– Naprawdę chce pani, żebyśmy... tego... stworzyli wszystkiego dwa zarodki? Panie Cyprianie – tu zwrócił się do Cypka, który tylko wzruszył ramionami.

Doktor Jagliński miał ochotę również wzruszyć ramionami. Właściwie co go to obchodzi? Klient płaci, klient wymaga. Skoro pani chce zmniejszyć sobie szanse, to jej sprawa. Jego zdaniem ta klientka jest stuknięta, to znaczy niezrównoważona. Z jednej strony ma opory przeciwko in vitro, bo grzech, a z drugiej nie waha się wynająć dziewczyny, żeby za nią urodziła. Przy okazji w jakiś sposób obciąża ją tym swoim mniemanym grzechem. On sam miał sprecyzowane zdanie na temat matek-surogatek. O ile był entuzjastą in vitro, o tyle matki-surogatki uważał za rozwiązanie najgorsze z możliwych, cholernie ryzykowne.

Ten jej mąż niby przytomnie wygląda, ale najwyraźniej dał się babie zglajszachtować. Doktor Jagliński był ostatnim, który rzuciłby w niego kamieniem, bo sam dał się zglajszachtować własnej żonie. Tu czuł pewną wspólnotę również z ojcem klienta, starszym kolegą w medycynie, doktorem Grabiszyńskim, którego bardzo cenił, a który poszedł w chirurgię plastyczną, bo żona okazała się wymagająca. Pani Jaglińska też była wymagająca i z jej to powodu doktor poszedł w te szemrane interesy. Niby nie robił nic niezgodnego z prawem, ale z etyką niewiele to miało wspólnego.

– Jak państwo sobie życzą – powiedział obojętnie. – Mają państwo świadomość, co to oznacza?

– Mamy – odrzekła klientka, błyskając oczami. – Ja już nie chcę dyskutować na ten temat.

– Oczywiście – uśmiechnął się lekarz. – Jak pani sobie życzy.

Cztery dni później dwa zarodki znalazły się tam, gdzie miały się znaleźć.

– Znaczy, klamka zapadła – powiedziała Gonia Pawelec zmartwionym głosem.

Zdała właśnie swój ostatni egzamin i chwilowo była wolnym człowiekiem. Miranda miała to z głowy już od tygodnia, jako nieuleczalna prymuska. Siedziały pod ukochanymi platanami i czekały na chłopaków. Dzisiaj żadne suszi. Dziś jest dzień dziewczynek. Wielka, pomidorowa pizza. Lazanie. I makarony.

– Ano, zapadła. Wiesz, Gonia, tak się czuję, jakbym zaczęła gotować tę zupę.

– Jaką znowu zupę?

– Z ryby.

– Ach! Fugu! O, matko, nie mów tak nawet. Wszystko będzie dobrze. Musi być i już. A jak się czujesz?

– Normalnie się czuję, przecież to wczoraj było.

– Ale jeszcze może się okazać, że nie jesteś w ciąży?

– Może. Za dwa tygodnie będę wstępnie wiedziała.

– Mircia... A jak już będzie widoczna ta twoja ciąża... to co powiesz wszystkim? A zwłaszcza chłopakom? Prawdę? Czy oszukasz, że twoja?

– Ciąża to będzie moja, tylko dziecko nie moje – zauważyła przytomnie Miranda. – Nie wiem, nie myślałam jeszcze, co powiem. Chyba prawdę. Jakbym zaczęła kręcić, to bym się w końcu zakałapućkała we własne zmyślenia. Ja nie lubię kłamać, Gonia. Brzydzi mnie to. Nie robię nic złego. Zarabiam. No właśnie, dzisiaj ja wam stawiam te makarony. Dostałam pierwszą ratę od moich kontrahentów.

– O kurczę, to bogata jesteś. Ale ja też mam. To możemy się podzielić rachunkiem. A, słuchaj, Mirka, masz jakieś plany na wakacje? Bo ja idę do Kurczakowa, hotwingsy sprzedawać.

– Coś ty, w KFC? Nie dopierzesz się...

– Faktem jest, tam strasznie olejem wali i tą panierką. Miałam do wyboru McDonalda, ale tam wonieje tak samo, a do KFC mam bliżej. Przyzwyczaję się. Będę śmierdziała dwa miesiące, a potem się wykąpię. Damy radę. Mam umowę na lipiec i sierpień. A we wrześniu gdzieś sobie pojadę. Może w góry. Pojechałabyś w góry?

– Ja bym też pojechał w góry!

– Ja też, czemu nie...

Duży i Stasinek zmaterializowali się koło dziewczyn nie wiadomo kiedy i zwalili się na ławkę obok nich, obdarzając każdy swoją przelotnym buziakiem. Od jakiegoś czasu uznali, że one są ich. One nie protestowały, bo trzeba mieć swojego chłopaka, studentką będąc. Tak więc wszystko wyglądało jak najlepiej.

Stasinek zażądał szczegółów. Które góry, kiedy, na jak długo, za ile, dlaczego tak drogo, do pensjonatu czy pod namiot?

– Myślałam wstępnie o Karkonoszach, ale jeszcze bez szczegółów. I nie Karpacz ani Szklarska Poręba, tylko coś mniejszego. Może Przesieka albo Zachełmie, albo Jagniątków, albo Borowice, albo Michałowice...

– Ty to masz geografię opanowaną! – wyraził uznanie Duży i znowu ją cmoknął w czubek głowy, bo tak mu było najwygodniej.

– Znam Karkonosze na pamięć. Te wszystkie wiochy. One są śliczne. Może Przesieka, co? Jakiś pensjonat nie za drogi albo agroturystyka. Mirka, namiot to nie dla ciebie raczej.

– Czemu? – zainteresował się tym razem Stasinek i teraz on cmoknął swoją dziewczynę, ale w policzek. Miał bliżej.

– A bo nie lubię – odpowiedziała wykrętnie Mirka. – Czy to znaczy, że właśnie umówiliśmy się na wspólny wyjazd?

Następne dwa tygodnie w rodzinie Grabiszyńskich wyglądały w zasadzie normalnie. Śniadanie, praca, obiad, jeszcze trochę pracy, kino, spacer, zakupy, kolacja. Jakieś przytulanki, nic więcej. Anita była potwornie spięta. Cypek nie wiedział, że codziennie biegała do katedry. Nie modliła się, nic już nie przyrzekała, o nic nie prosiła. Siedziała i wpatrywała się w przestrzeń przed sobą. Do kościoła na Wieniawskiego nie chodziła, nie chcąc natknąć się przypadkiem na Gajka.

Z najwyższym trudem powstrzymywała się codziennie rano, żeby nie zadzwonić do Mirandy i nie kazać jej zrobić testu ciążowego. Wiele ją też kosztowało, aby nie poruszać tego tematu w rozmowach z Cypkiem.

Trzynastego dnia po implantacji zarodków, w sobotni poranek, zadzwoniła Miranda. Anita omal się nie udusiła z wrażenia, odbierając telefon. Wiedziała, co usłyszy.

– Pani Anito, wyszedł mi test ciążowy.

– Czy jest pani pewna? Nie ma pomyłki?

– Wyszedł mi trzy razy. I tak ostateczne potwierdzenie...

– Wiem – przerwała Anita niecierpliwie. – Za dwa tygodnie USG. Jak pani się czuje?

– Normalnie. Dobrze.

– Pani Mirando, chciałabym się spotkać z panią, omówić pani tryb życia podczas ciąży. Musimy teraz o panią zadbać.

– Nie. Pani Anito, proszę wybaczyć, wynajęłam państwu tylko kawałek siebie, a nie całość. Na określony czas. Nie umawialiśmy się na żadne kontrole, ustalanie trybu życia ani inne takie akcje. Ja mam świadomość, do czego się zobowiązałam, i nie będę robiła żadnych głupstw. Na kontrolę do doktora Jaglińskiego jestem umówiona, przed chwilą do niego dzwoniłam i on już wie. Na pewno będę się stosowała do jego zaleceń. Cały lipiec jestem w Szczecinie, bo pilnuję mieszkania, moje współlokatorki wyjeżdżają. W sierpniu chciałabym odwiedzić rodziców w Kamieniu, a we wrześniu jedziemy w góry z przyjaciółmi na jakieś dwa tygodnie. Może trzy.

– Jest pani pewna, że pobyt w górach nie zaszkodzi? – w głosie Anity zabrzmiała ledwie dostrzegalna nutka histerii. – Co na to doktor Jagliński?

– Myślę, że nic. To nie są wielkie góry. Nie Tatry, tylko Karkonosze. Zresztą porozmawiam z doktorem i gdyby on uznał, że to ryzykowne, to nie pojadę. Jeżeli chodzi o nasze kontakty, państwa i moje, to uważam, że telefon wystarczy. Ewentualnie raz w miesiącu mogę się zgodzić na spotkanie. Najlepiej po wizytach kontrolnych u doktora.

– Wszystko pani z góry zaplanowała! – Anita nie była zadowolona. Wolałaby mieć jakąś ściślejszą kontrolę nad Mirandą. Najchętniej odwiedzałaby ją codziennie, rozmawiała, może by się nawet zaprzyjaźniły... dwie matki tego samego dziecka. Do czasu, naturalnie.

– Raczej tak – zgodziła się grzecznie Miranda. – Przemyślałam sprawę. Dopóki nie ma żadnych problemów, nie ma potrzeby się spotykać za często. Wolałabym unikać ostentacji.

Anitę zatkało. Nie przyszłoby jej do głowy takie określenie. No, z punktu widzenia tej dziewczyny może i coś w tym jest.

Nieważne.

Ważne, że ona jest w ciąży!

Kontrola USG potwierdziła, co miała potwierdzić. Doktor Jagliński był zadowolony. Wszystko wyglądało jak najbardziej prawidłowo. Anita najchętniej weszłaby razem z Mirandą do gabinetu, ale nie ośmieliła się tej chęci wyartykułować. Ta cała Miranda zaczęła ją onieśmielać i to się Anicie nie podobało. Doktor, niestety, jakby trzymał stronę dziewczyny.

– Proszę pani – powiedział łagodnie. – Mnie jednak obowiązuje tajemnica lekarska. Panie porozmawiają sobie same, kiedy pani Miranda wyjdzie ode mnie. Chyba że pani sobie życzy?...

– Nie. – Głos Mirandy był spokojny, w najmniejszym stopniu nie arogancki. – Nie życzę sobie.

I dobrze – pomyślał lekarz. Podobała mu się ta dziewczyna. Rzeczowa, przytomna i rozsądna. Pomijając, że bardzo ładna. Po badaniu udzielił jej kilku mądrych rad co do trybu życia, wyjazdy do Kamienia i w góry akceptował, jak najbardziej, zalecając jak najwięcej świeżego powietrza i racjonalne odżywianie. Zero papierosów, zero alkoholu, a jak u pani z seksem?

– Chwilowo nie mam z kim uprawiać – uśmiechnęła się Miranda. – Nie palę. Od piwa mogę się chwilowo powstrzymać. Żaden problem.

– W porządku – uśmiechnął się lekarz i jednak nie wytrzymał. – Pani Mirando, po co pani to robi?

Dziewczyna też się uśmiechnęła.

– Panie doktorze, po co pan to robi?

– No tak, tośmy sobie pogadali. Koniec z ludzkimi odruchami. Czekam na panią za miesiąc, chyba żeby się coś działo. Wtedy telefon, niezależnie od pory dnia i nocy. Ale generalnie jestem o panią spokojny. Aha, gdyby się znalazł jakiś słuszny młodzieniec do tego seksu, to może pani, bez obawy. Powodzenia.

Nie wiedział, czemu jej zadał tamto pytanie. Zazwyczaj robił swoje, jak umiał najlepiej, ale bez sentymentów. Ta dziewczyna jednak w czymś przypominała mu jego własną córkę. Nie wyobrażał sobie, żeby Kasia była kiedykolwiek zmuszona do czegoś podobnego. Na Boga, nie! To już on będzie dalej robił szemrane interesy na granicy prawa. Ciekawe, czy rodzice tej tu dziewczyny wiedzą?

Rodzice Mirandy nie wiedzieli. Byli natomiast w najwyższym stopniu niezadowoleni, kiedy zadzwoniła do nich z wiadomością, że przyjedzie dopiero w sierpniu i w dodatku nie zamierza pracować. Pensjonat wszak czekał, rąk do pracy brakowało. Pan Wiesiołek nie pozwalał nikomu na sugestię, że gdyby więcej płacił, to pewnie ręce by się znalazły. Cholera jasna, chyba naprawdę

Miranda wyfrunęła spod rodzicielskich skrzydeł. Jeszcze tego brakowało, żeby ojciec musiał ją prosić o pomoc! Niedoczekanie dziewuszyska. Tylko skąd ona ma forsę, jeśli gardzi pracą w pensjonacie? To pytanie zakłócało panu Wiesiołkowi spokojny sen niemal co noc. Żona dawała mu ziołowe proszki na sen, mimo to wiercił się i mamrotał pod nosem do późnych godzin.

Miranda wiedziała doskonale, że ojciec jest wściekły. Postanowiła, że spróbuje się z nim dogadać, kiedy pojedzie do Kamienia, w sierpniu. Trzeba staruszkowi wytłumaczyć, że ona już dorosła i że będzie o wiele przyjemniej żyć w zgodzie, niż żreć się na odległość.

Po raz pierwszy w życiu Miranda poczuła, że rodzina jest jej potrzebna. Że samotność nie jest stanem najbardziej pożądanym. Była wprawdzie Gonia, byli chłopcy, ze szczególnym uwzględnieniem Stasinka... Cóż, Gonia stała teraz całymi dniami za ladą i pakowała do torebek kawałki kurczaka, frytki i sałatkę kapuścianą, a wieczorami nie miała nawet sił pogadać przez telefon. Duży i Stasinek najęli się jako ratownicy w Niechorzu, więc dość daleko. Namawiali Mirandę, żeby do nich przyjechała, jednak nie mogła zostawić mieszkania bez opieki. Może w sierpniu, na chwilę, do nich skoczy.

Dobrą stroną samotności była nieobecność w domu Wirginii, z którą Miranda nie zdołała się zaprzyjaźnić, oraz Elizy, którą Miranda zdążyła znielubić. Nawet nie chodziło o te dziesięć tysięcy za pośrednictwo, w mniemaniu Mirandy, suma horrendalna. Coś w niej było niedobrego, w tej Elizie. Bardzo zdolna, niewątpliwie, robiła błyskawiczną karierę na uczelni, tylko jakaś ona taka... Ciekawe, czemu jest samotna. Chociaż może i nieciekawe. Jeśli z wszystkimi swoimi przyjaciółmi pogrywa jak z tą całą Anitą, no to nie ma się co dziwić. A w ogóle nie ma się kim przejmować.

Ten Grabiszyński jest jakiś wycofany, jakby dziecko było osobistym wymysłem jego żony, a on sam służył tylko za dawcę nasienia. No i tak naprawdę to do tego właśnie posłużył ostatnim razem u doktora Jaglińskiego w poradni. Prawie wcale się tam nie odzywał. Sympatyczny facet, ale najwyraźniej dał się zdominować, przynajmniej w tej sprawie.

Oboje są architektami. Siostra Stasinka też bodajże jest architektką, coś on takiego kiedyś mówił.

Chwilami Miranda łapała się na tym, że chciałaby mieć przy sobie Stasinka. Fajny jest Stasinek. Z urody właściwie żadne cudo, średniego wzrostu, średni blondyn, oczka średniozielone (za to wcale nieśrednioprzenikliwe, czasem, jak ci on spojrzy, to dowierca się do środka duszy).

Mógłby się pojawić i powiercić tymi oczami. Zatroskać się, że ona taka sama, że nikt o nią nie dba, nikt jej nie kocha... Dlaczego pojechał do Niechorza? Nie mógł załatwić sobie roboty na Dziewokliczu? Czasem jeździła tam się opalać, oczywiście, bardzo ostrożnie i tak bardziej w cieniu. Różne mądre poradniki, których się naczytała, twierdziły, że opalanie w cieniu drzew doskonale wychodzi i przy tym jest najzdrowsze. No i dobrze, Miranda nie przepadała za smażeniem się na patelni.

Któregoś dnia zadzwoniła do Saszy – może by też przyszedł się poopalać? Piękniej by wyglądał w tych swoich białych koszulach, w które lubił się ubierać na występach, na zmianę z czarnymi. W czarnych też by wyglądał. Nawet się dodzwoniła. I żadna wściekła Hanka nie wyrwała mu telefonu. Ale Sasza zmartwił ją wiadomością, że aktualnie jest kulawy, bo ma złamaną nogę. Oraz wstrząsnął drugą wiadomością, że mianowicie ktoś mu tę nogę złamał w parku, nocą, skopawszy uprzednio glanami.

– Nie polubił mnie, bo jestem Ruski – powiedział Sasza beztroskim tonem. – Mirka, mówię ci, ja to już przegryzłem w sobie, ale początkowo... szkoda gadać.

– Zabiłabym! – Zacisnęła zęby. – Ma cię kto pielęgnować?

– Przecież wiesz, Hanka mnie pielęgnuje... Kolega ze mną chwilowo mieszka, więc nic się nie martw, mam opiekę. Mam też nowe, piękne teksty, Mireczko, mówię ci. Jak wyzdrowieję, przyjdziesz na mój koncert, brawo bić.

– Przyjdę, Saszka, na pewno przyjdę! Kuruj się, a gdybyś czegoś potrzebował, dzwoń śmiało. Nie krępuj się.

– Nie będę się krępował, Mireczko. Przyjaciele są od tego, żeby sobie pomagali w potrzebie.

Nie zadzwonił jednak ani po pomoc, ani w żadnej innej sprawie. Widać Hanka opiekowała się nim wystarczająco intensywnie.

Trzy tysiące z otrzymanych zaliczkowo pięciu Eliza wydała na wczasy w Tunezji. Właśnie wczasy, a nie wycieczkę. Nie interesowało jej stadne bieganie za przewodnikiem, bełkoczącym prawdopodobnie w jakiejś niezrozumiałej angielszczyźnie, ani jeżdżenie na wielbłądzie, ani oglądanie piramid z ohydnymi zmumifikowanymi nieboszczykami, cóż z tego, że faraońskiego pochodzenia. Chciała posmakować luksusu. W ofercie któregoś z biur turystycznych, w dziale „Last minute" znalazła sobie te luksusowe wczasy w luksusowym hotelu, all inclusive, oczywiście. Pojedynczy pokój, ładnie umeblowany, z wygodami, w hotelu basen z lazurową wodą, w perspektywie ciemnoskóry kelner donoszący nad brzeg basenu drinki z palemką albo z parasolką... na zmianę. Egzotyczne owoce. „Ciepło, miło, niebo raj, małpa myśli: w to mi graj"! Elizie – polonistce – po prostu musiał się przypomnieć ten wierszyk Fredry, kiedy zobaczyła swoje lokum. Zamknęła za sobą drzwi klimatyzowanego pokoju, spojrzała przez okno, gdzie jarzyło się w słońcu lazurowe morze, i poczuła głębokie zadowolenie.

Żadnych studentów. Żadnych żałosnych wypocin, które trzeba czytać i, co gorsza, omawiać. Żadnych referatów do wygłaszania. Żadnych kolegów uczonych. Żadnych szefów. Żadnych znajomych, do których się trzeba uśmiechać.

Uśmiechnęła się do widoku za oknem.

Żadnego internetu.

Przez najbliższe dwa tygodnie nie będzie robiła nic, czego by nie chciała robić. Pierwsze takie dwa tygodnie w życiu.

Należało jej się. Jak każdemu. Tylko nie każdy wie, że mu się należy, i nie każdy po to sięga. Kwestia możliwości.

No więc ona sobie takie możliwości właśnie stworzyła. Ten pobyt w raju to pierwszy sukces agencji „Nasze dziecko".

Eliza Trumbiak, szefowa nieistniejącej jeszcze, ale dobrze się zapowiadającej firmy, zajrzała do lodówki, znalazła małą buteleczkę australijskiego wina musującego i wypiła za własne zdrowie, po czym padła na szerokie łoże. Najpierw trzeba odespać podróż.

Anita usilnie szukała możliwości jakiegoś skontrolowania Mirandy. Dziewczyna ostatnio pokazała rogi. Najwyraźniej prosty telefon i umówienie się nie wchodziło w grę. Pewien pomysł podsunął jej Cypek, zresztą w absolutnej nieświadomości jej problemu.

– Co słychać u Elizy? – spytał mimochodem, odrywając się na chwilę od jakichś obliczeń, nad którymi ślęczał już bez przerwy drugą godzinę.

– Nie wiem – odpowiedziała, złapawszy natychmiast, że on nie ma pojęcia o Elizy wyjeździe w ciepłe kraje. – Może do niej wskoczymy na moment dziś wieczorem? A potem możemy iść do kina albo na jakiś spacer.

– Proszę cię bardzo – mruknął, wracając do komputera. – Spacery to zdrowie. A nie chcesz iść do niej sama?

– Nieee, wolę z tobą. Tylko na chwilkę. Postawisz mi kolację na „Ładodze"? Albo na barce.

– Postawię ci pierogi – obiecał Cypek i przestał reagować na bodźce.

Bardzo lubili oboje jadać na „Ładodze", starym rosyjskim statku spacerowym przerobionym na restaurację. Zwłaszcza latem, na odkrytym pokładzie z widokiem na Odrę, wyspy i Wały Chrobrego. Cypek nie wyczuł więc podstępu.

Koło siódmej, czyli dziewiętnastej, Anita nacisnęła taster dzwonka w kamienicy na Krzywoustego. Dziewczyna powinna już być w domu o tej porze. Przygotowywać się do odpoczynku. Lekka kolacja i spać. Tylko że ona może ich w ogóle nie wpuścić do domu...

Miranda, która objawiła się w otwartych drzwiach, była lekko opalona, miała na sobie przewiewną, długą sukienkę w łączkę wielokolorowych kwiatów. Na nogach białe japonki. Wyglądała bardzo ładnie i schludnie, jak grzeczna dziewczynka.

– Dzień dobry – powiedziała uprzejmie, ale nie ruszyła się, żeby wpuścić gości. – Słucham?

– My do Elizy – powiedziała swobodnie Anita. – Możemy wejść?

– Pani doktor Trumbiak wyjechała do Tunezji. Nie wiedzieli państwo?

Anita poczerwieniała. Cypek spojrzał na nią i też poczerwieniał. Miranda zrozumiała, co było do zrozumienia, i uchyliła drzwi szerzej.

– Zupełnie zapomniałam – próbowała Anita, ale gospodyni nie pozwoliła jej brnąć dalej.

– Proszę wejść. Zapraszam na herbatę.

Miranda zrobiła to wyłącznie ze względu na tego całego Tristana. Cypriana. Widać było, że jest mu wstyd. Takie prymitywne podchody... albo ona jest głupia, ta żona, albo dziecko jej na mózg padło.

Podobno czasem tak się zdarza.

Anita bywała już w tym domu wielokrotnie, Cypek, który, jak wiemy, za Elizą nie przepadał, był tu pierwszy raz.

– Tu jest mój pokój – rzuciła Miranda, otwierając drzwi do obszernej służbówki. Panował w niej nieskazitelny ład. Żadne ciuchy nie leżały na wierzchu, książki na półkach stały na baczność, w wazonie kwitły różowe peonie.

Wprowadziła gości do salonu. Niskie słońce oświetlało kolejny wielki wazon z peoniami, tym razem purpurowymi. I tu panował porządek, tylko na małym stoliku stały: zastawa herbaciana dla jednej osoby, malutki dzbanuszek pełen stokrotek i talerzyk z napoczętą eklerką. Na kanapie obok leżało kilka powieści Dana Browna, w tym jedna otwarta, grzbietem do góry.

Miranda, podobnie jak jej starsza współlokatorka, rozkoszowała się latem, swobodą i wygodnym domem. Poprzedniego dnia kupiła sobie na próbę „Kod Leonarda da Vinci", który tak jej się spodobał, że dziś od rana poszła do Empiku, po całą resztę książek tego autora. „Kod" zabrała na Dziewoklicz, gdzie posiedziała dwie godzinki w cieniu i popływała parę chwil, a teraz właśnie go kończyła. Następny krwawy kryminał czekał na swoją kolej.

– Kawę czy herbatę? Niestety, nie mam już więcej eklerek, kupiłam tylko jedną. Podam państwu herbatniki.

– Proszę sobie nie robić kłopotu – wykrztusiła Anita, której było coraz bardziej głupio. – My już pójdziemy. Do widzenia.

– Rozumiem, że inspekcja wypadła pozytywnie.

Pierwszy raz w życiu Cypek miał ochotę udusić swoją żonę. Nigdy jeszcze nie czuł się takim idiotą.

– Przepraszamy, pani Mirko – powiedział. – My naprawdę już pójdziemy. Nie będziemy przeszkadzać w lekturze. Świetny jest, nie?

– Świetny. – Dziewczyna uśmiechnęła się do niego. Anita nie zrozumiała, o kogo chodzi. Kto niby jest świetny?

– Połykałem go jak gęś kluski. „Aniołów" pani jeszcze nie zaczęła, co? Niech pani nie czyta w nocy, bo się pani będzie bała.

– Ja się lubię trochę pobać – roześmiała się. – Jeśli tylko mam dobre zamki w drzwiach.

– A ma pani?

– Mam. Proszę się nie martwić. Wszystko jest w porządku, czuję się dobrze. Nic złego się nie dzieje. Naprawdę.

Odprowadziła ich do drzwi i zatrzasnęła za nimi naprawdę solidne rygle. Wyszli na zalaną przedwieczornym słońcem ulicę, nie odzywając się do siebie.

W milczeniu wsiedli do samochodu, zjechali nad Odrę, skręcili w Jana z Kolna i podjechali pod „Ładogę". Dopiero kiedy zamówili dwie porcje pierogów, Cypek przemówił:

– Anitko, co chciałaś osiągnąć?

Anita zdążyła już ochłonąć i nabrać pewności siebie.

– Nie udawaj, że nie wiesz. Ona to zrozumiała. Chciałam ją skontrolować i zrobiłam to. Gdybym do niej zadzwoniła i powiedziała, o co mi chodzi, zdążyłaby się dziesięć razy przygotować, posprzątać...

– Wyrzucić gacha i to całe towarzystwo zażywające heroinę – uzupełnił ironicznie. – Kobieto, przecież Eliza ci mówiła, że to porządna dziewczyna.

– Ona może być porządna, jak Eliza na nią patrzy, a teraz ma absolutną swobodę, bo jest sama cały lipiec! Tam się mogło Bóg wie co dziać!

Cypek spoglądał gdzieś w dal. Na wysokości elewatora bielał żagiel jakiegoś niewielkiego jachtu, który wybrał sobie tę porę, by wypłynąć w stronę morza. Mógł, oczywiście, zmierzać do najbliższej mariny, jednak ta myśl nie była już tak pociągająca.

– Słuchaj, Anitko. Nie wiem jak ty, ale ja czuję się jak ostatni idiota. Nigdy w życiu nie było mi tak strasznie głupio. Ośmieszyłaś nas oboje. Tak to, niestety, wygląda, niezależnie, jaką ideologię do tego dorobisz.

– Cypek! Ona nosi nasze dziecko!

Cypek nie odpowiedział. Myślał o spokojnej dziewczynie w kolorowej sukience, dziewczynie czytającej thrillery i lubiącej peonie. Dziewczynie, w której ciele rosło jego dziecko.

Lipiec się skończył, Eliza Trumbiak, pięknie opalona i zadowolona z życia, powróciła na ojczyzny łono. Teraz ona miała wyznaczony dyżur w domu. Wirginia obiecała przyjechać z wojaży pod koniec sierpnia i objąć straż domowego ogniska. Tak czy inaczej, Mirandę czekały dwa miesiące bez zobowiązań. Jeśli nie liczyć kontroli u doktora Jaglińskiego.

Wraz z wolnością przyszedł pomysł, że za część zarobionych pieniędzy mogłaby sobie kupić samochód, jakiegoś starego rupiecia w znośnym stanie. Stasinek i Duży byliby z pewnością bardzo pomocni w tym względzie, a także kompetentni. Sami co chwila zmieniali swoje rzęchy na inne rzęchy, wszystkie, o dziwo, na chodzie.

Stasinek dzwonił co wieczór, któregoś dnia więc Miranda opowiedziała mu o swoim pomyśle. Odniósł się do niego entuzjastycznie i obiecał powęszyć.

– Szkoda, że go już teraz nie masz – powiedział smętnie. – Mogłabyś do nas wpaść, zanim pojedziesz do starych.

– Autobusami raczej nie będzie mi się chciało – roześmiała się. – Chociaż stęskniłam się za wami. Gonia też, ale Gonia to w ogóle nie ma szans na nic. Jak ma wolny dzień, to leży plackiem i nie oddycha. Strasznie dostaje w tyłek.

– Nie zmobilizujesz się? Przyjedź...

– Nie, Stasinku. Jeżdżenie autobusami to dla mnie katorga. Sam przyjedź. Od pierwszego sierpnia będę w Kamieniu.

– Może i przyjadę. Też się za tobą stęskniłem. Myślałem, że tego nie powiem. Ale powiedziałem.

– Fajnie, że powiedziałeś.

– To buziaki.

– Buziaki.

Następnego dnia Miranda spakowała walizkę, pożegnała Elizę i wsiadła do autobusu. Najpierw musiała pojechać do znienawidzonego pensjonatu, gdzie latem przybywała cała rodzina. Łukęcin zapchany był ludźmi niemożliwie, jak to w sezonie. Właśnie tego Miranda nie lubiła najbardziej: tłumu i ścisku. Głównie dlatego nie chciała jechać do chłopaków do Niechorza, które ostatnio zrobiło się popularne i po prostu pękało w szwach. Jej plan zakładał zamieszkanie w pustym mieszkaniu w Kamieniu i kolejny miesiąc świętego spokoju.

Jak było do przewidzenia, najbardziej na jej widok ucieszył się Wiesio. Ściskał ją długo i solennie, opowiadając, jak bardzo mu jej brakowało. Dosia i matka ucieszyły się umiarkowanie, a ojciec wykazał tak zwaną daleko idącą obojętność. Pozwolił się cmoknąć, mruknął coś o niewdzięcznych dzieciach, dla których człowiek żyły wypruwa, a one, jak dorosną, to szkoda gadać, zero wdzięczności i jakiegoś poczucia!

Żadnego poczucia Miranda w istocie nie miała, co więcej, nie odczuwała z tego powodu najmniejszych wyrzutów sumienia. Zrewidowała natomiast swój naiwny pomysł na pogodzenie się z tatusiem, pełną szczerość i tak dalej. A po co tu komu była jej szczerość? Nikt od niej nie oczekiwał uczuć rodzinnych. Ani takowych nie objawiał – nie mówimy o Wiesiu, oczywiście, ale Wiesio rządził się zawsze swoimi własnymi prawami. Ojciec od razu napomknął, że w pensjonacie miejsc dla darmozjadów nie ma, gdyby chciała popracować, to co innego.

– Nie, tato – powiedziała spokojnie. – Nie mam w planie pracy, mam wakacje. Chciałabym pomieszkać miesiąc w Kamieniu. Czy każesz mi za to zapłacić, czy to może jeszcze jest mój rodzinny dom?

– Najchętniej kazałbym ci zapłacić – warknął tatunio. – Ale pewnie zagroziłabyś mi sądem rodzinnym albo policją. Chwała Bogu, mnie tam nie ma. Mieszkaj sobie.

– To będzie praktyczne, tato, bądź łaskaw zauważyć. Popilnuję chaty.

– Akurat tam się złodzieje zasadzają, żeby wynieść telewizor, co ma dwadzieścia lat – sarknął pan Wiesiołek.

– Nie mówię o złodziejach. Wiesz, jak bywa w pustych mieszkaniach: instalacje się zapalają, nawalają krany i leje się woda... Mogę dostać klucze?

Wiesio, zrozumiawszy, że siostra zaraz odjeżdża, spłakał się rzetelnie. Mało brakowało, a Miranda zrobiłaby to samo na widok jego zapuchniętych oczu. Zabrała go na rybkę do smażalni i na wielkie lody do cukierni. Opowiedziała mu kilka zabawnych historyjek z życia studenckiego, a zwłaszcza z życia telewizji międzyuczelnianej. Ostatecznie Wiesio pozwolił się utulić i Miranda mogła razem ze swoją walizą opuścić kurort, aby późnym wieczorem ostatecznie dotrzeć do mieszkania w bloku w Kamieniu – z widokiem na wodę i słońce, które właśnie malowniczo zachodziło.

Eliza Trumbiak też cieszyła się spokojem w opustoszałym mieszkaniu. Miranda pozostawiła idealny porządek i kilka Danów Brownów na stoliczku koło kanapy. Oficjalnie Eliza gardziła Danem Brownem, podobnie jak wszystkimi popularnymi autorami płci obojga i z dowolnego kraju, ale nieoficjalnie lubiła sobie posiedzieć na kanapie z tłustym i krwistym kryminałem, a czasem i z soczystym romansidłem, które to książki masakrowała potem na zajęciach. Oczywiście, mimochodem, bo przecież wykładała literaturę staropolską.

Do internetu zajrzała jeszcze w dzień przyjazdu i ze sporą przyjemnością skonstatowała, że prezenterka już nie jest prezenterką w telewizji ogólnopolskiej. Tak naprawdę wcale nie była zła, ale widocznie miała szefów idiotów. Dali się zasugerować jakiemuś głupiemu forum. Na jej miejsce przyszła prześliczna młoda panienka, prawdopodobnie niesięgająca tamtej poziomem zawodowym do pięt. Trzeba ją zobaczyć w jakimś programie. A na razie – Eliza weszła na kilka forów, dokonała kilku wpisów, jak zwykle używając różnych nicków, ale w dość podobnym tonie. Ciekawe, ile czasu wytrzyma siatkarka. Jeszcze trochę cierpliwości i jakieś efekty muszą się objawić.

Siatkarkę odwiedzała niemal codziennie, w czterech lub pięciu wcieleniach, bombardując ją stekiem wyzwisk. Taka mała przyjemność. Każdemu się coś od życia należy.

Zaprosiła też Anitę na kawę z lodami w „Galaxy", gdzie zawsze można było coś kupić. Bardzo ją bawiła świadomość, że za te lody płaci sama Anita, nie mając o tym bladego pojęcia.

– Jak postępy? – spytała przyjaciółkę, złożywszy uprzednio zamówienie na jakiś gigantyczny i galaktyczny deser ze wszystkim. – Kontaktujesz się z Mirandą, prawda? Jakoś ją sprawdzasz?

– Uważasz, że trzeba? Przecież to ty ją poleciłaś... to twoja współlokatorka, znasz ją...

– Wiesz, jak jest. – Eliza wzruszyła ramionami. – Nigdy nic nie wiadomo.

Anita była niezawodna, zawsze dawała się wpuścić w maliny. Załamała się natychmiast.

– To co ja mam zrobić?

Eliza wzruszyła ramionami.

– Teraz już nic nie zrobisz. Módl się, żeby dziewczyna nie wywinęła ci jakiegoś numeru stulecia... Czemu nie jesz? Roztopi ci się!

Miranda nie miała zamiaru wywijać żadnego numeru. O dziecku rosnącym w jej łonie starała się w ogóle nie pamiętać. Wyniki badań były dobre, czuła się świetnie, nie miewała ani porannych wymiotów, ani zawrotów głowy. Zamieszkała teraz w rodzinnym domu, miała całe mieszkanie praktycznie dla siebie, nie ciążyły jej żadne obowiązki. Mogła do woli spacerować po ulubionych uliczkach i nad zalewem, i poza granicami miasta. W każdy piątek wieczorem szła do katedry na koncert.

Jej myśli zaprzątały teraz dwie sprawy. Po pierwsze, sprawa jakiegoś godnego zarabiania w przyszłości. Posiadanie własnych pieniędzy uprzytomniło jej właśnie, jakie to jest pożyteczne i przyjemne. Czy więc zostanie zawodową surogatką? Tego jeszcze nie wiedziała. Z pewnością było to zajęcie bardziej intratne niż pisanie lewych prac semestralnych. Wolałaby jednak chyba znaleźć sobie coś innego. Tylko co?

Drugą sprawą, o ile można to nazwać sprawą... był Stasinek Pindelak. Miło się z nim pracowało, bawiło, spacerowało i jadło tę beznadziejną tempurę. Albo pizzę i makaron. Miło było, kiedy ją przytulał mimochodem albo całował w czółko lub policzek. Po prostu miły kolega. Przyjaciel. Dopóki był obok.

Nie spodziewała się, że będzie za nim tak bardzo tęskniła, kiedy się rozstaną! Oczywiście, nie przyznawała mu się do tego, rozmowom nadawała ton beztroski i śmiała się do telefonu. W rzeczywistości tęskniła okropnie. Okropnie! Brakowało go. I nie chodziło o śmiechy, dowcipy i buziaczki. Miranda chciała, żeby on po prostu był koło niej. Jak najbliżej. Stale.

Cóż, miała dwadzieścia lat. Nie ma lepszego wieku, żeby się zakochać.

Stasinek objawił się najzupełniej niespodziewanie pod koniec sierpnia. Zatelefonował, że jedzie i zaprasza Mirandę na obiad. Umówili się na parkingu przed hotelikiem „Pod Muzami". Synchronizacja wyszła im idealnie. Dokładnie w momencie kiedy Miranda podchodziła od strony wody, na parking zajeżdżał Stasinek małą czerwoną corsą starego typu, średnio ładną i lekko obitą z tyłu.

Wyskoczył z auta i rzucił się ją ściskać – wydało się jej, że niestety, całkiem po koleżeńsku, podczas kiedy ona chętnie by została w tym uścisku na dłużej – a wyściskawszy, zwrócił ją twarzą w kierunku miejsca, gdzie zaparkował.

– Jak ci się podoba?

– Samochód? Ładny. A miałeś inny ostatnio. Tak się wyżarłeś jako ratownik?

– On nie jest mój. Za to może być twój. Jest w całkiem dobrym stanie. Jeden proboszcz nim jeździł, ale głównie się bał, więc dużo nie najeździł. Ona ma osiem lat, ta corsa, i jest prawie jak nowa. Obejrzeliśmy ją z Dużym dogłębnie i pokazaliśmy znajomemu mechaniorowi. Pochwalił. Mało pali. Ksiądz chce cztery tysiące. Miałabyś tyle? To jest darmo, Mireczko. Księżulo ma wyrzuty sumienia z powodu tego błotnika, bo dwa lata temu wjechał w jakiś słupek i nie naprawił.

Miranda spojrzała na samochodzik zupełnie innym okiem. No, śliczny jest! Czerwoniutki, a to przecież ulubiony kolor każdej kobiety... obicie to właściwie otarcie, trochę lakieru i tyle... Oczywiście, że miałaby cztery tysiące!

Pokiwała głową.

– Znalazłabym. Mówisz, że warto?

– Ja mówię, Duży i nasz mechanior. Bierz go, jeśli tylko możesz.

– Tylko wiesz, ja prawie nie jeździłam. Zrobiłam prawko, ale ojciec nie chciał mi dawać samochodu.

– Nie szkodzi. Ja cię podszkolę, pojeździmy trochę i szybko załapiesz, o co chodzi. A ciebie ciągnie do jeżdżenia czy się boisz jak ten księżulo?

– Nie, coś ty. Nie boję się. Mnie się to podoba. Słuchaj, wzięłabym go.

– Nooo, szybka decyzja. To mi się podoba. Idziemy na te wątróbki, czy co mi tam zachwalałaś, czy najpierw się przejedziemy?

– Przejedziemy się, Stasinek, proszę! Wątróbki poczekają!

– Chcesz poprowadzić?

– Nie, jeszcze nie. Zresztą nie mam prawa jazdy przy sobie. Ty jedź, a ja sobie popatrzę.

– Dobrze. Na to mogę się zgodzić. Ale proponuję, żebyśmy w góry pojechali nie moim, a właśnie twoim i tam poćwiczysz. Ja ci pomogę. Założę się, że jak będziemy wracać, będziesz się rwała za kierownicę.

– Może pojedziemy na jakąś rybkę, testowo?

Stasinek zbladł.

– Błagam, nie. Mirka, ja już nie mogę patrzeć na ryby, zupełnie jak Gośka na kurczaki. My z Dużym jadamy głównie w smażalniach. Dziś mam dzień dziecka. Wątróbka. Cebulka. Pierogi. Schabowy najlepiej, panierowany, z kartofelkami i kapustką. Nie ryby! Tu zjemy, jak wrócimy. I nie jedziemy w stronę morza. Pojedziemy sobie do Golczewa, dobrze? Żeby żadnej dużej wody po drodze nie było. A jak ktoś się będzie topił w sadzawce, to mnie zagadaj, żebym tego w ogóle nie zauważył!

O Mirandzie intensywnie myślało ostatnimi czasy kilka osób. Po pierwsze Anita. Od swojego ostatniego, niezbyt fortunnego, pomysłu z wizytą towarzyską popadła w stan bliski depresji. Nie mogąc kontrolować na bieżąco postępów w rozwoju swojego dziecka – no bo jak? – zadręczała się myślami o nim i o noszącej je dziewczynie. Przeglądała wszystkie strony internetowe dotyczące ciąży i rozwoju płodu, a potem małego dziecka. Rozmawiała ze swoim pierścionkiem, który miał jej przynieść szczęście w postaci upragnionego synka. Już nawet niechby był Broniś. Czekała na powrót Elizy, żeby móc ją odwiedzić w mieszkaniu i przy okazji zobaczyć, czy u Mirandy wszystko w porządku. Kiedy jednak Eliza wróciła – Miranda wyjechała. Anita nie mogła o niej nawet porozmawiać z Cypkiem, bo on nie chciał o tym słyszeć. Cóż jej pozostawało? Mogła tylko myśleć.

O Mirandzie myślał, oczywiście, Stasinek. Cokolwiek robił – pracował, odpoczywał, tańczył w dyskotece, jadł, ratował tonących, zawracał z morza beztroskich plażowiczów na materacach – ona zupełnie jak u Mickiewicza była zawsze blisko jego pamięci. A on „tęskniąc, sobie zadawał pytanie: czy to jest przyjaźń, czy to jest kochanie?". Coraz bardziej skłaniał się ku przypuszczeniu, że to drugie jednak. Z prawdziwą przyjemnością patrzył na kalendarz i liczył mijające dni. Już niedługo znajdą się razem w górach. Razem – to było najważniejsze. Przez cały miesiąc, bo na tyle się umówili, będzie ją miał dosłownie w zasięgu ręki. Czy coś się wydarzy – nie wiadomo. Ważne, że będą blisko.

O Mirandzie rozmyślał też Cypek Grabiszyński. Wcale tego nie chciał. Wolałby myśleć o własnej żonie, którą kochał i której był to winien – tak w każdym razie uważał. Anita jednak w niewytłumaczalny sposób zaczęła się ostatnio od niego oddalać. Jakby wyrosła między nimi niewidzialna, acz dość konkretna kurtyna. Żyli razem, spali razem, pracowali, jedli śniadania, obiady i kolacje. Chodzili do kina i do teatru. Na spacery. I cały czas Cypek miał wrażenie, że jest między nimi ktoś trzeci. Wysoka, spokojna dziewczyna, trochę nawet w typie jego Anity. Dziewczyna, która za kilka miesięcy urodzi jego dziecko.

Oczywiście, na rozum, Cyprian wiedział doskonale, że jest to dziecko również Anity. Wiedział. Ale tego nie czuł. Matką jest ta, która rodzi. Mirka będzie matką jego dziecka.

Nie był zadowolony. Próbował jakoś to sobie przetłumaczyć. Zracjonalizować. Nie wychodziło.

Profesor Piątkowski ostrzegał. Mówił o wielu rzeczach. Tego niebezpieczeństwa nie przewidział.

Spośród wszystkich znanych sobie karkonoskich wsi Gonia wybrała Przesiekę.

– Przesieka jest cudna – tłumaczyła przyjaciołom. – Spodoba wam się. Mamy do wyboru dwie kwatery. Jedna wyżej, druga niżej. Obie pięknie położone, znam te miejsca.

– No to trzeba pojechać i zobaczyć – powiedział rozsądnie Stasinek. – Ileż będziemy jechać, sześć, siedem godzin. Jak wyjedziemy o siódmej rano, to będziemy tam lekkim leszczem koło drugiej, trzeciej. Obejrzymy chatki i zdecydujemy.

Ku wielkiemu zadowoleniu Stasinka zapadła decyzja, żeby wybrać się w dwa samochody. Corsa, którą Miranda kupiła (i na razie bała się nią jeździć), była zbyt mała, żeby pomieścić czwórkę przyjaciół, w tym jednego naprawdę Dużego, i wszystkie bambetle. A corsa powinna jechać, żeby Miranda mogła spokojnie, pod doświadczonym okiem Stasinka, ćwiczyć. Duży zaofiarował Goni swojego mocno archiwalnego passata, sprowadzonego niegdyś z Niemiec i doskonale służącego już trzeciemu właścicielowi po tej stronie Odry. Gonia, też czująca coraz większą miętę do swojego chłopaka, łaskawie się zgodziła, co go, jak łatwo się domyślić, uszczęśliwiło. Jednym słowem sielanka jakaś się zapowiadała w tej podróży.

Na miejscu okazało się, że dziewczyny mają podzielone zdania na temat kwater. Goni spodobał się domek położony dość wysoko, w bliskości lasu i wodospadu na rzece Podgórnej. Miranda z kolei doznała olśnienia, kiedy zobaczyła zalaną słońcem dolinę Czerwienia, otoczoną od południa głównym grzbietem Karkonoszy z górującym stożkiem Małego Szyszaka. Rzucona moneta rozstrzygnęła spór na korzyść Doliny Czerwienia, zwyczajowo zwanej również Kozacką Doliną, od nazwiska jednego z powojennych komendantów miejscowej jednostki wojskowej.

– Wyjątkowy drań to był i traktował ludzi jak śmieci – poinformował gości mały, okrągły dziadek Antoni, właściciel domu z widokiem na góry. – Parszywa jego pamięć i wcale nie wiem, po co ta nazwa.

– A co to jest Czerwień? – spytała Miranda.

– Potok – powiedział krótko dziadek. – Jedzenie chcą mieć w domu czy będą się stołować gdziesik?

– Śniadania w domu – zdecydowała za wszystkich Gonia. – Ale we własnym zakresie. Obiady gdziesik. Kolacje jak się da, też chyba we własnym zakresie, nie? A na te śniadania jakieś domowe masełko, jajeczka od własnych kur?

– Jajeczka ostatecznie mogę kupić u sąsiadów, a masło, jak chcecie, moja stara przywiezie irlandzkie z Jeleniej. Pomóc nosić bagaże?

Młodzież podziękowała uprzejmie za pomoc, ostatecznie byli w towarzystwie dwaj zdrowi faceci. Dziadek może nie wyglądał jeszcze, jakby miał się zaraz rozlecieć, ale w sumie był dosyć stary.

Pokoje położone były na pięterku, miały osobne łazienki, wspólny hol i wspólną kuchenkę. Mały Szyszak zaglądał do okien.

– No, bardzo ładnie tu jest – chwalił Stasinek. – Bardzo ładnie. Może nam się trafi jakaś burza z piorunami, tu musi pięknie walić. A jajeczka jakoś przeżyjecie.

– Moja mama mnie kiedyś wysłała na wieś po jajka – powiedział w zamyśleniu Duży, kontemplujący aktualnie widok z balkonu. – Lekarz jej kazał jeść takie od kury. To pojechałem, czego się nie robi dla mamy. Wiecie, kiedyś w tych wiochach pod Szczecinem na płotach były tabliczki „Świeże jaja". Na to zresztą liczyłem. Ale teraz były tylko tabliczki z napisem „Security". Mamunia nie dostała jajeczek. To i wy nie musicie, dziewczynki.

– Chrzanić jajeczka – oznajmiła beztrosko Miranda i też wyszła na balkon. – Posuń się, Duży, ja sobie popatrzę. Boże, jaka piękna ta dolina!

⁂

Dolina Czerwienia rzeczywiście była piękna, podobnie jak cała Przesieka i cała okolica. Młodzi ludzie pod światłym kierownictwem Goni, która znała Karkonosze jak własną kieszeń, z mapą w ręce (na wszelki wypadek) przebiegali szlaki wzdłuż i wszerz gór i dolin. Miranda przed wyjazdem odwiedziła doktora Jaglińskiego i dostała od niego lekarskie błogosławieństwo. Oczywiście zawiadomiła Anitę, gdzie będzie przez cały wrzesień. Zastanawiała się, czy ta stuknięta kobieta weźmie męża pod pachę i przyjedzie za nią do Przesieki albo może do Karpacza... i będą się co drugi dzień przypadkiem spotykać. Na razie wyglądało na to, że jednak jej tu nie ma. Może mąż jej przemówił do rozsądku, a może sama sobie przemówiła. A może odkąd się dowiedziała, że Miranda pojechała w góry, cały czas siedzi w domu na kanapie i trzęsie się ze strachu o nią i swoje bezcenne dzidzi.

Dzidzi, jak na razie sympatyczne i grzeczne, nie sprawiało zastępczej mamuni żadnych kłopotów. Miranda była mu za to głęboko wdzięczna. Gdyby jej zepsuło te śliczne wakacje, pierwsze takie wakacje w życiu, byłaby bardzo rozczarowana.

Zastanawiała się czasami, czy kiedyś, za kilka lat, będzie chciała je zobaczyć. Poznać człowieka, którego dziewięć miesięcy nosiła w brzuchu. Na razie jakoś nie miała żadnych wyobrażeń w tej kwestii. Trochę się obawiała samego porodu, bo chociaż generalnie zawsze była raczej dzielna, to jednak bała się bólu. Wprawdzie coś tam się mówiło o znieczuleniu, ale nigdy nic nie wiadomo.

Odrzucała takie myśli od siebie. Było jej łatwiej, kiedy miała dokoła siebie przyjaciół, a już zwłaszcza kiedy zostawała sama ze Stasinkiem. A zostawała, bo przecież Stasinek uczył ją jeździć. Naturalnie okazało się, że nie ćwicząc, kompletnie zapomniała, co i jak. Musiała poza tym opanować własny samochód. Z duszą na ramieniu i Stasinkiem na prawym fotelu corsy przemierzała drogi w kierunku Karpacza i Kowar albo Szklarskiej Poręby i Świeradowa. Każdego dnia udawało jej się dostrzec więcej uroków tej pięknej krainy.

Jakieś dwa tygodnie po przyjeździe Stasinek zaryzykował i wpuścił ją na głęboką wodę. Pojechali za granicę. Nie była to żadna wielka podróż, po prostu wyjechali z Polski przez Jakuszyce, objechali Karkonosze z drugiej strony i wrócili przez Okraj. Na Okraju Miranda miała już oczy na słupkach, Stasinek więc zlitował się nad nią i zaordynował odpoczynek. Naturalnie, przejeżdżając przez Czechy, też odpoczywali, a nawet zjedli obiad w Szpindlerowym Młynie, teraz jednak Stasinek uznał, że Mirandę trzeba zmienić przy kierownicy.

– Muszę się przespacerować – powiedziała Miranda stanowczo. – Idziesz ze mną?

– Nie, samą cię puszczę – odrzekł czule. – Tu są jakieś szlaki. Sądząc z mapy, raczej spacerowe, bez wyczynu...

– Nie ma mowy o wyczynach, jeśli chodzi o mnie. Ale pięknie jeżdżę, nie?

– Pięknie. Jakbyś jeszcze nie trzymała ząbków w kierownicy, to już by było całkiem dobrze. Nie bij mnie!

Zaparkowali pod schroniskiem, już po polskiej stronie, i podeszli kilka kroków w górę, poczytać drogowskazy.

– Ja bym poszła tym zielonym szlakiem na Budniki. Cokolwiek to jest, te Budniki. Chyba jakaś polana.

Stasinek spojrzał w górę. Kowarski Grzbiet kusił. Słońce było jeszcze wysoko.

– A może byśmy, Miruś, poszli trochę bardziej w górę? Tu jest taki szlak, on chyba jest trochę stromy, ale co to dla nas? Patrz, widzisz go? Tam na szczycie muszą być widoki zarębiaste po prostu...

– No, widzę. Fajny. Ale nie dziś. Możemy tu jutro podjechać, na świeżo. Ja już jestem trochę zmęczona, a nie wolno mi się forsować.

Stasinek spojrzał na nią z pewnym niepokojem. Nigdy się nie skarżyła na nic, zawsze myślał, że jest zupełnie zdrowa.

– Mirka...

Spojrzała na niego. Miał w oczach autentyczną troskę i jakby odrobinę strachu. Wzruszyło ją to. A gdyby mu tak powiedzieć prawdę, po prostu?

– Stasiu, nie martw się. Nic mi nie jest. Ja tylko jestem w ciąży.

Tym razem na prostolinijnym obliczu prostolinijnego Stasinka Pindelaka Miranda zobaczyła ból. Miała ochotę rzucić mu się na szyję, lecz nie zrobiła tego.

– Stasiu, nie martw się – powtórzyła. – To nie jest moje dziecko.

– Jak, nie twoje? – Stasinek aż jęknął. – Nie rozumiem!

– Chodź na te Budniki. A przynajmniej na tę dróżkę, ona mi się podoba. Po drodze ci opowiem. W każdym razie tyle, ile mogę.

Weszli na szlak, który w istocie był wygodną ścieżką. Przynajmniej na razie. Górskie szlaki mają to do siebie, że często zaczynają się bardzo niewinnie, a po jakimś czasie wymagają dwumetrowych nóg i czterech rąk do przytrzymywania się. W Karkonoszach takich jest raczej mało – na szczęście dla kobiet w ciąży.

– No więc słuchaj. Wynajęłam brzuch na ciążę. Jedna facetka nie mogła zajść i mnie wynajęła. Zapłaciła mi ciężkie pieniądze. Pięćdziesiąt kafli. A ja, jak wiesz, potrzebowałam pieniędzy.

– A ja myślałem, że tatuś dał ci te cztery kafle na samochód – mruknął ponuro Stasinek.

– Tatuś, a juści. Zarobiłam.

– Ale w taki sposób? Mirka, ty się musiałaś przespać z mężem tej facetki?

– Oszalałeś. Na to bym nie poszła. – Przez moment przemknęło jej przez myśl, że może by i poszła... za te pieniądze. Stasinek nie musiał tego wiedzieć. – Słyszałeś kiedy o zapłodnieniu in vitro?

– Słyszałem. Moja siostra to ćwiczy, na razie bez skutku.

– Tamta kobieta też, z tego co wiem. W każdym razie ani jedna komórka tego dziecka nie jest moja. Ani jedna. Urodzę, przekażę rodzicom i zapomnę. A mam samochód i utrzymanie na trzy lata. No, uzupełnienie utrzymania. Tego mi właśnie brakowało.

– Boże jedyny. Mirka. Twoi rodzice wiedzą?

– Nie. Nawet miałam taki pomysł, żeby im powiedzieć, wiesz, w ramach godzenia rodziny. Ale oni mają w nosie zgodę rodzinną i mnie też tam mają. Byliby wściekli i tyle. Nie muszą nic wiedzieć.

– Jak to chcesz ukryć?...

– Nie będę się z nimi kontaktować. To znaczy, nie pojadę do domu na Boże Narodzenie, bo już wtedy będę chyba gruba.

– A teraz w którym miesiącu jesteś?

– W trzecim.

Zatrzymali się w miejscu z rozległym widokiem, który się właśnie przed nimi otworzył. Miranda wiele dałaby za to, żeby Stasinek przytulił ją teraz mocno. Żeby mogła na chwilę zapomnieć o swoich strachach i wątpliwościach. Niby nie było ich wiele, no ale były.

Nie zrobił tego, a nawet jakby się od niej odrobinkę odsunął. Milczał.

– Wracajmy – powiedziała. – Nie chce mi się już iść na Budniki. Kiedy indziej pójdziemy. Może jutro.

– Jasne. Rzeczywiście, nie możesz się przemęczać. Gdybym wiedział, nie zmuszałbym cię do prowadzenia przez te całe Czechy.

– Nie przejechaliśmy przez całe Czechy, tylko przez mały kawałek – roześmiała się prawie naturalnym śmiechem. – Nie zrobiłeś mi krzywdy, nie martw się.

– Gonia wie?

– Gonia wie, a Dużemu powiem, prędzej czy później. Chodźmy. Poprowadzisz, dobrze?

– Oczywiście. Możemy zjechać Drogą Głodu. Pamiętasz, Gonia mówiła, że gdzieś tu jest.

Droga Głodu okazała się tak stroma, niewygodna i rozmyta po niedawnych deszczach, że Stasinek musiał skupić całą uwagę na prowadzeniu samochodu. Zresztą rozmowa się nie kleiła. Zjechali w środku Kowar, potem trochę błądzili, szukając właściwego wyjazdu w stronę Karpacza, Miłkowa i Podgórzyna, a dalej Przesieki i swojej bajkowo pięknej Doliny Czerwienia.

– Możesz powiedzieć o mnie Dużemu, jeśli chcesz – powiedziała Miranda, kiedy już zaparkowali pod domem. Stasinek odniósł wrażenie, że jest czymś zmęczona.

– Sama mu powiesz, kiedy będziesz uważała za stosowne.

– Ale gdyby wam się jakoś zgadało. Nie wiem. I tak nie będę mogła utrzymać tego w tajemnicy, kiedy mi brzuch urośnie. Idę pod prysznic, a potem zrobimy jakąś kolację.

Najzupełniej niespodziewanie Dużemu i Stasinkowi zgadało się jeszcze przed kolacją. Wynikało to z faktu, iż Dużemu i Goni zgadało się koło obiadu. Wskutek pewnych znaczących wydarzeń, które z kolei miały miejsce między śniadaniem a obiadem, Gonia i Duży doszli do wniosku, że właściwie źle podzielili pokoje i teraz jest jak na koloniach letnich dla małolatów. Dziewczynki z dziewczynkami, chłopczyki z chłopczykami... Postanowili przy kolacji aluzyjnie dać przyjaciołom do zrozumienia, że warto by ten opłakany stan zmienić na dużo bardziej racjonalny. A jeżeli subtelne aluzje nie poskutkują, to powiedzieć im jak krowie na rowie, że oni chcą spać razem! Gonia zresztą twierdziła z wielką pewnością, a i Duży miał takie wrażenie, że Mirka i Stasinek również byliby nie od tego.

No i dobrze się stało, że Duży zagadnął Stasinka w tej sprawie niejako nieoficjalnie, tuż po ich powrocie z wycieczki, bo Stasinek niespodziewanie się zaparł i oświadczył, że nie chce spać w jednym pokoju z Mirką.

– Odnosiłem wrażenie, że chcesz jak cholera – zdziwił się Duży. – Myśmy z Gonią myśleli, że jesteście właściwie dogadani...

– Toście źle myśleli – burknął Stasinek i poszedł pod prysznic.

Kiedy spod niego wyszedł, okazało się, że Duży czeka na niego w sypialni i nie zamierza odpuścić. Nie miał więc innego wyjścia, jak tylko opowiedzieć całą prawdę.

– Ja pierdzielę – wyrwało się Dużemu spod serca. – Ja pierdzielę. Czekaj, stary, muszę to przetrawić.

Poszedł przetrawiać na balkon z widokiem na Mały Szyszak. Wypaliwszy papierosa, wrócił do pokoju.

– Nie wiem, stary – powiedział, potrząsając głową. – Nie wiem, jak bym zareagował na twoim miejscu. Ale gdyby mi Gonia się przyznała, że zrobiła coś takiego...

– To co?

– Tobym się zastanowił, dlaczego ona to zrobiła. Nasza Mireczka to nie jest żadna dziwka, lampucera ani nic takiego. Musiała być pod straszną krechą. Ten jej ojciec to jakiś koszmarny burak, sam wiesz, bo opowiadała; forsy jej daje jakieś śladowe ilości, dziewczyna nie ma z czego żyć, a chce studiować; za czynsz sprząta u Trumbiakowej i tej drugiej, trafiła jej się okazja... No, trochę dziwna, to trzeba przyznać. Ale przecież się nie puściła z tym facetem ani nic. Wszystko się odbyło laboratoryjnie. Nikt jej palcem nie tknął. No, lekarz. Ale lekarz to nie mężczyzna. O lekarza jesteś zazdrosny?

– Przestań.

– No właśnie. Jak ją kochasz, to powinieneś ją jakoś podeprzeć, żeby wiedziała, że nie jest sama. Kurczę, stary, ona jest samiutka, ma tylko nas, z tego co wiem. O rodzicach może zapomnieć, oni potrzebują taniej siły roboczej. Pamiętasz, jak raz jej się wymsknęło i wszystko nam ładnie zeznała? Siostrzyczka też do odstrzału natychmiastowego. Braciszek ją kocha, ale braciszek nie całkiem sprawny na umyśle, nie pomoże jej. Tyle że ją będzie dalej kochał.

– Zrobiłeś mi pranie mózgu – poskarżył się Stasinek i też poszedł na balkon. Papierosa nie wypalił, bo rzucił palenie w czwartej klasie podstawówki i jakoś wytrzymał do tej pory. Przyjrzał się Małemu Szyszakowi i wykonał pracę myślową.

Duży w sumie nie jest głupi. A on miał głupi odruch. Mirka mogła pomyśleć Bóg wie co. Sądząc z jej miny, pomyślała.

Jesteś kretynem, stary – pomyślał samokrytycznie. Kretynem, osłem, idiotą. Pozbawionym uczuć wyższych. No, może nie do końca.

– Kolaaaaacjaaaaaa! – wydarła się w tej samej chwili Gonia z holu, który służył również jako jadalnia.
– Zagadaj Gonię – zdecydował się Stasinek. – Ja porozmawiam z Mirką.
– Jeżeli Gonia zrobiła coś do jedzenia na gorąco, to mnie zabije...
– Życie jest ryzykowne. Zagadaj.
– Dla dobra sprawy zaryzykuję.
Miranda rozkładała właśnie nakrycia na stole, a Gonia w kuchence mieszała coś w garnku. Pomidorowo-wędzonkowe zapachy niosły się po całym piętrze. Zgodnie z umową Duży poszedł zagadywać Gonię, żeby dać szansę przyjacielowi.
– Mirka, zostaw te widelce na chwilę, proszę.
– Bo co? – Mirka nie spojrzała na niego, ale znieruchomiała ze sztućcami w ręce. Stasinek wyjął je z jej dłoni i położył na stole.
– Chodź na balkonik. Słońce zachodzi. Musisz to zobaczyć. Zarębisty zachodzik. U nas takich nie ma. Żarcie poczeka.
– Gonia nas zabije.
– Nie zabije. Duży ją właśnie indoktrynuje. Zresztą ona ma w tym swój interes. Znaczy w tym, co ja ci chcę powiedzieć.
– Ach, interes. No to chodź.
Zachód, trzeba przyznać, był przepiękny. Resztki słońca zachodziły za grzbiet Karkonoszy, pozostawiając na niebie purpurową łunę, przechodzącą w głębokie oranże.
– Jaki interes robimy?
– To może być interes życia. Gonia ci nie mówiła, co wymyślili z Dużym?
– Mówiła.
– I co ty na to?
– Nie wiem, czy to jest najlepszy pomysł. Dla nas to może być krępujące.
Nie patrzyła mu w oczy. Kontemplowała niebo.
– Mirka – powiedział ciepło. – Nie patrz już na to niebo. Popatrz na mnie. Zachowałem się dzisiaj jak ostatni idiota, ale to dlatego, że mnie zaskoczyłaś.

Spojrzała na niego raczej chłodno.

– Nie zachowałeś się jak idiota, dlaczego tak mówisz? Wszystko jest w porządku.

Cholerny świat, ona się teraz broni – pomyślał. Opancerza się. Sam sobie to zrobiłeś, głąbie bezmózgi. Straciłeś ją. Ona właśnie się od ciebie oddala szybkim krokiem. Bo przestała w ciebie wierzyć. Bo ją zawiodłeś, debilu. Duży miał rację. Ona oczekiwała wsparcia, bo wcale nie jest jej łatwo z tym, co zrobiła, a ty ją z tym wszystkim zostawiłeś.

– Chodź na tę kolację – uśmiechnęła się, ale coś w tym uśmiechu było nieprawdziwego. – Gonia się namęczyła, zrobiła fasolkę po bretońsku...

– Z puszki – uzupełnił odruchowo i oboje się roześmieli. – Słuchaj, Mirka. Do dzisiejszego popołudnia dałbym sobie głowę uciąć, że ci na mnie zależy. Bo mnie na tobie zależy jak cholera. Jeżeli się pomyliłem i ty mnie cały czas traktujesz tylko jak kolegę, to trudno, jestem idiotą, megalomanem, debilem, co tylko chcesz. Ale jeśli miałem rację, to nie pozwólmy, żeby jeden głupi błąd nam wszystko popsuł. Mirka, wszyscy się mylą. Ty też możesz się kiedyś pomylić. I co, pozwolisz, żeby się wszystko przez to zawaliło?

Znowu zagapiła się na czerwieniejące niebo.

– Takie słońce czerwone o zachodzie to podobno na wiatr. Dziadek Antoni mówił.

– Mirka...

– Co proponujesz?

– Zróbmy przyjaciołom przysługę. Niech się cieszą. Mirka, ja też się będę cieszył jak głupi. Przysięgam, że nie zrobię niczego, czego ty sama nie będziesz chciała. Ale chciałbym być jak najbliżej ciebie.

Chwila ciszy, która nastąpiła, omal go nie przyprawiła o zawał w młodym wieku.

– Ostatecznie... Ostatecznie mogłabym się zgodzić – powiedziała powoli. – Pod jednym warunkiem...

– Powiedz!

– Że przeniesiesz się do naszego pokoju, a Gonia przejdzie do waszego. Z naszego balkonu jest lepszy widok.

⁂

– Ojciec, nie napiłbyś się z synkiem?

– Jakiś kryzysik?

– Można tak powiedzieć. Potrzebuję porozmawiać. Tam, gdzie zawsze?

– O ósmej.

Cypek odłożył słuchawkę. Anicie się powie, że... nieważne. Coś się powie. Coś się wymyśli.

– Cześć, stary – demonstracyjnie kładąc nacisk na słowo „stary", powiedział ojciec kilka godzin później, kiedy Cypek osunął się na krzesło w restauracji służącej im jako pokój zwierzeń.

– To ja powinienem powiedzieć „cześć, stary". – Cypek westchnął, aż ziemia jęknęła. – Zwróć, proszę, uwagę na ten drobiazg.

– Absolutnie nie masz racji, stary. Przejrzyj się. Możemy obaj się przejrzeć w tym dużym lustrze w holu, stary. Chcesz, to stanę koło ciebie, stary. Zobaczymy wtedy, kto tu jest stary, a kto nie. I jeszcze długo nie.

– Ojciec, proszę. Nie znęcaj się nad synkiem.

– Dobrze, nie będę się znęcał. Opowiadaj. Golonkę i wódeczkę już zamówiłem. Kawa na początek. Patrz, pani już niesie. W porę przyszedłeś, bo piłbyś zimną. Bardzo pani dziękujemy.

Kelnerka uśmiechnęła się do szarmanckiego starszego pana. Wolałaby, żeby to młodszy okazał tę szarmanterię, ale młodszy nie wyglądał za dobrze. Przyda mu się ta kawa.

– A jakbym nie chciał golonki?

– Nie żartuj. Musisz się posilić. Ostatnio wyglądasz jak śmierć. Albo jakbyś zaczął jakąś dietę. Diety są szkodliwe. Możesz popytać moje pacjentki. Solidna porcja protein postawi cię na nogi. Opowiadaj. Kolejna próba wam nie wyszła. Nie przejmujcie się. Któraś wyjdzie.

– Anita zrezygnowała z prób.

– Jak to? – Pan Grabiszyński senior wyprostował się na krześle i stracił wygląd rozleniwionego kota. – Czy to rozsądne? Cztery próby to tyle co nic. A w każdym razie niewiele. Anitka nie wytrzymała psychicznie? Zrezygnowała z dziecka?

– Rzecz w tym, że z dziecka nie zrezygnowała. Wynajęliśmy dziewczynę... no, surogatkę.

– Chryste Panie! Czy wyście poszaleli?

– Ja na pewno. Zgadzając się na to. Anita uważa, że to bardzo dobry pomysł i jedyne wyjście, żeby nie mordować więcej dzieci.

– Jakich dzieci nie mordować, Cypek! Opanuj się!

– Anita stwierdziła, że jak weźmiemy młodą, zdrową dziewczynę, to nie trzeba będzie mrozić zarodków, czyli mordować dzieci.

– Nie bredź, to nie jest żadne mordowanie. To zarodki, nie dzieci. Parę komórek na krzyż.

– Anita uważa, że dzieci. Ktoś ją przekonał, rozumiesz. A takiej młodej zdrowej można wszczepić dwa zarodki i któryś się przyjmie. To znaczy będzie miał większą szansę niż u niej, u Anity.

– Nie ma na to żadnej gwarancji, mój drogi. Młodej zdrowej tak samo może się nie przyjąć jak Anicie!

– Ale się przyjęło.

– Cypek, nie mów mi, że zrobiliście to!

– Zrobiliśmy. Dziewczyna jest w trzecim miesiącu. Już nam niczego nie wyperswadujesz, jeśli o to chodzi, tato.

– O Boże. Miałem nadzieję, że jednak wyperswaduję. No, w tym układzie to rzeczywiście już po herbacie. Co to za dziewczyna, znaliście ją wcześniej?

Cypek opowiedział ojcu całą historię od początku do końca – od podjęcia decyzji, de facto przez Anitę, do nieszczęsnej kontroli przeprowadzonej w domu u Mirandy.

– Jak ona się nazywa? Miranda? Dziwnie imię, ale ładne. W jakiejś książeczce dla dzieci był rajski ptak, Miranda. Już wiem, w „Doktorze Dolittle", tylko nie pamiętam w którym. Chyba w „Podróżach". A może i nie. Czytywałem ci to, kiedy byłeś mały. O mój Boże. Miranda. Młoda dziewczyna. Studentka?

– Tak. Eliza Trumbiak ją poleciła. Kojarzysz Elizę.

– Kojarzę, chociaż bez przyjemności. Jakaś ona jest taka... no, nie wiem jaka, ale mi się nie podoba. Nie lubię, kiedy ktoś na mnie patrzy spode łba. Może ją krzywdzę...

– Może ją krzywdzisz, tato, niemniej ja jej też nie lubię. A ta Miranda wydaje się fajną dziewczyną. Taka bardzo pozbierana. Chyba ją mocno przycisnęło, że zdecydowała się tak zarabiać.

– A, zarabiać. À propos: ile was to kosztowało?

– Lepiej nie mówić, tato. W sumie prawie sto dwadzieścia.

Pani kelnerka przyniosła w tym momencie wielkie porcje golonki z kapustą i pan Bożysław miał chwilę na oddech i przyzwyczajenie się do kwoty wymienionej przez syna.

– Zjedzmy, bo wystygnie.

Racjonalnie nastawiony do życia lekarz uważał, że skoro i tak nic już nie można zrobić w kwestii zasadniczej, to przynajmniej nie należy dać się zmarnować dobrej golonce. Chwilę przerwy w konwersacji zużytkował na przemyślenie wszystkiego, czego dowiedział się od Cypka nie tylko w aspekcie faktów, ale również imponderabiliów. Cypek nie przemilczał bowiem zachowania Anity, jej przedziwnego stanu psychicznego, niezwykłych reakcji, nietypowych pomysłów. Również pewnego dystansu, który pojawił się między nimi, zupełnie jakby Anita sama zaczęła przeżywać ciążę i uznała to za najważniejsze w życiu. Tak ważne, że mąż przestał się chwilowo liczyć. O ile naprawdę tylko chwilowo.

– A ty? – spytał ojciec, zgarniając z talerza resztę kapustki i ostatni kęs skóry od golonki, zostawiony na deser.

– Co ja? – Syn również odstawił talerz.

– Nie zjadłeś połowy.

– Nie mogę już. Co ja?

– No, powiedziałeś mi, co Anita. A teraz powiedz mi, co ty.

Cypek, nic nie rzekłszy, podniósł kieliszek. Panowie wypili, nie bawiąc się w toasty. Zapadło milczenie. Ojciec nalał kolejny kieliszek. Wypili również.

– Ja ci może spróbuję podpowiedzieć, a jeśli nie będę miał racji, to mnie skoryguj, dobrze?

Cypek ponuro skinął głową.

– Anita cię męczy. Nie dziwię się. Z tego, co opowiadasz, świętego by wykończyła. A tamta dziewczyna jest piękna, młodsza, nie jest wykończona nerwowo. I nosi twoje dziecko.

– Jeszcze po jednym, dobrze?

– Proszę uprzejmie.

Wypili kolejne dwie pięćdziesiątki.

– Trafiłem?

Cypek ponownie pokiwał głową z miną męczennika.

– Trafiłeś.

– I co zamierzasz z tym zrobić?

– Nie wiem, tato. To znaczy wiem, że nie powinienem zrobić nic. Kompletnie nic nie powinienem zrobić. W ogóle nie powinienem myśleć o tej całej Mirandzie. A myślę o niej bez przerwy. Jeszcze łyczka?

– Nalej. Twoje zdrowie. Będzie ci potrzebne.

– Dzięki. Wiesz, czego się najbardziej boję?

– No?

– Że nawet kiedy Mirka... na nią się mówi Mirka... No więc kiedy Mirka urodzi to dziecko i Anita będzie je wreszcie miała, to jej kompletnie odbije i już w ogóle przestanę się dla niej liczyć. Jako mąż, jako mężczyzna, jako ktokolwiek. Będzie już tylko matką, w dodatku zwariowaną na tle dzieciaka.

Ojciec nie odpowiedział, bo musiałby odpowiedzieć, że jest to nader prawdopodobne, sądząc z tego, co się działo do tej pory.

– Przyroda zna takie przypadki – ciągnął syn. – Poczytałem sobie trochę na ten temat w internecie. Tam się zwierzają ci wszyscy ojcowie i mężowie, którzy przestali istnieć dla swoich żon po tym, jak im się dzieci urodziły. A wiesz, że Idzikowski kiedyś mnie w żartach spytał, czy jestem pewien, że Anita nie jest modliszką. Obaj żeśmy się z tego uśmiali. Cha, cha.

– Nie wygłupiaj się, jaką modliszką. Cholera. Naprawdę masz takie wrażenie? Że dla niej tylko dziecko się liczy?

– Boję się tego.

– Boisz się. I myślisz o pięknej Mirandzie, rajskim ptaku. Cypek, po co ty się chciałeś ze mną spotkać, żebym cię za rączkę potrzymał i powiedział: „rób, synku, jak ci serce dyktuje"?

Cypek zmilczał i nalał finlandii do kieliszków. W zastraszającym tempie traciła właściwą temperaturę. Panowie przechylili. Ten moment wystarczył doktorowi Grabiszyńskiemu do błyskawicznej rewizji poglądów.

– Wiesz co, synu... przepraszam cię. Jestem starym osłem. Powinienem docenić to, że chciałeś się zwierzyć ojcu, a nie któremuś z kolegów. Ale w tej twojej sprawie nie mam pomysłu. Ty się jakoś zaangażowałeś w tę Mirandę, naprawdę?

– Nie wiem.

– Jak nie wiesz, to znaczy, że jeszcze nie. Słuchaj, ja ci kazań prawił nie będę, ale sam wiesz. Anita jest twoją żoną, a dziecko będzie twoje i Anity, a nie twoje i Mirandy. Anicie, jak przypuszczam, nie jest lekko. Dobrze by było, gdybyś nadal został przyzwoitym facetem.

Cypek westchnął rozdzierająco.

– Wiem, kur...

– Nie mów tego! Słuchaj, synu. Powiem ci coś, czego nie zamierzałem mówić ci nigdy. Nie wyobrażasz sobie, jak blisko bywałem kilka razy rzucenia wszystkiego w diabły. Domu, Kaliny, ciebie, wybacz mi... sztucznych cycków, liftingów, wszystkiego. Jakoś się udało, że nie rzuciłem. Ale mało brakowało...

– Matka ci dokładała?

– Dokładała i dokłada. Przecież ja cały czas drżę, że ona w końcu nie zapanuje nad swoim cholernym sercem i dostanie takiego zawału, z którego nikt jej nie wyprowadzi. A ona za pomocą tego serca terroryzuje mnie całe życie. Robi ze mną, co chce.

– I czemu nas nie rzuciłeś?

– Chyba z przyzwoitości. No i kochałem was. Ciebie bezwzględnie, bo jesteś moim dzieckiem, nie wiem, czy pamiętasz ten drobiazg. Nadal cię kocham. Twoją matkę w sumie też...

– Miałeś romanse na boku?

Ojciec spojrzał na niego z zastanowieniem i skinął głową.

– Tak. Ale to nie jest dobre wyjście. Zawsze robisz komuś krzywdę, cudów nie ma. Ja robiłem krzywdę tym na boku.

– O kurczę. TYM NA BOKU. Dużo ich było?

– Dwie. Takie na poważnie.

– O mać. To na niepoważnie było więcej?

– Cypek, to nie twoja sprawa. Opowiadam ci to wszystko, bo chcę ci coś ważnego przekazać. Jak to sobie wyobrażasz, że zabierasz Anicie dziecko i odchodzisz z Mirandą? Czy oddajesz jej dziecko i zostawiasz ją z nim samą? Rujnujesz wszystko, do czego doszliście?

– Ojciec, jeżeli mi powiesz, że powinnością mężczyzny...

– Nic ci nie powiem. Masz jakąś tam inteligencję, w sumie nie najgorszej jakości, bo po mnie...

– I po mamusi, nie zapominaj!

– Nie zapominam. Mamusia też inteligentna, z głupią bym się nie żenił.

– Czemu byś się nie żenił z głupią, tato?

– Bobym z nudów umarł. Nalej, synu.

– Wódeczka nam się skończyła, ojcze.

– To zamów drugą. Musimy wypić zdrowie naszych pań.

– Wszystkich trzech.

– Pięciu. I twojego dziecka. Kelner! Połóweczkę finlandii prosimy!

– Kurczę, mówię ci, Mirka, jak ja go kocham!

– A on ciebie?

– Tak samo. Mirka, mówię ci, zwariowałam. Ja już nic nie chcę, tylko Światka...

– Jakiego świadka? Na ślub?

– Światka! Światopełka Marca chcę! Dużego! No, mówię, zwariowałam. A jak wam idzie ze Stasinkiem?

– Mniej więcej tak samo.

– Mówię ci, Mirka, my jesteśmy szczęściary. My jesteśmy szczęściary. Ty jesteś szczęściara i ja jestem szczęściara.

– I z tego szczęścia nie możesz nic więcej wymyślić...

– Nie mogę i nie chcę. Wisi mi. Uważam, że skończyłyśmy szarwark i jest ślicznie. Kiedy te twoje wrócą?

– Nie przed wieczorem. Wirginia w ogóle jutro. Eliza miała iść do teatru.

– Chodź, zrobimy sobie kawy. Posiedzimy i pogadamy na spokojnie.

– I będziesz mi przez godzinę mówiła, że kochasz Dużego.

– No!

Mirka i Gonia skończyły generalne tygodniowe porządki w mieszkaniu na Krzywoustego. Od jakiegoś czasu Gonia wpadała pomóc przyjaciółce. Kobietom w ciąży należy pomagać – stwierdziła. Stasinek też przychodził pomagać, ale zazwyczaj kończyło się to pospiesznym zwijaniem szczotek i ścierek – i miękkim lądowaniem w służbówce, za zamkniętymi drzwiami. Jeśli robota miała być naprawdę wykonana, w grę jako pomocnica wchodziła tylko Gonia. Miała tę dodatkową zaletę, że można z nią było porozmawiać na niezwykle ważny temat – jak to one obie szaleńczo kochają swoich chłopaków, jak im razem dobrze i jaka piękna jest przyszłość, kiedy ma się takiego właśnie chłopaka, a nie żadnego innego. I dlaczego. Żaden facet takich rozmów prowadzonych godzinami by nie wytrzymał. Kobiety owszem. Zwłaszcza te dwie ciężko zakochane studentki. Przepadały za tym.

Dwadzieścia lat to piękny wiek. Dwadzieścia jeden w zasadzie też.

Cypek wrócił do domu ze spotkania z inwestorem, który właśnie dorobił się pierwszych w życiu poważnych pieniędzy i zamierzał sobie wybudować stosowny do nowej pozycji społecznej i jeszcze nowszego herbu oraz drzewa genealogicznego pałacyk rodowy. Ku uciesze Cypka, miłośnika architektury osiemnasto- i dziewiętnastowiecznej, inwestor życzył sobie mieć coś w rodzaju pałacu Ludwika Bawarskiego vel disneyowskiej Królewny Śnieżki. Przyszły projektant już widział oczyma duszy, jak główna wieżyca budowli śmiało przecina niebo nad górnym Bezrzeczem, tam bowiem znajdowała się działka potentata.

Żarty żartami, ale jakoś trzeba było inwestorowi wyperswadować chociaż część pomysłów, inaczej mogłoby się skończyć na tym, że firma projektowa „Mata chatę" na wieki stałaby się pośmiewiskiem koleżanek i kolegów z branży. Negocjacje szły raczej słabo, dopóki Cypek nie wpadł na genialny pomysł i nie przekonał biznesmena, żeby staroświecki pałacyk stworzyć w sznycie supernowoczesnym, będącym absolutnym hitem na zachodzie Europy oraz w Kalifornii. Dlaczego dodał tę Kalifornię, Cypek nie wiedział, nie wiedział też, jak sobie poradzi z zaprojektowaniem tej nowoczesnej idei bawarskiego cacka, najważniejsze jednak, że argument poskutkował. Inwestor zapalił się do idei i obiecał nie szczędzić grosza. Zanosiło się na bardzo przyjemną, intratną i kompletnie nietypową robótkę.

Cypek zostawił kurtkę w przedpokoju na dole i już wchodząc po schodach do mieszkania poczuł boskie zapachy, których od dawna w tym domu nie było. Nawet nie próbował kombinować, o co chodzi, od wielu miesięcy bowiem własna żona stanowiła dla niego zagadkę nie do rozwiązania.

W pokoju jadalnym na stole stały świece oraz paradne nakrycia na dwie osoby.

– Zrobiłam porządną kolację – zawiadomiła go Anita, również jakaś piękniejsza niż ostatnio, starannie umalowana i w seksownej sukience, którą lubił z powodu głębokiego dekoltu odsłaniającego sporą część reprezentacyjnego biustu. – Mam nadzieję, że jesteś głodny. Ty nie byłeś z nim na obiedzie, prawda?

– Nie, wypiliśmy tylko wiadro kawy. Nawet mnie zdenerwował, bo już porządnie zgłodniałem, a on słyszeć nie chciał o żarciu. Samemu mi nie wypadało. Mógłbym zjeść konia z kopytami. Grzybki czuję. I mięsko. Bardzo ładnie pachnie.

– Zrobiłam staroświeckie zraziki zawijane, w sosie grzybowym i z buraczkami. Według przepisu babci Dobrochny. Do tego kluski półfrancuskie. Możemy zaraz siadać.

– Tylko umyję ręce. Już możesz dawać te cuda. Ja błyskiem...

Po chwili siedział już nad talerzem i skrótowo zdawał sprawę z biznes-kawy. Naprawdę było się czym cieszyć i Anita okazała stosowne zadowolenie. Cypek też okazał zadowolenie, bo zraziki i cała reszta były trzygwiazdkowe w skali Michelina. Cały czas jednak zastanawiał się, co też mu koleżanka małżonka zaserwuje po deserze.

Na deser dostał sorbet malinowy ze śmietaną.

Przy kawie nie wytrzymał.

– Kochana, to była kolacja stulecia. Takie zraziki robi faktycznie tylko moja babcia. A sorbetów nawet babcia nie dawała...

– Bo nie miała blendera...

– Anitka, nie kręć. Z jakiej okazji ten bankiet? Coś się stało?

– Chciałam cię przeprosić.

Siedziała po drugiej stronie stołu, świece oświetlały przyjaznym blaskiem jej twarz, a ona się uśmiechała. Swojego czasu poleciał głównie na ten uśmiech... i na ten biust, nie ukrywajmy. I na charakter. Poczucie humoru. No, z tym to ostatnio było wręcz tragicznie.

– Za co? – Spytał o to, chociaż sam mógłby wyliczyć całą listę powodów.

– Sam wiesz. Byłam nie do wytrzymania. Na twoim miejscu zastrzeliłabym babsko bez skrupułów. Należało mi się. Ale ostatnio różne rzeczy do mnie dotarły.

– Same z siebie? – Trochę niedowierzania było w tym pytaniu.

– Wbrew pozorom nie oduczyłam się myśleć. I doszłam do wniosku, że jeśli dalej tak będzie, to wychowam dziecko na jakiegoś kompletnie odjechanego nerwicowca, a ty się ze mną rozwiedziesz. O ile mnie wcześniej nie zabijesz.

Cypek zastanowił się przez chwilkę, czy też ona zauważyła, że Miranda wpadła mu w oko. Piękna, spokojna Miranda.

– Wiesz, Cypek, widziałam, jak patrzyłeś na tę dziewczynę...

Cholera jasna.

– Ja przy niej musiałam ci się wydawać kompletną wariatką. No więc teraz chcę ci udowodnić, że nie jestem wariatką, mimo wszystko. Nie mówię tego, bo mi na przykład Eliza coś zasugerowała. Albo ktoś inny. Zmobilizowałam siły umysłowe, jeśli można to tak określić. Owszem, kotłowało mi się w głowie strasznie, ale zrobiłam w niej porządek.

Zmrużyła oczy jak dawniej, nieco po szelmowsku.

– Co nie znaczy, że codziennie będziesz dostawał zraziki zawijane z pysznościami. Ale postaram się, żeby było dobrze. Normalnie. Nie dziękuj mi, nie gratuluj. Wiem, że jestem dzielna.

W końcu go rozśmieszyła. Boże, jak cudownie jest znowu śmiać się we własnym domu!

– Musimy porozmawiać jeszcze o jednym – powiedział, gdy się wreszcie oboje wyśmiali, a był to w gruncie rzeczy śmiech ulgi. – Kiedy się ujawnimy i w jakim zakresie?

– Myślałam o tym. Wiesz, Cypek, ja nie jestem za chachmęceniem.

Skinął głową. On też nie był za chachmęceniem, a w ostatnich latach nachachmęcili za całe życie. Ta nieszczęsna konspiracja, to jeżdżenie do Białegostoku... po nic.

– No to co, ogłaszamy komunikat? Nagadają się, zanim dziecko się urodzi.

– Cypek... ty już komuś powiedziałeś?

– Tylko ojcu.

Anita skrzywiła się leciutko.

– Mogłam się tego spodziewać. Rodzinna solidarność panów Grabiszyńskich. Ale tato jest w porządku. Nie rozchlapie. Bo widzisz, Cypciu, ja bym cię prosiła, żeby, mimo wszystko, jeszcze poczekać. Komunikat wydamy, jak będziemy mieli dziecko całe i zdrowe w domu. Wtedy nie będą mieli specjalnie czasu na gadanie. A tak... sam wiesz, zatrują nam cały ten czas, jaki nam jeszcze został. Postawimy ich przed faktem dokonanym. Ale wtedy rzeczywiście powiemy i rodzinie, i znajomym. Żeby nie było głupich komentarzy. Cypek, proszę. Wiesz, że mam rację.

Nie był tego pewien. Wiedział jednak, że ulegnie. Jak zawsze. Jak ojciec matce.

– Mów mi „kapeć". Niech będzie, jak chcesz.

~

Eliza Trumbiak siedziała w swoim gabinecie na wydziale polonistyki i obmyślała strategię działania agencji „Nasze dziecko". W zasadzie powinna robić coś zupełnie innego, przed gabinetem kłębił się tłum studentów, którzy przyszli po zaliczenie. Ona jednak nie dojrzała na razie do studentów. Może po kawce. No. A co się tyczy agencji, to na początek potrzebny będzie informatyk, który zrobi stronę i nauczy ją, Elizę, jak się ją obsługuje. Skąd wziąć informatyka? Miranda udziela się w tej kretyńskiej telewizji studenckiej, tam jakiś informatyk musi być.

Zalała kawę. Boże. Jest idiotką. Informatyk student rozpaple na wszystkie uczelnie Szczecina, że pani doktor Trumbiak założyła sobie agencję pośrednictwa dla lewych mamusiek.

Ciekawe, kiedy Anita zamierza wydać komunikat? Na razie jakoś się na to nie zanosi. Może by jej tak pomóc w podjęciu decyzji? Niechcący powiedzieć tatusiowi, albo lepiej mamusi, zadzwonić pod byle jakim pretekstem?

Albo przydusić Mirandę. Eliza dawno już nie dawała niczego na forum uniwersytetu. „Studentka drugiego roku polonistyki wynajęła brzuch na ciążę. Zgadnijcie, która? Czas na zgadywanie macie krótki, już niedługo będzie widać!". No, ślicznie by było po prostu, gdyby studenci innych lat i wydziałów zaczęli oglądać brzuchy drugorocznym polonistkom...

Niestety, istniało duże prawdopodobieństwo, że głupia Miranda domyśli się, kto puścił taką zatrutą strzałę, a wtedy może nie zechcieć zasilić szeregów potencjalnych matek zastępczych pracujących dla agencji „Nasze dziecko". Trzeba jej dać spokój. Niech rodzi na zdrowie.

No to chociaż mały telefonik do Anity.

– Cześć, Anitka. Co u ciebie? Jak się czujesz?

– O, cześć, Elizka. Dobrze, a jak mam się czuć? Co u ciebie?

– Studenci, jak zwykle. Dzisiaj zaliczam. Musiałam odreagować i dlatego dzwonię do ciebie. Ta twoja Mirka wcale nie chce ze mną rozmawiać i nie wiem, jak tam wasze dziecko?

– Coś ty, czemu nie chce rozmawiać? Poza tym to przecież twoja Mirka, nie moja. Dziecko chyba w porządku. Badania kontrolne były okay. Te rutynowe, wiesz, co miesiąc. Czemu pytasz?

– Mówię, z ciekawości. À propos ciekawości, wiecie już, czy chłopiec czy dziewczynka?

– Nie chcemy wiedzieć. Co będzie, to będzie.

– Nie żartuj. A jakieś badania... tego, wiesz, prenatalne... nic nie robicie? A jak się dzieciak urodzi z downem? Ty wiesz, że ona ma brata downa?

– Jezus, Maria, nie wiedziałam! Eliza, czemu mi nie powiedziałaś? No, nie, straszysz mnie! Przecież to nie ma znaczenia! To dziecko nie będzie miało ani jednej komórki Mirandy, rozumiesz? Ani jednej! Ona je tylko nosi!

– Taaak? A, to świetnie. Ja bym umierała ze strachu, dobrze, że ty jesteś mało nerwowa. Oczywiście, masz rację. Nie pomyślałam o tym. Ale ja jestem tylko polonistką, i to od wieków średnich, a ty na pewno wszystkiego się wywiedziałaś przed podjęciem decyzji. No to kamień mi z serca spadł. Słuchaj, muszę kończyć, moi studenci zaraz wywalą drzwi, tak im pilno do nauki. Nie poszłabyś jutro na skleping jakiś malutki? Potrzebuję tego i owego, a i tobie się na pewno przyda.

– Co się przyda?

– To i owo. Wpadniesz po mnie koło czwartej?

– Mogę wpaść.

– Już naprawdę muszę kończyć. Pa, kochana. Czekam jutro.

„Listopadowy mrok jak kat nad śpiącym miastem groźnie stanął”*... dalej było o esesmanach i egzekucji, ale sam początek tego wiersza Miranda bardzo lubiła. Listopadowy mrok jak kat. Śpiące miasto. Miał gostek siłę obrazowania.

Listopada jako takiego nie lubiła. Listopad zawsze budził w niej melancholię. „O, melancholio, nimfo, skąd ty rodem”? Słowacki. Otóż zdaniem Mirandy melancholia musiała być w prostej linii córką listopada. „Listopad, dla Polaków niebezpieczna pora”. Wyspiański. Dlaczego tylko dla Polaków? Listopad wykończy każdego, jak się uprze. Niezależnie od nacji.

Generalnie wszystko było w porządku. Dziecko rosło i nie robiło żadnych niepożądanych sztuk. Samopoczucie Miranda miała dobre. Nie rzucała śniadań, żeby biec do łazienki, nie miewała żadnych sensacji. Psychicznie Stasinek trzymał ją przy życiu. Niestety, listopad rozłożył Stasinka grypowo, i to od razu z komplikacją w postaci wściekłego zapalenia oskrzeli. Miranda nie mogła go nawet odwiedzić i posiedzieć przy nim z obawy o własne zdrowie, które akurat chwilowo nie należało do niej.

Listopadowa melancholia – nie żadna depresja, nie, prosta melancholia – zaczęła prząść swój szary welon wokół jej czoła. Że się tak romantycznie wyrazimy.

Niespodziewanie zadzwonił Sasza Winogradow. Miranda zdumiała się bardzo i ucieszyła jeszcze bardziej.

---

* Władysław Broniewski: „Pięćdziesięciu”

– Sasza, kochany, a myśmy z Gonią myślały, że już o nas w ogóle nie pamiętasz, nie kochasz nas i generalnie masz nas w odwłoku!

– Mirando, jak możesz! W odwłoku! Co za pomysły. A wy mnie jeszcze trochę kochacie platonicznie?

– Kochamy cię platonicznie jak wariatki. Chodź z nami na makaron.

– A może na suszi?

– Wykluczone. Na suszi chodzimy z naszymi chłopakami, jak już musimy. My nie znosimy japońszczyzny. Ani chińszczyzny. Nic z tych rzeczy. Chodź na makaron!

– Dobrze. Mogę wam nawet postawić.

Dwie godziny później dwie popiskujące z radości platoniczne wielbicielki oraz ich idol siedzieli we włoskiej knajpce nad zwałami makaronów tonących w apetycznych sosach.

– No więc mówicie, że macie chłopaków? Bardzo się cieszę.

– Możesz tej czarnej piękności powiedzieć, że z nami jesteś bezpieczny – nie wytrzymała Gonia i obie zachichotały. Sasza skrzywił się nieco żałośnie.

– Nie jesteście w kursie dzieła* – powiedział, przewracając oczami. – Nie ma już czarnej piękności. Rozumiem, że mówicie o Hance. Hanka skończyła się jakiś czas temu, ale ona była niechcący i troszkę... wbrew mojej woli. Tak naprawdę to była pewna Maria... Mareszka... ach, co ja wam będę opowiadał, moje drogie. Przeżyłem kolejny zawód.

– Mareszka cię nie chciała? – roześmiała się Miranda. Sasza nie wyglądał, jakby miał popełnić samobójstwo z miłości. – Powiedziała ci: Sasza, jesteś dla mnie kimś bardzo ważnym, zawsze będę twoją przyjaciółką?

– Jakbyś przy tym była. No i została moją przyjaciółką, a co do miłości, wolała mojego najlepszego kumpla.

---

* Kto chciałby być w kursie dzieła, musiałby sięgnąć po „Gosposię do wszystkiego”, gdzie opisałam życie uczuciowe Saszy Winogradowa nieco dokładniej.

– A to drań! – oburzyła się Gonia całkiem poważnie. Sasza machnął ręką.

– Jaki tam drań, żaden drań. Paweł jest w porządku. Każdemu wolno kochać Mareszkę. A że wybrała jego... może woli przystojnych blondynów.

– Przecież jesteś przystojnym blondynem – zauważyła nie bez racji Miranda.

– Ale on jest wyższy – westchnął Sasza. – Niemniej dziękuję ci. Najważniejsze, że Mareszka tłumaczy mi teksty. Mam taką ideę, żeby śpiewać tylko trochę po rosyjsku, a więcej po polsku, tylko żeby było przełożone, a nie napisane od nowa. Rozumiecie mnie, polonistki. Mareszka też jest polonistką, tylko starszą od was. Nie mówmy już o mnie, mówmy o was. Czy dobrze się domyślam, że wasi chłopcy to ci z telewizji studenckiej, która mnie kiedyś używała do kolędowania? Nie mówcie mi, zgadnę. Staszek kocha Mirandę, a ten duży z maślanymi oczkami jest twój, Goniu. Tak?

– Tak – odpowiedziały jednocześnie. Sasza pokiwał głową.

– I wy ich też kochacie. Nie macie pojęcia, jak to po was widać. Szczęśliwa młodość! Mirando, kiedyś byłaś taka szczuplutka, a teraz jakby się poprawiłaś...

– Ty masz oko! Jestem w ciąży.

– Gratuluję – uśmiechnął się Sasza, pomyślawszy jednocześnie, że trochę za wcześnie się dziewczyna zdecydowała. Strasznie młodzi są oboje, i ona, i ten filozof z bożej łaski. Stasinek na niego mówili, zdrabniacze jedni. Egoistyczny osioł. Powinien uważać i dać dziewczynie jeszcze pożyć na swobodzie. Trudno jej będzie godzić studia i bycie matką.

Coś z tych przemyśleń chyba odbiło się w jego twarzy, bo Miranda powiedziała:

– To nie moje.

I wyjaśniła mu wszystko.

Dobrze, że zdążył zjeść swoje farfalle w sosie borowikowym, boby mu się zmarnowały – pomyślała chwilę potem.

Sasza był wstrząśnięty. Czemu wszystkimi tak wstrząsa wiadomość, że ona nosi nie swoje dziecko? W dwudziestym pierwszym wieku?

Kilka miesięcy później Sasza utrzymywał, że miał w tym momencie wizję. Wizja była nieokreślona, ale ponura. Sprawiła, że ujął Mirandę za rękę (z widelcem, notabene) i rzekł jak najpoważniej:

– Mirando, przyjaciółko, pamiętaj, że zawsze możesz na mnie liczyć. Zawsze jestem do twojej dyspozycji. Wystarczy, że mnie zawołasz, a zerwę się z łóżka w środku nocy, rzucę jubileuszowy obiad, przerwę koncert i przylecę.

– Sasza, wzruszasz mnie, naprawdę. – Miranda wyswobodziła dłoń i odłożyła widelec. – Trochę mnie przestraszyłeś. Przewidujesz jakieś nieszczęście?

– Oczywiście, że nie. Sytuacja jednak jest niezwykła. Odczułem potrzebę wygłoszenia deklaracji.

– Wariat! – Miranda roześmiała się z ulgą. – Deklaracji mu się zachciało!

– Kochany jesteś! – Gonia uniosła się z krzesła, przechyliła i pocałowała Saszę w policzek. – Sto lat nie słyszałyśmy, jak śpiewasz. Masz jakiś koncert w najbliższym czasie?

Państwo Pindelakowie kupowali ozdoby choinkowe i zastanawiali się nad własną rodziną. Anita jakoś dziwnie zamilkła, przestało się rozmawiać o dziecku, o in vitro, kolejnych próbach, Białymstoku, profesorze Piątkowskim, w ogóle o wszystkim. Przy nieczęstych spotkaniach ukochana córeczka była jakaś nienaturalna. Ostatnio nawet spokojna, ale obydwa serca rodzicielskie czuły, że coś jest na rzeczy.

– Nie mówią nam czegoś – westchnął pan Marek, grzebiąc wśród stubarwnych łańcuchów. – Ten bym kupił. Chcę mieć w tym roku dużą choinkę, ten będzie w sam raz.

– Nie mówią nam niczego – sprostowała pani Lonia, przerzucając pudełka z gigantycznymi bombkami malowanymi w śnieżne pejzaże. – Te będą dobre. Wezmę cztery. Albo lepiej sześć. Znowu dajemy się zwariować.

Państwo Pindelakowie zawsze dawali się zwariować. Uwielbiali wszystkie tradycyjne święta. Pan Marek nie musiał deklarować, że w tym roku chce dużą choinkę. Zawsze chciał dużą i kupował za dużą, tak że musiał w domu używać piły i siekierki. Pani Lonia szalała z prezentami. Bardzo była kontenta ze wspólnych Wigilii u Grabiszyńskich, bo miała cztery dodatkowe osoby do obdarowywania. Defender wigilijny załadowany bywał paczuszkami niczym sanie Świętego Mikołaja. Podobnie wyglądały Wielkanoce, kiedy wszystkie drzewka w ogródku przy Jana Styki obwieszone były pisankami na wstążeczkach, a na grządkach ukrywały się nie marne jajeczka jak u Grabiszyńskich, tylko porządne paczki owinięte w papier drukowany w zajączki, kurczaczki i gałązki bazi. W Tłusty Czwartek pan Marek piekł góry chrustu, w czym pomagała mu córka lub żona albo obie razem, pieczenie chrustu jest bowiem, jak wiadomo, co najmniej dwuosobowe. Ojciec rodu pilnował więc garnka z wrzącym smalcem, a umączone pomocnice wycinały na stolnicy specjalnym radełkiem podłużne pasemka ciasta, robiły w nich przepisowe nacięcie i przewlekały przez nie jeden koniec faworka. Ciasto zrobione osobiście przez pana inżyniera stanowiło arcydzieło kruchości, a wałkowane było na cienki listek. Rodzina doskonale się przy tym bawiła i zjadała astronomiczne ilości ząbkowanych cudeniek.

Okazją do świętowania były też, oczywiście, wszystkie imieniny i urodziny, rocznice ślubu rodziców, mało brakowało, a również święta państwowe. Przypominano o nich sobie w ostatnim momencie i natychmiast rzucano się w wir radosnych przygotowań. Jeśli ktoś wyciągnął w tym momencie wniosek, że państwo Pindelakowie byli uroczymi ludźmi, to owszem, wniosek był słuszny.

Zrozumiałe więc, że rodzinnie zorientowane dusze państwa Loni i Marka cierpiały, pozbawione podstawowych informacji o dziecku. A właściwie o dzieciach, gdyż Stasinek też zrobił się jakiś tajemniczy. Wiedzieli, że ma jakąś dziewczynę, kilka razy mu się wyrwało coś na ten temat. Straszliwie chcieli ją poznać. A tu młodsze dziecko się zacięło i udawało głąba, kiedy rzucali w niego mało wyrafinowanymi aluzjami. Kiedy pytali go wprost, uciekał.

– Nic z tym nie zrobimy, Lonieczko. Przecież nie huknę na nich i nie zażądam prawdy, bo mnie wyśmieją. Są dorośli, oboje. Mają własne życie. Jak wiesz, każdy człowiek własne życie musi przeżyć sam. Sam. Ojciec i matka tylko przeszkadzają. Oni tak myślą. Młodzi.

– Przynajmniej nas kochają. – Pani Lonia lubiła myśleć pozytywnie. – Jak się któremu noga powinie, to i tak prędzej czy później przyjdą do nas trochę się powyżalać. Patrz!

Sąsiednią alejką, pośród zwałów czekolady i innych słodyczy szło czworo młodych ludzi. Dwie dziewczyny, Duży, którego państwo Pindelakowie doskonale znali jako starego przyjaciela syna, no i ich Stasinek. Śmiali się, gadali i byli śliczni. Wszyscy. Jak to młodzi.

– Idziemy do nich?

Pan Marek powstrzymał żonę, natychmiast gotową do czynu.

– Lonieczko, nie. Jeśli Stasinek nam do tej pory dziewczyny nie przyprowadził, to znaczy, że nie chciał. Nie będziemy im robić wiochy. Oni tak mówią. Ale sobie popatrzymy... Twoim zdaniem która to?

– Nie mam pojęcia. Obie ładne dziewczyny. Ta wyższa ładniejsza. Patrz, Marek, ona w ciąży jest, czy co?

– Nie znam się na tym. Może to sukienka jej robi?

– No, w tych tunikach wszystkie wyglądają jak w piątym miesiącu. Nie wiem, czy wytrzymam w domu, czy jednak Stasinka zagadnę... Patrz!

Zasadnicze pytanie znalazło w tej chwili odpowiedź, bo Duży przygarnął do siebie mniejszą dziewczynę i na moment schowali się za olbrzymim Mikołajem z tektury, całując się ewidentnie nie po koleżeńsku.

Pani Lonia zmarszczyła brew.

– No, to już na pewno go zagadnę. Ta większa...

Małżonek ujął ją delikatnie pod ramię.

– Lonieczko, proszę. Nie zagaduj go. To jego życie. I wcale nie wiemy, czy to jego dziewczyna, czy jakaś koleżanka z roku.

– Bo co, bo się nie całują po kątach?

– Chociażby. Poza tym ona wcale nie musi być w ciąży. Sukienka. Rozumiesz. Płaszczyk. A tak w ogóle to ona mi się podoba. Coś w sobie ma takiego... jakby troszkę w typie naszej Anitki, nie?

– Anita ładniejsza – powiedziała stanowczo lojalna matka, choć sama miała odrobinę wątpliwości. Dziewczyna była naprawdę śliczna. – No dobrze, niech będzie, że masz rację. Ale za to kupimy sobie tę szopkę do postawienia na parapecie, podoba mi się. I trochę dodatkowych światełek, powiesisz w ogrodzie.

⁂

Lipiec, sierpień, bla, bla, grudzień... druga połowa szóstego miesiąca, jednak widać.

Miranda oglądała własną sylwetkę w lustrzanych drzwiach wielkiej szafy stojącej w przedpokoju. Nie da rady zaszklić rodzicom, że przytyła albo coś w tym rodzaju.

Boże Narodzenie trzeba będzie spędzić samotnie. Wprawdzie Gonia zapraszała ją do domu rodziców, podobnie jak Duży, i oczywiście Stasinek, ale Miranda nie czuła się na siłach tłumaczyć obcym osobom, że jest w cudzej ciąży. Już zwłaszcza rodzice Stasinka nie wchodzili tu w grę. Może i szkoda, opowiadał o nich fajne rzeczy. Muszą być sympatyczni.

Trudno. Za coś te pięćdziesiąt kawałków zainkasowała.

Wirginia, a nawet Eliza wybierały się na całe święta do rodzinnych domów, pławić się w atmosferze, której wcale nie lubiły. Mieszkanie będzie do dyspozycji Mirandy.

Dzień przed Wigilią zrobiła małe zakupy, żeby jednak mieć coś w rodzaju świąt. Jakieś ryby w galarecie, wielkie pierogi z grzybami niesłusznie zwane w sklepie uszkami, barszczyk z kartonika. Niezawodny Stasinek przydźwigał choineczkę – małą, ale w donicy z ziemią, przez co ciężką jak nieszczęście. Ubrali ją razem; wystarczyły trzy kartoniki niewielkich bombek i parę metrów srebrnego łańcucha złożonego z malutkich gwiazdek.

Państwo Wiesiołkowie już od tygodnia wiedzieli, że trafiła jej się nadzwyczajna okazja wyjazdu do Hiszpanii z przyjaciółmi. Tę Hiszpanię wybrała, bo Stasinek był tam naprawdę i obiecał jej opowiedzieć to i owo, żeby mogła z kolei opowiedzieć rodzinie, jak to było świetnie. Potem będzie sesja, to znowu się wyłga... do domu będzie mogła pojechać wiosną i to wystarczy.

Nie lubiła kłamać, ale tu nie było wyjścia.

W Wigilię przed południem Stasinek siedział u niej, a potem musiał iść do domu, bo miał tam obowiązki. Zrozumiałe. Jednakowoż zrobiło jej się trochę smutno. W Wigilię naprawdę nie powinno się być samemu. Nawet jeśli Stasinek obiecał, że wieczorem jeszcze wpadnie. Za jakieś dwie godziny zrobi się ciemno, ludzie siądą do stołów, a ona będzie samiutka.

A może jednak nie do końca?

Położyła rękę na zaokrąglonym brzuchu. Ktoś tam siedzi. Mały, nieforemny, niekumaty, a przecież od dawna ma wszystko, co trzeba. Synek? Córeczka?

No tak, albo synek, albo córeczka, ale przecież nie jej!

O kurczę, czyżby to coś kopnęło?

– Ty, Ktosio... jesteś tam?

Nic. Może to było złudzenie. Nie, wyraźnie poczuła, że Ktosio się wierci.

– Nie krępuj się. Chcesz pokopać mamusię, to sobie pokop.

Nie mamusię. Nie mamusię.

Ktosio chyba poszło spać, w każdym razie straciło ochotę do harcowania. Miranda roześmiała się. To była całkiem przyjemna świadomość, że jednak nie jest sama.

A koło drugiej po południu zadzwonił Sasza.

– Cześć, moja piękna przyjaciółko. Jak tam święta? Kamień się ucieszył, kiedy cię zobaczył?

– Nijak. Nie pojechałam do Kamienia. Nie chcę wtajemniczać rodziców w moje sprawy, nie byliby zachwyceni. Wolę sobie posiedzieć u siebie. Współlokatorki zmyły się na trzy dni. A co u ciebie?

– Nic. Ja też jestem sam. Ale ja właściwie zawsze jestem sam, więc się przyzwyczaiłem. Poza tym nie jestem rzymskim katolikiem, więc właściwie nie mam problemu. U nas w Rosji Boże Narodzenie jest kiedy indziej. Chociaż prawosławny też nie jestem, tak ci to mówię, na wszelki wypadek.

– Agnostyk?

– Coś w tym rodzaju. Ale skoro jesteśmy samotni w dniu, kiedy wszyscy są z kimś, to może połączmy swoje samotności, co?

– Nooo, doskonały pomysł. Ty mieszkasz u kogoś, prawda? To przychodź do mnie. Jakąś wieczerzę z kartonika sobie zrobimy. Zaraz się zakrzątnę. Czekam.

– To nic na razie nie rób, ja przyniosę parę rzeczy do jedzenia. Skomponujemy coś razem. Choinkę masz?

– Mam. Przychodź, czekam.

No i kamień spadł jej z serca. Nie wiedziała, że był taki duży.

Sasza pojawił się po godzinie, obładowany paczuszkami, zahaczył bowiem po drodze o jakiś dogorywający kiermasz świąteczny i zrobił solidne zakupy. Bardziej niż całe to jedzenie ucieszył Mirandę widok czarnego futerału. Sasza przyniósł gitarę. Będzie grał tylko dla niej. Gonia skona z zazdrości!

Dwuosobowa wieczerza okazała się niezmiernie obfita i zupełnie smaczna, mimo swego nieprawego, znaczy garmażeryjnego, pochodzenia. Potem okazało się, że oboje mają dla siebie prezenty: Miranda podarowała Saszy tom wierszy Herberta, a Sasza Mirandzie wisiorek z bursztynem kupiony u jubilera, który właśnie zamykał sklep i wybierał się świętować.

Zanim jeszcze doszli do prezentów, makowca i sernika, zdążyli opowiedzieć sobie nawzajem życiorysy. A potem Miranda nalała

Saszy czerwonego wina, a on wyjął gitarę z futerału i zaczął śpiewać. Śpiewał ballady swojego ukochanego Bułata i ukochanego Wołodii, i stare rosyjskie pieśni o więźniach szukających wolności i żołnierzach, którzy wrócili do domu po dwudziestu latach służby. Miranda przypomniała sobie kilka polskich piosenek ulubionych przez ojca i na poczekaniu nauczyła Saszę śpiewać o wierzbie w polu, kalinie z liściem szerokim i rozmarynie, co miał się rozwijać.

A o wpół do dziewiątej zadzwonił dzwonek u drzwi i do towarzystwa dołączyli Gonia, Duży i Stasinek, którzy nie mogli znieść myśli, że przyjaciółka sama jak palec siedzi pod choinką i płacze. Ucieszyli się bardzo, widząc, że tak nie jest (Stasinka jakby zazdrość kolnęła w pierwszej chwili, musiał sobie dopiero uprzytomnić, jakim starcem zbliżającym się do czterdziestki jest Sasza), pomogli trochę zmniejszyć zapasy żywności i na jakiś czas przekształcili koncert ballad w radosne kolędowanie. Do ballad zresztą wrócili niedługo później. Koło drugiej w nocy wyszli, został tylko Sasza, któremu Miranda pościeliła na wygodnej kanapie w salonie.

Padł na nią i zachrapał w sposób zupełnie nielicujący z image'em romantycznego barda. Miranda stanęła przy oknie w kuchni i patrzyła, jak na szarą ulicę Krzywoustego zaczynają padać białe płatki śniegu.

Dziękuję – pomyślała. Nie wiem komu dziękuję, bo nie wiem, kto to sprawił. Pan Bóg czy może anioł stróż. Nie wiem nawet, czy oni istnieją, chociaż co roku świętuję narodzenie Bożego Syna. Ale dziękuję. Za przyjaciół, Za to, że przyszli, że śpiewali. Za tego chrapiącego Saszę. I za małego Ktosia, bo to jemu pierwszemu zawdzięczam, że przestałam być taka strasznie sama.

Swoją drogą ciekawe, chłopiec czy dziewczynka?

– Chłopak – powiedział doktor Jagliński podczas najbliższego badania. – Oczywiście, skoro rodzice nie chcą tego wiedzieć, to im nie powiemy, ale nie widzę powodu, dla którego nie miałbym powiedzieć pani. Pani Mirko, mam nadzieję, że tę wiadomość, podobnie jak całość przedsięwzięcia, traktuje pani wyłącznie zawodowo.

– Oczywiście, panie doktorze – odrzekła Miranda pewnym tonem, chociaż w rzeczywistości jakieś pół procentu ze stu procent tej pewności już straciła.

– No to się cieszę, tak właśnie powinno być – uśmiechnął się lekarz, starając się emanować profesjonalną obojętnością. Jednak ta cała Mirka wciąż przypominała mu córkę Kasię i w jego profesjonalnej obojętności też krył się pewien wyłom.

Dokończył badania, stwierdził z przyjemnością – nieudawaną – że młoda klientka jest zdrowa jak rybka, i wyznaczył termin kolejnej wizyty.

Kiedy wyszła, jakiś czas jeszcze patrzył na drzwi, które za sobą zamknęła. Cholera jasna, taka dziewczyna powinna sobie studiować spokojnie, a nie wynajmować się do rodzenia cudzych dzieci. Na własne przyjdzie jeszcze czas, na razie młoda jest. Niechby sobie skończyła te studia, znalazła jakiegoś stosownego absztyfikanta, wyszła za niego... i niechby żyli długo i szczęśliwie. Wtedy dziecko, owszem. Swoje własne. Przeżywanie ciąży, oczekiwanie... radosne, tak: radosne, do diabła, we dwoje. I żeby jej się ta miłość do dzieciaka swobodnie rozwijała, a nie tak jak teraz, kiedy hormony chcą czego innego, niż nakazuje rozum i – do jeszcze większego diabła – uczciwość handlowa! Cholerny świat! Taka dziewczyna powinna być szczęśliwa.

Wyobraził sobie przez chwilę Mirandę promieniejącą szczęściem. Bardzo przyjemna wizja. Tymczasem jest w niej coś, czego nie powinno być. Za dużo powagi? Troska? Obawa o coś? Smutek? Pewnie wszystko razem, skoro musi się chwytać takich sposobów, żeby zarobić na życie.

Doktor Jagliński nie dopuszczał do siebie myśli, że mogłaby to robić bez jakiegoś dużego musu, ot tak sobie.

Sentymentalny stary osioł – pomyślał. Ale przynajmniej zaopiekuje się nią najlepiej, jak potrafi. Może w ramach podziękowania losowi za to, że Kasia nigdy nie będzie musiała zrobić czegoś podobnego.

– Nie wiem, czy nie powinnam już zacząć zbierać wyprawki – powiedziała którejś soboty Anita Cypkowi.

– Czy nie powinniśmy – poprawił ją i gdzieś w tyle głowy nieprzyjemnie zamajaczył mu cień modliszki.

– No tak. To co o tym myślisz?

– Jeśli uważasz, że już pora... Tego w sumie jest dość sporo, prawda? – Cypek zajrzał kiedyś do jednej z książek o niemowlętach (Anita miała całą biblioteczkę) i teraz, kiedy o tym myślał, w głowie kłębiły mu się stosy ubranek, kosmetyków, buteleczek, kolorowej pościeli w misie i kaczuszki, kocyków, wózków głębokich i spacerowych, łóżeczek rosnących razem z dzieckiem, grzechotek, piłeczek, pampersów, fotelików do karmienia i samochodowych, trójkołowych rowerków.

A nie, rowerki to jednak później.

Wyglądało na to, że Anita ma słuszność. Trzeba pomyśleć o zakupach.

– Wiesz co? Faceci nie nadają się do takich rzeczy. Będziesz marudził w sklepach. Ja sobie spokojnie pochodzę z Elizą, kupię te wszystkie drobniejsze rzeczy na co dzień, a takie na przykład łóżeczko czy wózek wybierzemy z tobą. Co ty na to?

– Właściwie to masz rację – przyznał. – Chodziło mi o zasadę. A tak naprawdę nienawidzę łażenia po sklepach. Chętnie zwalę to na twoje wątłe barki.

– No widzisz. Od jutra zaczynam. Albo od dzisiaj. Zaraz zadzwonię do Elizki.

Godzinę później Cypek siedział sam w dużej kuchni, z dużym kubkiem kawy w ręce i rozmyślał. Dręczyło go pytanie, czy już powinien czuć się ojcem i jakoś się do tego dziecka przywiązywać, czy jeszcze nie pora. Na razie żadne więzy nie wchodziły w rachubę. Cypek w stosunku do swojego potomka nie czuł nic. Normalnie miałby tę ciążę w domu, Anita chodziłaby coraz grubsza, puszczałaby te wszystkie pawie – a on by ją tulił, chronił i pocieszał. Potem młody zacząłby kopać. Albo młoda zaczęłaby kopać. Coś by tam kopało, a oni razem by na to polowali. Anita wołałaby go w odpowiednich momentach i kładła sobie jego rękę na brzuchu, a on czułby, że tam ktoś jest. Ktoś mały, jeszcze nieforemny, zaspany, żeglujący w swoim małym kosmosie, zmieniający się z dnia na dzień i już noszący nazwisko Grabiszyński. Bronisław Grabiszyński. Anita uparła się ostatnio na Bronisława, chociaż żadnych Bronków w rodzinie nie było. To przez ten pierścionek. Ale nie szkodzi, jak się dobrze przyjrzeć, Bronisław to piękne, polskie imię. Skąd ona ma pewność, że to syn?

Może i syn.

Mam syna. Aktualnie kopie od środka zupełnie obcą panią, której zapłaciliśmy ciężkie pieniądze, żeby go urodziła. Albo i nie kopie.

Kopał.

Było to zjawisko zdumiewające. Potrafił spać całymi godzinami i pozwalał Mirandzie uczyć się do sesji. Potem nagle budził się i wymierzał jej solidnego kopniaka. Kopniak był zazwyczaj uwerturą do małego ataku mikroskopijnych pięt, czy może łokci? Miranda nie wiedziała, czym on ją tak bombarduje. W każdym razie po chwili przestawał się wiercić, układał spokojniutko i prawdopodobnie znowu zasypiał, zadowolony z luksusowych warunków hotelowych.

Dziwna była myśl, że za dwa miesiące zniknie nie tylko z jej brzucha, ale i z jej życia. Zniknie jakby go w ogóle nigdy nie było. Mały Ktoś. A ona nawet go nie zobaczy.

I znowu będzie sama.

Miranda właściwie zawsze czuła się osamotniona. Odczuwała to zwłaszcza wieczorami, kiedy siedziała sama w swoim pokoju w domu rodzinnym i uczyła się albo czytała, i później, kiedy szła spać. Rodzice, siostra, koleżanki i koledzy ze szkoły nie zmartwiliby się wcale, gdyby nagle znikła z powierzchni ziemi. Wiesio pewnie by płakał, płakał, dopóki by nie zapomniał. Tu, w Szczecinie, niby czasami było nieco lepiej. Gonia, Duży, Sasza – oni naprawdę ją lubili. Stasinek był zgoła zakochany. Tak twierdził. Kiedy pod nieobecność współlokatorek zostawał u niej na noc, było dobrze. A kiedy go nie było, czyli w większość wieczorów, przychodziło do Mirandy znane uczucie pustki.

Od niedawna nie przychodziło. Kładła się do swojego schludnego łóżka, głowę opierała na ulubionym pachnącym jaśku wypchanym ziarnem orkiszu, chmielem i lawendą – i czuła, że jest z nią mały Ktoś. Ktoś, kto mości się w jej brzuchu jak ona na poduszkach, zwija się w kłębek i zadowolony zasypia.

Ktoś, kto nie wie, że ona nie jest jego matką.

Na roku już wszyscy wiedzieli, że Miranda wynajęła brzuch na cudzą ciążę. Wieść poszła również w uniwersytet. Ktoś ją kiedyś zagadnął w żartach na temat szerokich sukienek, a ona po prostu powiedziała, o co chodzi. Rozmowy na ten temat nie trwały dłużej niż trzy dni, mimo że na forum studenckim niejaki Gucio Pszczół napisał bez ogródek, co sądzi o takim procederze. Musiał się porządnie napracować, bo dał sporo linków do artykułów i dyskusji na ten temat, wszystkich zresztą reprezentujących podobny światopogląd. Jakoś nikomu nie chciało się podjąć dyskusji.

Sympatycznie zachował się dziekan, który plotkami się nie zajmował, natomiast przejął się faktem, że dziewczyna wyraźnie będąca w ciąży nie przychodzi do niego prosić o urlop czy coś w tym rodzaju, jakieś specjalne traktowanie. Zatrzymał ją kiedyś biegnącą korytarzem – spóźniała się właśnie na jego wykład, ale i on się spóźniał – i po prostu zapytał o plany związane z dzieckiem, które ewidentnie przyjdzie na świat w najbliższej przyszłości. Jemu też Miranda powiedziała prawdę bez kręcenia. Przyjął do wiadomości, niemniej widać było, że jest trochę wstrząśnięty. Jego ulubiona studentka nie wiedziała, że dziekan, podobnie jak doktor Jagliński, ma córkę w zbliżonym wieku i doznaje skojarzeń. Nie skomentował sytuacji, wyraził tylko zadowolenie, że nie będzie potrzebny urlop.

Pomijając tego idiotę Gucia (ciekawe, kto wybrał sobie taki debilny nick!), trutnia głupiego, na którego i tak nie należało zwracać uwagi, wszystko szło jak po maśle.

– No widzisz – powiedziała Eliza Trumbiak, lekko rozbawiona komentarzem Mirandy na temat Gucia. Spotkały się we wspólnej kuchni, obydwu bowiem jednocześnie zachciało się herbaty. – Mówiłam ci, że nie powinno być żadnych komplikacji. Powinnaś być mi wdzięczna. Łatwo i bezboleśnie zarabiasz masę forsy. Słuchaj, moja droga, a nie zastanawiałaś się czasem, czyby tego kiedyś nie powtórzyć?

Miranda pokręciła głową z powątpiewaniem.

– Nie wiem. Nie wydaje mi się. To wcale nie jest takie bezproblemowe...

– Przecież sama mówisz, że nikomu to nie przeszkadza!

– Nie wiem, czy nikomu. Rodzice nie mają pojęcia...

– Rodzice! Kobieto, jesteś dorosła, tak? Decydujesz o sobie, tak? Czy tęsknisz za tym, żeby cię ktoś trzymał za rączkę?

Miranda spojrzała na panią doktor Trumbiak z ukosa. Owszem, chciałaby, żeby ją ktoś trzymał za rączkę... w niektórych momentach przynajmniej. Jednak ostatnią osobą, której zwierzyłaby się z takich tęsknot, była pani doktor Trumbiak.

– A co? Myśli pani o zrobieniu na tym jakiegoś większego interesu?

Eliza spojrzała na nią znad okularów.

– Coś ty taka inteligentna? A jeśli nawet, to co, uważałabyś to za karygodne?

Miranda uśmiechnęła się.

– Jeszcze nie wiem. Ale rozumiem, że podział zadań byłby taki, że to pani jest inteligentna, a ja rodzę kolejne dzieci kolejnym niedoszłym mamusiom, tak?

– Coś w tym rodzaju. Będziesz już miała doświadczenie. Wiesz, najważniejszy pierwszy raz, pierwsze koty za płoty i tak dalej. Słuchaj, mała. Mnie nie bardzo wypada, ale ty mogłabyś się rozejrzeć dokoła siebie, znasz środowisko, masz kontakty przez tę swoją telewizję, mogłabyś dyskretnie popytać, posondować. Prędzej czy później zakaże się u nas in vitro i w ogóle wszystkiego, co nie jest po bożemu. Przewiduję popyt na młode matki, bo to jest rozwiązanie w miarę szybkie. Póki można, będziemy się ogłaszać w internecie, a potem się zobaczy.

– A surogatki nie będą zabronione według pani?

– Kiedyś też będą, wtedy zejdziemy do podziemia, ale do tego czasu zyskamy renomę na rynku i ludzie sami będą wiedzieli, jak do nas trafić. Najlepszą reklamę robią zadowoleni klienci. Mam nadzieję, że nasi Grabiszyńscy będą zadowoleni. Może nawet zechcą skorzystać jeszcze raz. Kiedy rodzisz?

– Za miesiąc mniej więcej.

– No tak. Wcale nie jesteś taka brzuchata, żeby cię to szpeciło. Ciąża ci służy. Weź to pod uwagę i szukaj koleżanek. Będziesz mogła z czystym sumieniem im powiedzieć, że to żadna sprawa urodzić cudze dziecko. A pieniądz duży i szybki. Wypłacili ci drugą ratę? Bo jesteś mi winna drugie pięć tysięcy.

– Anitko, kiedy ona rodzi?

– Za trzy tygodnie. Już wszystko kupiłam. Nie musisz się o nic martwić. Jesteśmy gotowi na przyjęcie naszego małego Bronisia.

– Skąd masz tę pewność, że to Broniś?

– Matki wiedzą takie rzeczy.

– No tak. A posłuchaj, kochana, kiedy ogłosimy komunikat? Może jednak już by była pora? Naprawdę chcesz tak znienacka postawić wszystkich przed faktem dokonanym?

– Wszystkich nie. Twój ojciec jest wtajemniczony.

– Tak, ale cała reszta nie.

– Cypek, ja nie chcę zapeszyć. Powiemy, jak już będzie na tym świecie. Jak się urodzi. Myślę, że szybko nam go dadzą, bo przecież ona go nawet nie zobaczy, a lepiej, żeby był z matką niż w szpitalu. Szkoda tylko, że nie będzie karmiony naturalnie. Ale to i tak nie byłoby mleko matki. Patrz, jakie to wszystko skomplikowane. Gdyby go karmiła, można by ją nazwać mamką. Ale nie będzie mamką. Właściwie będzie dla niego nikim.

Boże, jakie to dla niej proste – pomyślał Cypek, dla którego nic w tej sprawie proste nie było. Pamiętał ostatnią rozmowę z ojcem, przeprowadzoną pod dwie butelki finlandii, pamiętał, co ojciec mówił mu o przyzwoitości i w zasadzie zgadzał się z nim. Mobilizował wszystkie siły, żeby przeżyć jakoś ten okres oczekiwania, najtrudniejszy dla Anity. Nie potrafił jednak zapomnieć o dziewczynie, która za trzy tygodnie urodzi jego dziecko i nawet przez chwilę go nie zobaczy. Myślał o jej piersiach, pełnych mleka, którego dziecko nie spróbuje. A ona dostanie jakieś medykamenty, żeby jej się to mleko przestało produkować. Wyjdzie z tej całej kliniczki doktora Jaglińskiego, jak gdyby nic się nie wydarzyło, jakby nie było tych dziewięciu miesięcy...

Jakieś to wszystko nieludzkie, tak uważał. Skoro jednak już dał się w to wplątać, pozwolił Anicie na działanie, nie protestował kiedy była na to pora – w tej chwili nie miał już nic do gadania.

– Jeszcze jakieś dziesięć dni. Co ty się tak przejmujesz, Stasinku?

Stasinek rzeczywiście przejmował się okropnie. Odkąd na pamiętnych wakacjach w Przesiece uzgodnili z Mirandą stan uczuć wzajemnych, przydzielił sobie rolę Mężczyzny i Opiekuna. Było to trochę zabawne i bardzo miłe. Od trzech miesięcy, zgodnie z delikatną sugestią doktora Jaglińskiego, odpuścili sobie miłość fizyczną i teraz oboje czekali na urodziny dziecka, po których jeszcze jakiś krótki czas minie – a potem będą mogli wrócić do siebie. Oboje byli naprawdę stęsknieni. Gdyby nie Stasinek, Miranda zniosłaby tę ciążę o wiele gorzej, miała tego świadomość. A tak – zawsze była jakaś perspektywa.

Siedzieli teraz w kinie, które znajdowało się nieomal naprzeciwko domu Mirandy, pogryzali popkorn i czekali na film, kolejną romantyczną komedię. Za chwilę miała się zacząć. Widzów było niewielu, mogli więc swobodnie rozmawiać, otoczeni pustymi fotelami.

– Przejmuję się. Ta cała sytuacja jest jakaś dziwna. Ty jesteś w ciąży, ale nie będziesz matką, ja cię kocham, ale nie jestem ojcem tego dziecka. Za dwa tygodnie je urodzisz, po czym ono zniknie. To nie dla mnie, ja jestem prosty filozof. In spe. Mama z ojcem mówią, że jestem zakałą porządnej inżynierskiej rodziny. Mireczko, nie będziesz się wstydzić chłopa nauczyciela filozofii?

– A ty nie będziesz się wstydził baby nauczycielki polskiego?

Stasinek spojrzał na nią maślanym wzrokiem znamionującym szczery zachwyt.

– Kurczę, ty nie wiesz nawet, jak bardzo chciałbym cię już móc zaprowadzić do moich rodziców, żeby cię poznali. Oni są fajni, na pewno byś ich polubiła, a oni będą tobą oczarowani. Wiesz, ja może się zachowuję jak jakiś gostek z dziewiętnastego wieku, ale co zrobię, że mam taki charakter?

– Nic nie rób. Mnie się to właśnie najbardziej u ciebie podoba. Dwudziesty pierwszy wiek to nie dla mnie. Mogłabym pisać gęsim piórem. Chociaż nie, nie lubiłabym, żeby mi się atrament lał po palcach. Stasiu, tylko proszę, z tymi planami na przyszłość to ty jeszcze nie szalej...

– Przecież nie szaleję. Chcę cię tylko pokazać rodzicom. Ja ich lubię. Uważam, że zasługują na to, żeby znać dziewczynę kochanego synka.

– Chociaż zakały.

– Chociaż zakały. Mirka, przyrzekam ci, że nigdy nie zrobię niczego wbrew twojej woli. Ale nie przyrzekam, że jak mnie przydusi, to cię nie będę namawiał...

– Na co, zakało rodziny?

– Żebyś za mnie wyszła w młodym wieku. Nic nie mówiłem. Patrz, zaczyna się.

Komedia romantyczna zaczęła się, przeleciała i skończyła, jednak nie zdołała zaabsorbować Mirandy na tyle, żeby przestała myśleć o dziecku, o Stasinku, jego rodzicach, własnych uczuciach et caetera.

– Pokochali się, pobrali, żyli długo i szczęśliwie – powiedziała nieco melancholijnie, kiedy opuszczali salę.

– No, właśnie – przytaknął Stasinek. – Z nami też tak będzie, zobaczysz. Długo i szczęśliwie. Z naciskiem na długo. I na szczęśliwie. Co teraz? Wpadnę do ciebie jeszcze na trochę.

– Bardzo dobrze, wpadnij. Mam zapas papierowych zupek, bardzo dobrych, to sobie zjemy kolację. Kurczę, Stasinku... zostawiłam szalik. Powiesiłam go na oparciu fotela przede mną i pewnie się zsunął, dlatego o nim zapomniałam.

– Już lecę.

– To ja sobie zjeżdżam powoli. Poczekam na dworze, tam jest powietrze.

Stasinek skinął zgodnie głową i zawrócił do sali kinowej, Miranda zaś skierowała się w stronę ruchomych schodów. Dobrze, że są, z tym brzuszyskiem było jej coraz ciężej wchodzić, schodzić i chodzić po równym też.

Stanęła na szczycie eskalatora i spojrzała w dół. Jakaś para schodziła właśnie na nieruchomą powierzchnię, reszta schodów była pusta.

Ciekawe, czy tych dwoje też będzie żyło długo i szczęśliwie.

Poczuła nagle coś dziwnego. Mokro w butach? Odchodzą jej wody? Będzie rodzić? Już? Jest za wcześnie!

– Idzie pani?

– Tak.

Miranda postąpiła krok do przodu. Niestety, zaabsorbowana swoimi myślami nie spojrzała, gdzie staje, nie zauważyła więc, że jej nogi znalazły się na dwóch stopniach jednocześnie i że jeden z nich za sekundę opadnie w dół.

– Jezus Maria!

Osoba idąca za nią aż się cofnęła, wpadając na Stasinka, który właśnie nadchodził z szalikiem w ręce.

– Panie, spadła! Kobieta w ciąży spadła! – Tęga matrona w lodenowym płaszczu zakrywała sobie usta w przerażeniu, chciwie zaglądając jednocześnie w przestrzeń eskalatora. – Nie trzymała się i spadła! Źle stąpnęła...

Stasinek wyminął ją i pobiegł w dół po schodach, które ktoś zatrzymał. Miranda leżała na posadzce w dziwnej pozycji.

– Rany boskie, Mirka! Żyjesz?

– Żyję – powiedziała słabym głosem i rozpłakała się.

– Przepraszam państwa, jestem lekarzem! – Młoda kobieta rozepchnęła wszystkich bezceremonialnie i pochyliła się nad leżącą. Stasinek patrzył na to przerażony, ale jednocześnie z pewną ulgą. Jakaś kompetentna osoba, on w ogóle nie wiedziałby od czego zacząć. Kobieta wiedziała. Rozmawiała z Mirandą, dotykała jej, uspokajała. Odwróciła się nagle.

– Kto jest z tą panią? Pan? Ma pan komórkę? Proszę zadzwonić trzy dziewiątki albo sto dwanaście i powiedzieć, że był wypadek. Pani spadła ze schodów, dziewiąty miesiąc, kręgosłup cały, wody odeszły. Już! Dzwonimy!

Stasinek z gulą w gardle wydzwonił pogotowie ratunkowe i przekazał wiadomość. Uzyskał obietnicę, że karetka zaraz będzie. Tymczasem lekarka z pomocą dwóch krzepkich panów, których wyłuskała spośród gapiów, podniosła Mirandę i posadziła ją na krześle, życzliwie przez kogoś podsuniętym.

Miranda, wyraźnie zszokowana, płakała i lała się przez ręce. Stasinek wciąż czuł to cholerne przerażenie. Na szczęście lekarka była przytomna i po pierwszej błyskawicznej akcji emanowała teraz spokojem.

– Niech pan się przestanie trząść – powiedziała do niego. – Wszystko rozumiem, pierwsze dziecko. Strasznie młodzi jesteście. Ale niech pan się nie boi, dobrze będzie. Ta karetka kiedy przyjedzie, mówili coś?

– Mówili, że zaraz.

– Niech pan pocieszy żonę, przytuli, uspokoi. Ona pana teraz potrzebuje!

Stasinek posłusznie ogarnął Mirandę ramionami. Powoli przestawała płakać.

Słysząc wycie nadjeżdżającej karetki, Stasinek doznał ulgi zgoła niebotycznej. Ratownicy wpadli do holu, błyskawicznie porozumieli się z lekarką, która udzieliła pierwszej pomocy, i już kładli Mirandę na nosze.

– Mogę jechać z wami?

– W zasadzie nie. Ale jedź pan. Ja pana rozumiem.

Ratownik, który okazał życzliwość Stasinkowi, rzeczywiście go rozumiał. Miesiąc temu sam został młodym tatusiem i miał na świeżo w pamięci własne przeżycia. Omal nie zwariował wtedy z niepokoju, choć wszyscy mu powtarzali, że nie ma najmniejszego niebezpieczeństwa. Sam widok przerażonej i wykrzywionej bólem twarzy żony przyprawiał go o stan przedzawałowy. Ten tu chłopak najwyraźniej przeżywał coś podobnego.

– Dobrze będzie, nie pękaj pan. Jedziemy. Pani doktor, dziękuję w imieniu służby. W przyszłym tygodniu jeździmy razem!

– Pamiętam, panie Michale. Jedźcie, wszystkiego dobrego.

Piętnaście minut później Miranda znajdowała się pod dobrą opieką i Stasinek mógł wreszcie wypuścić powietrze.

Zastanawiał się właśnie, kogo mógłby spytać o jej stan, kiedy drzwi jakiegoś gabinetu otworzyły się i stanęła przed nim elegancka starsza pani w białym uniformie. Miała w sobie coś takiego, że Stasinkowi w życiu nie przyszłoby do głowy wziąć ją za pielęgniarkę. Nawet za przełożoną pielęgniarek. Najbardziej przełożoną nad wszystkimi przełożonymi. To musiała być jakaś Najważniejsza Pani Doktor. Chodząca Kompetencja, Mądrość i Doświadczenie.

Na identyfikatorze przypiętym do jej żakietu Stasinek przeczytał: Profesor Joanna Fiszer. Było jeszcze coś pod spodem, ale mniejszymi literami, i musiałby się nad nią nachylić, żeby to przeczytać. Uznał, że mało go to obchodzi. Profesor, znaczy ważna figura.

– Z panią Mirandą Wiesiołek to pan przyjechał?

– Ja? A tak. Co się z nią dzieje, pani profesor?

– Nic złego. Może pan być zupełnie spokojny. Jakim cudem ona spadła z tych schodów, był pan przy tym?

– Niezupełnie, wróciłem po jej szalik do kina, a ona pewnie źle stanęła. Wie pani, pięty na jednym stopniu, palce na drugim. Może się zamyśliła. Te schody się rozjechały i poleciała. I co teraz? Pani profesor... czy ona rodzi?

– Można tak powiedzieć. Ale to dopiero pierwszy etap. Musi potrwać. Czy pan planował uczestnictwo w porodzie?

– Ja? – Stasinek znowu poczuł przerażenie. – Ja? Nie, nie planowałem...

Omal jej nie powiedział, że to dziecko nie jego i nawet nie Mirandy. W ostatniej chwili ugryzł się w język. Ona by sobie na pewno nie życzyła, żeby to rozchlapał.

– Chce pan do niej wejść?

– A można? Jasne, że chcę.

– No to już, fartuszek zielony, kapcie i proszę. Niech pan pamięta, że ona jest jeszcze troszkę w szoku, myśmy ją tu ładnie uspokoili, ale niech pan przy niej nie histeryzuje, dobrze? Ma pan być oazą spokoju. Rozumiemy się? Jaki zawód pan uprawia?

Ja? – spytał po raz trzeci biedny, skołowany i przejęty Stasinek. – Ach, ja. Studiuję filozofię, pani profesor.

– A to świetnie. To z zasady powinien pan być tą oazą.

– Jaką oazą?
– Spokoju, młody człowieku – roześmiała się pani profesor. – Niech pan się otrząśnie. Nie pan pierwszy zostanie tatusiem. To naprawdę całkiem normalny proces. Żona... czy dziewczyna?
– Dziewczyna.
– Dziewczyna jest naprawdę w dobrym stanie. Nie potłukła się specjalnie, tylko wystraszyła. Na pewno była w napięciu, jak wiele kobiet pod koniec ciąży, myślała o porodzie albo nie wiem o czym. No i jak poleciała, to całe to napięcie się z niej wylało. Dlatego płakała. To co, jest pan już tą oazą czy mamy panu dać jakieś wspomagacze?
– Jestem oazą, pani profesor.

Miranda wpółleżała na jakimś wysokim łożu i wyglądała dość mizernie.
– Fajnie, że jesteś – powiedziała. – Przepraszam cię za ten cały cyrk. Kurczę, wszystko się pokomplikowało...
– Nic się tak strasznie nie pokomplikowało – odpowiedział szybko. – Nie martw się. Ta cała pani profesor mówi, że wszystko jest na najlepszej drodze.
– Staszek, ale wiesz, na czym rzecz polega. Ja miałam rodzić nie tutaj, tylko w prywatnej klinice, u mojego lekarza. Tam od razu mieli się zgłosić... jego rodzice...
– Nie denerwuj się – przerwał stanowczo. – Jest, jak jest. Przy okazji zadzwoń do tych ludzi i powiedz im, co się wydarzyło. Nie twoja wina. Wszystko się zorganizuje.
– Nie mogę zadzwonić, bo mi komórka padła. Może nie lubi zlatywać ze schodów. A numerów nie pamiętam. Trumbiaczka ma z nimi kontakt, ale jej numeru też nie pamiętam...
– Mirka, powtarzam ci. Nie przejmuj się tym. Słuchaj, co Trumbiaczka ma z tym wspólnego? Bo mówisz o Elizie Trumbiak?... Mirka, co się dzieje?

– Boli mnie. Staszek, idź stąd. Nie chcę, żebyś na mnie patrzył. Wyglądam jak zmora.

– No coś ty, pobędę jeszcze z tobą...

– Nie, Staszek, ja nie chcę. Idź. Spotkamy się po wszystkim. Ja wszystko załatwię, może ta komórka jakoś się zreanimuje. Idź, proszę.

– Naprawdę chcesz, żebym poszedł?

– Naprawdę.

To moja sprawa, wzięłam za nią pieniądze i muszę przez to przejść sama – pomyślała, ale nie powiedziała mu tego. Boże, jak strasznie miała już tego wszystkiego dość!

Stasinek, widząc, że ona mówi całkiem poważnie, pocałował ją delikatnie, uścisnął jej dłoń i wyszedł, zabierając z sobą niejasne poczucie winy. Bo może jednak mógłby jakoś jej pomóc, ale kompletnie nie wiedział, z której strony do tego podejść. Chyba istotnie, najwłaściwiej będzie uszanować życzenie Mirki i dać jej spokojnie przejść przez to wszystko. A potem załatwi sobie na tydzień zwolnienie lekarskie i zabierze ją do Przesieki, tam już zaraz będzie wiosna... nie, nie zaraz, marzec jest, sezon narciarski w pełni. No to gdzie indziej ją zabierze, na nizinach prędzej jakąś wiosnę będzie widać. Do jakiegoś lasu. Ważne, żeby się oderwała od wszystkiego, wypoczęła i spokojnie zaczęła życie od nowa. I żeby już nigdy, przenigdy nie zdecydowała się na coś takiego! Jeśli on będzie przy niej i będzie konsekwentnie dbał, żeby była szczęśliwa, to miejmy nadzieję, nie powtórzy błędu.

Bo tę cholerną wynajętą ciążę Stasinek uważał za wielki błąd. Wielki!

– Nie dzwoń do mnie – powiedziała Miranda, kiedy już zamykał za sobą drzwi. – Ja sama cię złapię, jak się to wszystko skończy. Aha, słuchaj. Dam ci klucze do mojego mieszkania, poproś Gonię, żeby wybrała mi parę rzeczy, wiesz, szczoteczkę do zębów, jakieś koszule, piżamy, niech pomyśli, czego ja tu mogę potrzebować. I niech mi podrzuci. Będę wdzięczna.

~

Dwadzieścia cztery godziny potem Miranda usłyszała krzyk swojego dziecka.

Poprawka: nie swojego. Krzyk Małego Ktosia, który stracił nagle bezpieczne schronienie, poczuł chłód, zobaczył jasność i jakieś niewyraźne postacie. Krzyczał więc, bo mu było źle na tym nowym świecie. Po chwili jednak czyjeś bezwzględne ręce, które trzymały go do tej pory, położyły go na kobiecej piersi. Poczuł znajome ciepło, usłyszał znajome bicie serca. Pisnął śmiesznie i przestał krzyczeć.

Cały chytry plan, który ułożono, podpisując umowę z matką-surogatką, w tej jednej chwili ostatecznie wziął w łeb.

Mały Ktoś o tym nie wiedział. Leżał sobie spokojnie, konstatując, owszem, że dokoła niego coś się ciągle dzieje, ktoś się krząta, ale że generalnie jest nieźle. Zmęczony przeżyciami ostatnich godzin westchnął i zasnął.

Serce Mirandy, którego echo uśpiło Małego Ktosia, biło coraz gwałtowniej. Bolało ją wszystko, ale w tej chwili najbardziej bolała ją świadomość, że ten śpiący malec, goły i ufny, będzie musiał od niej odejść. Że będzie musiała oddać go ludziom, którzy jej zapłacili cholerne pięćdziesiąt tysięcy. Zaczynała powoli nienawidzić tych pieniędzy.

– Czymś się pani zdenerwowała? – zapytała położna, trzymając ją za puls. – Serduszko nam za mocno bije... Pani Mirko, wszystko jest w najlepszym porządku. Proszę się uspokoić, niż złego się nie dzieje. Ma pani ślicznego synka. Ślicznego. Dawno nie mieliśmy tutaj tak przystojnego i dobrze zbudowanego kawalera. Zaraz doprowadzimy was oboje do porządku i będziecie sobie odpoczywać.

Miranda omal nie krzyknęła, że ten śliczny synek wcale nie jest jej, ale się powstrzymała. Skinęła tylko głową i rzeczywiście spróbowała się uspokoić starą metodą niemyślenia. Nie myślimy o niczym. O niczym. Niczego nie ma. Jest mi dobrze. Ciepło. Nie boli. Zasnęła z Małym Ktosiem posapującym jej na piersi.

⁂

Stasinek uszanował życzenie Mirandy i nie próbował się z nią kontaktować. Co dwie godziny jednak, jak rasowy młody tatuś, telefonował do kliniki po aktualności. Kiedy dowiedział się, że Miranda szczęśliwie urodziła syna, natychmiast wydzwonił Gonię i Dużego, po czym wszyscy troje godnie uczcili koniec nerwówy przyjaciółki niezliczoną ilością kufli piwa w pubie „Hormon". Pod koniec imprezy nie bardzo już wiedzieli, co właściwie czczą, pamiętali jednak, że w roli czczonego idola występuje kochana Mirka, chwilowo nieobecna. O czwartej rano Stasinek wrócił do domu i zwalił się w pościel. Rodziców nigdy nie martwiły jego późne powroty. Doskonale pamiętali własne młode lata i studenckie wyczyny pozauczelniane. Na tym polegała ich niezawodna recepta na uniknięcie konfliktu pokoleń.

⁂

Jeśli jeszcze w głowie Mirandy kołatały się jakieś myśli o oddaniu Małego Ktosia prawowitym rodzicom, to przeszły jej definitywnie podczas pierwszego karmienia. Położna pokazała jej co i jak, ale Mały Ktoś chyba dałby sobie radę sam, bez żadnych instrukcji i bez niczyjej pomocy.

– Smakuje mu – powiedziała położna z aprobatą. – A pani jest chyba do tego stworzona. Do rodzenia i karmienia. Wspaniała z pani matka, miło popatrzeć.

– Co w tym wspaniałego?

– No właśnie to, że nie ma z wami żadnych problemów. Ani z panią, ani z małym. Tak to wam wszystko ładnie idzie. Nawet pani ciąć nie było trzeba. A proszę mi wybaczyć pytanie: czemu ja tatusia nie widzę? Wyjechał czy go wcale nie ma? Ale przecież jakiś młodzian tu się kręcił...

– Nie ma tatusia. To był kolega ze studiów. Przyjaciel.

– No tak. Tatuś się wypiął. Za często się to zdarza ostatnio, za często. A jak pani nazwała małego?

– Mały Ktoś... Niech pani się nie śmieje, tak o nim myślałam. Mały Ktoś, nie wiadomo kto.

– Ja rozumiem, niektóre kobitki nie myślą o swoim dziecku jak o kimś konkretnym, żeby nie zapeszyć. Ale już przestał być Ktosiem. Jest najprawdziwszym na świecie człowiekiem i zasługuje na prawdziwe imię. Niech mu pani teraz da drugą pierś, pani Mirko.

Miranda przełożyła dziecko na drugie ramię. Pozezował chwilkę niebieskimi oczkami i dostosował się do nowej sytuacji.

– Niech pani się zastanowi nad tym imieniem. Może po kimś sympatycznym? Albo po ojcu, dziadku, bracie. Nie można żyć bez imienia. Pani ma takie piękne! No dobrze, jak się naje, musi sobie beknąć. Jak chiński mandaryn po dobrym obiedzie. Da pani sobie z nim radę?

– Dam.

– No, mówię, że pani do tego stworzona. Cieszę się, że pani u nas jest.

Położna uśmiechnęła się życzliwie jeszcze raz i wyszła z pokoju. Jakimś cudem Miranda była w nim z dzieckiem sama, co ją bardzo cieszyło. Dwa łóżka czekały na kolejne matki, na szczęście młodych matek na razie nie było widać na horyzoncie.

Imię dla Małego Ktosia. Po kimś sympatycznym.

No to Staszek. Albo Sasza, Aleksander.

Olek, Alek, Alik.

Aleksander Wielki. Aleksander Puszkin. Aleksander Wertyński. Ojciec śpiewał jego romanse czasami. Aleksander Winogradow, osobnik zdecydowanie sympatyczny.

No więc niech będzie Aleksander Wiesiołek. Nie brzmi to może tak dumnie jak Aleksander Dolina-Grabiszyński, ale nie można mieć wszystkiego. Zresztą oni i tak nie nazwaliby go Aleksandrem, pewnie mają już przygotowane imię, od trzystu lat nadawane pierworodnym.

Aleksander Wiesiołek skończył jeść, beknął jak mandaryn i zasnął. Miranda ułożyła go na posłaniu i zamyśliła się ponuro.

Nie odda go. To jej syn. Ona go nosiła, ona urodziła, ona go karmi i ona nadała mu imię. Ona jest matką, a nie ta cała Anita. Być właścicielką jajeczka to nie to samo, co być matką, moja droga. Jak również plemnika, mój drogi. Ani nawet całego zarodka. Cholera jasna... Pięćdziesiąt tysięcy. Trzeba będzie oddać. Nie wydała wiele. Samochód sprzeda. I z czego będzie żyła? Wróci do rodziców? Co to, to nie. Coś się wymyśli. Nie ona jedna jest w tej sytuacji.

A może powinna go oddać?

Nie! Tego jednego była pewna absolutnie. Nie może oddać obcym ludziom własnego dziecka! Przyjaciele pomogą. Od tego są przyjaciele... Co Staszek powie? Teoretycznie ją kocha, a ona jest jego zdeklarowaną dziewczyną, ale cudze dziecko w tym związku nie było planowane! Cudze, w sensie nie Staszkowe. Boże, co za komplikacja!

Ach, jest jeszcze jeden problem! Eliza i Wirginia nie będą tolerować niemowlęcia w domu! Zwłaszcza że Eliza jest przyjaciółką Anity. Trzeba się będzie wyprowadzić.

Nadmiar problemów do rozwiązania sprawił, że Miranda przestała myśleć o wszystkich. Gdyby martwiła się nimi nadal, prawdopodobnie by zwariowała.

Aleksander Wiesiołek pisnął śmiesznie przez sen.

Jutro, pojutrze każą im iść do domu. Gdzie pójdą? To jest ważne w tej chwili, reszta jakoś się ułoży.

Miranda wydobyła z torebki telefon komórkowy i stwierdziła, że nadal jest głuchy jak pień.

Co to jej powiedział kiedyś Duży à propos urządzeń elektronicznych? Jak reaguje informatyk, kiedy mu mały fiat nawali? Wysiądzie z niego i wsiądzie z powrotem. Zresetuje. Trzeba wysiąść z tego malucha. Przyjrzała się komórce, a potem wyjęła z niej kartę SIM i baterię. Nic więcej wyjąć się nie dało. No, dobrze. Wysiadła. Wsiadamy z powrotem.

O kurczę! Działa! Po prostu działa! Co za rewelacyjna metoda!

Komórka dźwięknęła i zdechła. Bateria. Nie szkodzi. Ładowarkę Miranda nosiła w torebce. Podłączyła urządzenie do sieci i wydzwoniła Stasinka.

– Mirka! Nareszcie! Bo my tu już wszyscy małpiego rozumu dostajemy. Opowiadaj!

– Nie ma co opowiadać. Wszystko w porządku. Stasinku, czy ty mógłbyś do mnie wpaść? Jak najszybciej...

Pół godziny później Stasinek w zielonym fartuchu gapił się to na małego Aleksandra, to na Mirandę. Malec jak malec, żadnych instynktów ojcowskich Stasinek nie miał, ale Miranda wydawała mu się zachwycająca. Śliczna. Kochana. I czymś zdenerwowana.

– Mireczko, czym się denerwujesz, bo widzę, że czymś się denerwujesz?...

– No, denerwuję się. Staszek, potrzebuję cię po prostu strasznie...

– To bardzo dobrze. Ja ciebie też potrzebuję. Komórka, widzę, już ci działa, chcesz zawiadomić tych swoich kontrahentów...

– Nie chcę – przerwała mu niecierpliwie. – Stasinku, sytuacja się zmieniła. Skomplikowała się masakrycznie. Słuchaj, ja nie wiem, czy ty to zrozumiesz, ale spróbuj. A jak nie, to przyjmij na wiarę po prostu. Ja nie mogę oddać tego dziecka. To jest mój syn. Rozumiesz?

– Nie.

– Tego się bałam. No to nawet nie próbuj zrozumieć. Jesteś facetem. Wy jesteście inni. W każdym razie ja nie mogę oddać Alika, bo go kocham. To mój syn. Nosiłam go, urodziłam, teraz go karmię. On mnie potrzebuje. Mnie zna od dziewięciu miesięcy. Jest mój, a ja jestem jego matką. Tak to wygląda. Słuchaj, chciałabym, żebyś teraz poszedł do sklepu i kupił mi parę podstawowych rzeczy. Tu masz spis. Pieniądze. Tu kluczyki od mojego samochodu, stoi pod domem, na Krzywoustego, na tym miejscu do parkowania za rogiem. Dokumenty auta. Trzymaj. Mówiłeś, że jesteś moim przyjacielem...

– Mówiłem też, że cię kocham. Mirka, jesteś pewna, że dobrze robisz?

– Niczego nie jestem pewna poza tym, że nie mogę oddać nikomu mojego syna. Muszę się jakoś pozbierać, otrzepać, ogarnąć, a potem będę rozwiązywać problemy. Stasinku, proszę...

– Dobrze, dobrze. Dawaj te kluczyki. Już idę. A jak to wszystko kupię, to co mam z tym zrobić?

– Nic. Zostaw w bagażniku. Jutro nas stąd wypuszczają. Odebrałbyś mnie? Nas?

– Jasne. O której?

– Dam ci znać, bo na razie sama nie wiem. Boże, Staszek, kamień z serca mi zaczyna spadać pomału...

Stasinek był zdania, że niesłusznie jej zaczyna spadać ten kamień, bo dopiero teraz zdecydowała się zrobić coś, co skomplikuje jej życie w sposób nieprzewidywalny. Jako człowiek zakochany nie widział jednak na razie innej możliwości, jak tylko pomóc jej we wszystkim, co sobie założyła. Potem rzeczywiście będzie czas na szukanie najlepszego wyjścia. Choć na pierwszy rzut oka – naprawdę dobrego wyjścia to tu w ogóle nie ma prawa być.

Westchnął, pokręcił głową, pocałował swoją Mireczkę i poszedł wypełniać powierzoną misję. Na schodach szpitalnych wpadł na pomysł, żeby wydzwonić sobie do pomocy Gonię. Takie zakupy to wybitnie damska rzecz!

Anita była mocno przejęta. Ponieważ termin rozwiązania zbliżał się nieuchronnie, zadzwoniła do tej dziewczyny, surogatki, ot tak, kontrolnie, zapytać, jak też ona się czuje. I nie dodzwoniła się. Początkowo tłumaczyła sobie, że to normalne, mogła się komórka wyładować, mogła ją zostawić w domu, ale trzy dni bez kontaktu? Dodajmy tu, że od jakiegoś czasu Anita dzwoniła do Mirandy co najmniej raz dziennie z dyżurnym pytaniem o samopoczucie.

Zatelefonowała teraz do Elizy i tu dopiero spotkała ją niespodzianka. Eliza nie miała pojęcia, gdzie Miranda się podziewa od tych trzech dni. Nie dała znaku życia i znikła. Owszem, ma jakichś przyjaciół, ale kto by tam odróżnił od siebie studentów... Ma też jakiegoś chłopaka, ale nigdy go do domu nie sprowadzała, chyba że pod nieobecność współlokatorek, no więc Eliza go nie zna. Zna jej przyjaciółkę z telewizji studenckiej, bo ją uczy, tę przyjaciółkę, to taka dość arogancka dziewczyna z trzeciego roku. A może z czwartego. Nieważne. Jutro postara się ją znaleźć na uczelni i odpytać o zgubę. Ta cała Gonia będzie wiedzieć, bo one łażą stale razem...

Anita lekko osłabła i osunęła się na krzesło.

– Cypek – wyszeptała. – Policja. Szpitale. Dzwoń, proszę cię. Boże, dlaczego ja nie zadzwoniłam do Elizy wczoraj...

Cypek nie był aż tak wstrząśnięty, ale też miał wrażenie, że należałoby coś zrobić. Coś się chyba stało, ale co? Urodziła zbyt wcześnie? Wobec tego pierwszy telefon do doktora Jaglińskiego.

Doktor Jagliński ubolewał, jednak o niczym nie wiedział. Zmartwił się zupełnie szczerze. Miał nadzieję, że tej dziewczynie podobnej do jego Kasi nie stało się nic złego. Pewnie zaczęła rodzić, spanikowała i zamiast go zawiadomić, pojechała do pierwszego lepszego szpitala. No, nie jego sprawa. Grabiszyńscy ją znajdą i zabiorą swoje dziecko.

– Czemu pan się tak krzywi, panie doktorze? – zapytała go pacjentka obecna w gabinecie. – Stało się coś? Pomyślał pan o czymś złym? Coś mi jest?!

– Ależ skąd, pani Marzeno. Ząb mnie zabolał, będę musiał odwiedzić kolegów stomatologów, a nienawidzę tego jak zarazy...

Kłamał, oczywiście. Pomyślał o czymś, czego obawiał się od początku. Nie od początku sprawy z Grabiszyńskimi, lecz od początku swojej dodatkowej praktyki. Zawsze bał się sytuacji, w której hormony zrobią swoje i surogatka zwyczajnie

nie zechce oddać dziecka. Kiedy rodziły pod jego opieką, było o tyle łatwiej, że nie widziały noszonych przez siebie dzieci. Jeśli ta cała Miranda urodziła w normalnym szpitalu, dostała dziecko do ręki, karmiła... o cholera, Grabiszyńscy mogą mieć problem.

W takim razie może i lepiej, że nie urodziła u niego. Nie wiadomo, jakich scen uniknął.

Kolejny telefon. Znowu oni?

– Panie doktorze, błagam o pomoc! Mężowi nie chcą nic powiedzieć w tych szpitalach, wszędzie jest ochrona danych osobowych! Panie doktorze, proszę pana na wszystko, niech pan zadzwoni! Pan jest lekarzem, ze środowiska, ma pan znajomych, panu powiedzą!

– Spokojnie, pani Anito. Mam pacjentkę. Za kilka minut będę dzwonił. Proszę o cierpliwość.

– Jakiś dramacik?

Oczy pani Marzeny świeciły niezdrowym blaskiem. Słyszała krzyki Anity i wyciągnęła wnioski, plotkara cholerna.

– Zdarzają się dramaty w rodzinie – powiedział sucho. – Niech pani lepiej dziękuje Bogu, że u pani wszystko idzie gładko.

Pani Marzena chętnie rozwinęłaby temat, ale nie dał się w to wmanewrować. Wypisał kilka recept, wygłosił kilka ostrzeżeń, szczególny nacisk kładąc na szkodliwość przejadania się w ciąży, i pożegnał gadatliwą pacjentkę.

W poczekalni siedziały jeszcze dwie.

– Najmocniej panie przepraszam, muszę zatelefonować, zaraz panią poproszę. – Uśmiechnął się ujmująco i zamknął za sobą drzwi.

Za trzecim razem trafił.

– O, pan doktor nasz kochany – zaświergoliła przełożona pielęgniarek, dobra znajoma, z którą kiedyś przepracował kilka młodych lat. – Jak pan mówi? Miranda? No, jakże. Była u nas, dzisiaj wyszła.

– Co pani powie? Urodziła już?

– Tydzień przed czasem. Spadła z jakichś schodów, ale już i tak zaczynała rodzić. To znajoma? Nic jej się nie stało, synek dziesięć punktów, trzy siedemset, jak ta lala. Pokazowy niemowlak. A znowuż ona jest stworzona na matkę, panie doktorze. To pana pacjentka?

– Tak. Miała przyjść i się nie zjawiła, więc się zaniepokoiłem.

– Zawsze pan dbał o swoje pacjentki. Na pewno zadzwoni do pana, miała jakieś kłopoty z komórką, widziałam jak ją rozkładała na czynniki pierwsze. Poza tym wie pan doktor, jak jest, przejęła się dziewczyna tym upadkiem i porodem, i dzieciaczkiem, no i zapomniała. W każdym razie jest dobrze.

– Cieszę się. Nie wie pani przypadkiem, dokąd pojechała?

– Pewnie do domu. Przyjechał po nią taki przystojniak i zabrał oboje. My tu więcej nie wiemy. Aha, miała wyjść dopiero jutro, ale się uparła, a że z nią i dzieckiem było wszystko w porządku, a w nocy nam doszło kilka kobitek i tłok się zrobił na oddziale, to doktory ją wypuściły.

– Jasne, jasne. Strasznie się cieszę, że panią spotkałem, nawet tylko w telefonie. Ściskam i łapki całuję, pani Basieńko. Koleżanki pani pozdrowi. Co my byśmy bez was, dziewczyny, zrobili? Nic. No to do widzenia, do usłyszenia.

Zostawił rozświergotaną pielęgniarkę, którą zresztą autentycznie lubił, wyłączył telefon i zaklął grubym słowem.

Słowo ciałem się stało. Miranda zwiała z dzieckiem.

Trzeba o tym powiedzieć Grabiszyńskim. Ma tu gdzieś jego telefon, on jest jakiś przytomniejszy...

~

A oto co się stało tego dnia rano w klinice, gdzie trzy dni temu urodził się pokazowy niemowlak, Alik Wiesiołek.

Stasinek, który poprzedniego dnia w towarzystwie niezawodnej Goni obleciał kilka sklepów, kupując najniezbędniejszą wyprawkę dla młodego Wiesiołka, średnio wczesnym rankiem podjechał wypchaną corsą pod szpital. Uważał, że odwalił kawał dobrej roboty, wciąż jednak dręczyła go myśl, że Miranda robi coś niesłychanie ryzykownego. Coś, co nie ma prawa dobrze się skończyć.

Nie mógł jednak zrobić nic poza tym, o co go poprosiła. Musiał dać jej jakieś oparcie. Mirka bała się, że współlokatorki nie pozwolą jej mieszkać tam, gdzie dotąd mieszkała, z niemowlakiem. Postanowił więc porozmawiać poważnie z rodzicami, opowiedzieć im, że dziewczyna ma taki i taki kłopot i poprosić o zgodę na jej zamieszkanie w domku na Jana Styki. Nie był to duży dom, ale pokój po Anicie ostatecznie był do wykorzystania... Oboje rodzice mają miękkie serca, zgodzą się na pewno.

On sam tysiąc razy zadawał sobie podstawowe pytanie: czy kocha ją dostatecznie mocno, żeby akceptować to jej dziecko? Jej, nie jej. Ciekawe, czyje, swoją drogą. Ona twierdzi, że jej. I już.

Co za cholerne komplikacje!

W pokoju Mirandy chyba ktoś dodatkowo zamieszkał, o czym świadczył cudzy bałagan. Pacjentki pewnie poszły na jakieś badania, bo łóżka były puste. Miranda wyglądała tak kwitnąco, że nieomal przeszły mu wszystkie wątpliwości. Malec robił nawet przyjemne wrażenie. Nie darł się, tylko spał.

– Czekałam na ciebie. – Uśmiechała się ślicznie. – Mam już wszędzie siniaki, tak się biję z myślami. Nie dzwoniłam nigdzie, podzwonię dzisiaj. Patrz, jaki on jest fajny. Sam spokój. Lubi mnie chyba.

Stasinek był zdania, że jej nie można nie lubić. Powiedział jej to i pocałował ją ostrożnie. Roześmiała się.

– Już nie musisz mnie traktować, jakbym była ze szkła. Kupiłeś wszystko?

– Kupiłem. Gonia mi pomogła. Tak naprawdę gdyby nie ona, tobym zwariował. Słuchaj, puszczają cię dzisiaj?

– Nie, jutro. Mogłabym wyjść dzisiaj moim zdaniem, ale oni dmuchają na zimne. No to posiedzę jeszcze dzień. Tu już nie jest fajnie, dwie kobitki przyszły, będą rodzić, stale jęczą. Alik się budzi.

– I co robisz, jak się budzi?

– Przytulam. Pomaga. Czasem zatykam mu gębę... tego, no, posiłkiem. A czasem wystarczy polulać.

– Kochasz go, naprawdę? – spytał cicho. Skinęła głową.

– Jak wariatka. Zawsze myślałam, że ta słynna miłość macierzyńska to głównie propaganda, ale jak mnie trafiło... Staszek, nie wyobrażasz sobie, jakie to silne. Ja czuję, że on jest mną, rozumiesz?

– Rozumiem.

Nie rozumiał tak do końca, ale próbował sobie wyobrazić.

– Słuchaj, kochana. Wracając do spraw praktycznych, porozmawiam dzisiaj z rodzicami... ja mam bardzo fajnych rodziców, Lonię i Mareczka. Powiem im, że moja dziewczyna ma dziecko i nie ma gdzie mieszkać. Zgodzą się na pewno, żebyś zamieszkała w pokoju mojej siostry. Stoi pusty, odkąd się wyprowadziła. To znaczy jest tam jakaś kanapa, stół, szafa, takie podstawowe meble. Uzupełnimy to wszystko i będzie ci wygodnie. Wam będzie. Nam będzie.

– Naprawdę myślisz, że to się uda, Stasiu?

– Musi.

– Boże, jakie ja miałam szczęście, że na ciebie trafiłam!

Spojrzał na nią z poważnym wyrazem twarzy.

– Ja też miałem szczęście. Ale martwię się, kochana, jak ty załatwisz z tymi rodzicami. Nie chcę krakać, chyba czeka cię jakaś walka...

– Nie mówmy o tym dzisiaj, proszę cię. Dojdę do siebie i zadzwonię do tych Grabiszyńskich, przysięgam. Muszę się z nimi skontaktować, mam przecież ich pieniądze. Muszę się tylko najpierw ogarnąć. To potrwa kilka dni... Hej, czemu masz taką dziwną minę?

Stasinek, istotnie, minę miał dziwną. Ludzie wstrząśnięci do głębi rzadko wyglądają zupełnie przytomnie. Jak to się stało, że przez dziewięć miesięcy Miranda nigdy w rozmowie z nim nie wymieniła nazwiska swoich kontrahentów? Jak to się stało, że on nigdy nie powiedział jej o siostrze? To znaczy, może nawet mówił, nie wymieniając imienia... Dlaczego Anita nie powiedziała rodzinie ani słowa o tym, co zamierza zrobić? Bała się, że jej wyperswadują ten idiotyczny pomysł?

Chryste, dopiero teraz widać, jaki idiotyczny!

To znaczy... to znaczy, że ten mały Alik jest w rzeczywistości dzieckiem jego siostry!

– Staszek, co się stało?! – Miranda była już zaniepokojona.

Stasinek opadł na krzesło, kompletnie bez sił.

– Staszek, źle się czujesz? Zawołać jakiegoś lekarza?

Pokręcił głową.

– Nie, nie wołaj nikogo. Powiedz mi... powiedz wolno i wyraźnie. Jak się nazywają rodzice Alika?

– Rodzice Alika to ja! – Mirandzie błysnęły oczy. – Czekaj, już ci mówię. Grabiszyńscy. Anita i Cyprian. Znasz ich?

– Tak.

Miranda zamilkła. Coś niedobrego tu się dzieje. Coś bardzo niedobrego! Stasinek wygląda jak upiór.

Alik zagrymasił i rozdarł się bez uprzedzenia. Miranda wzięła go na ręce, ale się nie zamknął, dała mu więc pierś. Przypiął się do niej z zadowoleniem.

Stasinek patrzył na tę idylliczną scenę z rozpaczą w oczach.

– To jest mój siostrzeniec – powiedział przez ściśnięte gardło. Mirandzie zrobiło się zimno.

– Jak to, siostrzeniec?

– Normalnie. Jestem jego wujkiem. Anita to moja siostra. Ona jest z domu Pindelak. Boże święty, ten mały to ich syn! Anity i Cypka!

Miranda zmilczała. Nie zaprotestowała przeciwko temu, co powiedział, ale odruchowo mocniej przytuliła dziecko do siebie.

– Chryste Panie, Mirka, co ja mam teraz zrobić? Jak ja cię wezmę do domu naszych rodziców? Co im powiem? To moja dziewczyna i wasz wnuczek? Mirka! Czy ty wiesz, że chciałem cię zainstalować w dawnym pokoju Anity?!

W dramatycznej sytuacji i w obliczu prawie płaczącego faceta Miranda zmobilizowała wszystkie siły umysłu i charakteru.

Po pierwsze – oddanie dziecka nie wchodzi w grę.

Po drugie – na Stasinka nie można już liczyć. Znalazł się w straszliwej kropce. Nie ma żadnego dobrego ruchu. I nie należy od niego tego wymagać.

Po trzecie – trzeba uciekać.

– Stasiu – odezwała się łagodnie. – Cokolwiek zrobisz, ja to akceptuję. Uważam, że teraz powinieneś stąd iść. Musisz pozbierać myśli i siebie do kupy. Strasznie się porobiło, strasznie. Musimy to przemyśleć, oboje. Idź. Nie martw się o mnie. Jakbyś chciał zadzwonić, to ja zawsze będę pod komórką, zawsze. Gdzie zaparkowałeś? Na parkingu czy na ulicy?

– Na parkingu – odrzekł machinalnie, wyjął z kieszeni kluczyki od samochodu i położył na stoliku. – Na ulicy nie było miejsca. Tu masz kwit. – Dołożył papierek parkingowy. – Ja chyba naprawdę pójdę myśleć. Nie wiem, co mam zrobić. Nie wiem.

– Ja wiem. Stasiu, idź do siostry, powiedz jej, co i jak. Powiedz, że musimy się jakoś dogadać. Ja uważam, że tak będzie najlepiej, jeśli to ty powiesz. Ja będę pod komórką.

– Cześć – wyszeptał Stasinek i wyszedł, nie oglądając się za siebie.

Alik sapnął, wypluł pierś Mirandy i zachrapał.

Miranda odłożyła go ostrożnie na łóżko.

Gonia czy Sasza?

Sasza. Deklarował się jako przyjaciel.

Odebrał po trzech dzwonkach.

– Sasza, to ja, Miranda.

– Widzę. Wyświetliłaś mi się. Miło cię słyszeć. Wszystko dobrze?

– Nic dobrze. Potrzebuję twojej pomocy. Pamiętasz, kiedyś mówiłeś, że mogę na ciebie liczyć.

– Możesz. Już teraz czy za godzinę wystarczy?

– Natychmiast. Jestem na położnictwie, na Unii Lubelskiej. Wiesz, gdzie to?

– Nie wiem, gdzie jest położnictwo. Urodziłaś?

– Tak. Wejście od pomnika i parkingu, to jest budynek koło wejścia.

– Pędzę. Cześć.

Miranda z westchnieniem ulgi odłożyła telefon. Najważniejsze teraz, żeby wyjść stąd i gdzieś się schować.

Gdyby ją ktoś tydzień później zapytał, co powiedziała lekarzom, jak ich skłoniła do wypisania jej ze szpitala dzień wcześniej i w trybie ekspresowym, nie pamiętałaby. Coś mówiła. Trochę było jakiejś małej awantury. Nieważne. W każdym razie kiedy Sasza znalazł jej pokój, była gotowa do wyjścia.

– Jestem! Co się stało?

– Sasza, najpierw mnie stąd zabierz. Samochód mam na parkingu. Ty prowadzisz?

– Ja nie. Przepraszam...

– Nie szkodzi, będziesz musiał zająć się dzieckiem. Chodźmy.

Sasza, nie zadając już żadnych zbędnych pytań, złapał jej torbę, Miranda wzięła Alika i wszyscy troje opuścili szpital.

Corsa stała na parkingu. Bagażnik i część tylnego siedzenia miała załadowane zakupami, które poczynił niezawodny – do tej pory! – Stasinek.

– Może teraz coś niecoś mi wyjaśnisz?

– Sasza, czy możesz mnie gdzieś przechować z dzieckiem?

– Uciekłaś swoim kontrahentom?

– Tak. Proszę. Obiecałeś, że pomożesz. Schowasz mnie? Obiecuję, że tylko na kilka dni. Muszę się pozbierać.

– Przed swoim chłopakiem też uciekasz?

Miranda zaśmiała się, a ten śmiech przypominał szloch.

– Sasza, ty nie wiesz, co się okazało...

– Skąd mam wiedzieć?

– Ta moja, jak mówisz, kontrahentka, jest jego rodzoną siostrą. On jest wujkiem mojego dziecka. Sasza, tylko ty mi zostałeś. Jeśli mi nie pomożesz, to ja nie wiem, co zrobię...

– Spokojnie. Wsiądźmy. Daj mi tego smoka. Patrz, jeszcze nie zdążyliśmy się poznać. Jak ma na imię?

– Aleksander.

Sasza Winogradow ucieszył się.

– Nie gadaj! Mały Sasza?

– Alik. Słuchaj, ja nie mogę jechać do siebie...

– Czekaj, bo mam pewien pomysł, bardzo dobry. Muszę zatelefonować.

Wyginając się akrobatycznie, żeby nie obudzić imiennika, Sasza sięgnął do kieszeni po komórkę.

– Halooo... Mareszko, kochana, tak, to ja. Słuchaj, jest hasło „na ratunek”... Trzeba komuś pomóc... Dziewczyna. Z niemowlakiem... Ile ma?... Trzy dni... No co, „o rany”. Słuchaj, kochana, ty się na dobre przeniosłaś do Pawła, prawda?... Czy nie można by Mirandy... Ona ma na imię Miranda, tak. Czy nie można by jej na kilka dni zainstalować u kogoś z tych twoich starszych państwa?... Twoich przyjaciół od pani Lili... Wspominałaś, że oni są życzliwi... Natychmiast, niestety. Właśnie ją odebrałem ze szpitala... Tak, niemowlak całkiem świeży. Mówiłem, „na ratunek”... Dobrze, poczekam. Na razie jedziemy do mnie. Całuję cie mocno i niech się Paweł wypcha. Cześć.

Schował telefon do kieszonki na piersi, skąd łatwiej mu go było sięgnąć.

– Parę minut cierpliwości. Żebyśmy tak tu nie stali, jedźmy na razie do mnie. Ja wynajmuję, dlatego nie mógłbym was wziąć na dłużej, choć jeśli nic nie wymyślimy lepszego... To znaczy jeśli Mareszka nie wymyśli. To moja przyjaciółka. Ja mieszkam w domkach profesorskich na Panieńskiej. Wiesz, gdzie to? Koło „Royala”.

– Wiem. Jadę. Uważaj na Alika, żeby mu się łebek nie gibnął.

Miranda wciąż jeszcze nie była szczególnie sprawnym kierowcą, droga spod szpitala do profesorskich domków zajęła jej więc prawie kwadrans. Kiedy parkowała pod „Royal Jazz Clubem”, na sąsiednie stanowisko podjeżdżał właśnie samochód, na widok którego Sasza wydał okrzyk ulgi i radości. Za kierownicą siedział blond przystojniak o bardzo męskim wyglądzie, a miejsce obok niego zajmowała młoda elegancka kobieta. Mężczyzna uśmiechnął się tylko i podniósł dłoń w geście powitania, kobieta wysiadła i podeszła do corsy.

– Nie wysiadajcie – powiedziała zamiast „dzień dobry”. – Jedźcie za nami.

Nie bawiąc się w wyjaśnienia, wróciła do swojego przystojniaka, trzasnęła drzwiami i już po sekundzie wycofywali się z parkingu.

– To Mareszka* – wyjaśnił niepotrzebnie Sasza. – I Paweł, mój przyjaciel. Obaj się w niej kochaliśmy. Wybrała Pawła. Może i słusznie.

– To ona ci robi tłumaczenia?

– Zapamiętałaś – ucieszył się. – Ona. Wy nawet trochę jesteście podobne. Takie chłodne, opanowane, a co w środku, to tylko dobry Bóg wie. Ona też kiedyś uciekała, tylko że od męża. Niedobry był mąż. Uderzył ją. Wylądowała u takiej zwariowanej babci i nawet jakiś czas u niej mieszkała. Teraz mieszka z Pawłem. Chyba jedziemy do tej babci. Nawet na pewno do niej.

Podjeżdżali właśnie pod starą kamienicę na ulicy Zygmunta Starego. Jak na złość, Alik uznał, że pora zrobić małą awanturkę. Sasza był lekko przerażony i starał się ukoić imiennika cichym nuceniem, ale niewiele to dało.

– Trzeba go chyba przewinąć – powiedziała Miranda. – Albo nakarmić. Patrz, oni parkują. To ja też. Wytrzymaj jeszcze chwilę, zaraz go od ciebie wezmę.

---

* Bohaterka powieści „Gosposia prawie do wszystkiego”, w której po raz pierwszy pojawił się i Sasza Winogradow.

Zaparkowała średnio elegancko i błyskawicznie przesiadła się do tyłu. Przejęła dziecko od bezradnego Saszy.

– Zlany nie jest – stwierdziła autorytatywnie. – Dam mu trochę jeść, to się uspokoi.

Kiedy Mareszka z tym swoim Pawłem, zdziwieni, że tamci nie wysiadają, zajrzeli do corsy, zobaczyli małą sielankę. Śliczna dziewczyna siedziała spokojnie z odkrytą piersią, do której przyssany był pucołowaty niemowlak.

– O kurczę – powiedział mało inteligentnie Paweł.

– Przepraszam. – Miranda podniosła na nich oczy. – Gdybym mu nie dała jeść, wrzeszczałby dalej. Troszkę go tylko podkarmię.

– W porządku, rozumiem. – Mareszka kiwnęła głową, jakby naprawdę wszystko rozumiała. – To ja wam teraz powiem, co załatwiłam. Możesz na razie pomieszkać u pani Lili, to jest moja znajoma, starsza pani...

– Sama jesteś starsza pani – odezwał się zdyszany głos za plecami Mareszki. – Pokażcie mi tę dziewczynę!

Przed Mareszkę wpychała się niewysoka i niewątpliwie leciwa osoba o zaokrąglonych ciekawością oczkach i wielokolorowej fryzurze w kształcie chryzantemy.

– Boże, jakaś ty jeszcze młoda! Ile ty masz lat, dziecko?

– Dwadzieścia – zeznała prawdę zaskoczona Miranda.

– No właśnie. Nic nie wiem, Mareszka nie zdążyła mi nic powiedzieć, ale skoro ona mówi, że trzeba cię przechować, to pewnie trzeba. Pokój jest wolny, więc nie ma problemu. Masz jakieś bagaże?

– Tylko torbę... i kolega mi zrobił zakupy dla małego...

– Dobrze, dobrze, na górze zrobimy remanent i zastanowimy się, czego ci trzeba. Panowie, zabierajcie te bambetle. Ależ on wcina, ten dzieciak! To chłopiec, prawda? Tylko faceci tak się rzucają na jedzenie.

Alik skończył posiłek, jak zwykle beknął i natychmiast usnął.

– Chodźcie, dziewczynki – pogoniła je pani Lila. – Mareszko, zdziwisz się!

– Czemu mam się zdziwić?

– Zobaczysz. Ale zdziwisz się pozytywnie. Zawsze mówiłam, że nie ma to jak zbiegi okoliczności, możliwie szczęśliwe. Chodźcie, chodźcie.

Chwilę później całe towarzystwo wchodziło do gościnnego mieszkania pani Lilianny Bronikowskiej, emerytowanej fryzjerki i perukarki teatralnej, artystki i osoby wielkiego serca. Pani Lila zamknęła za wszystkimi drzwi na zamek i podreptała do gości.

– A teraz chodźcie, dziewczynki, i patrzcie – powiedziała tajemniczo do Mareszki i Mirandy, otwierając na oścież drzwi pokoju swojej byłej lokatorki.

Okrzyk zdumienia był jak najbardziej na miejscu. Na tapczanie, stole i fotelach leżały schludne stosiki ubranek i akcesoriów wczesnoniemowlęcych.

Mareszka, bystra osoba, domyśliła się, skąd się tu wzięły.

– Wnusiowe, prawda?

– Prawda. – Tu pani Lila zwróciła się do Mirandy. – Mój syn jakiś czas temu obdarzył mnie wnukiem. Właśnie zrobiłam im remanent i chciałam to wszystko oddać do domu małego dziecka, ale widzę, że szybciej wam się przyda to całe badziewie.

– To nie wygląda na badziewie, pani Lilu – zaśmiała się Mareszka.

– Skrót myślowy, moja droga. Jak się nazywa młoda dama? Ach, Sasza, nie przywitałam się jeszcze z panem! Zawsze miło pana widzieć. To dziecko jest pana?

– Nie, pani Lilianno – odpowiedział swobodnie Sasza, wcale niespeszony. – Nie moje. Ale ma na imię Aleksander. Pozwólcie, że przedstawię panią Mirandę Wiesiołek z synem Alikiem. Mirando, opowiesz, o co chodzi, czy wolisz, żebym ja opowiedział?

– Miranda! – Pani Lila zachwyciła się, co było do przewidzenia, uwielbiała bowiem dźwięczne i romantyczne imiona. – Prześlicznie! Ale ja mam dla Mirandy propozycję. Ty się, dziecko, połóż razem ze swoim syneczkiem, na tym tutaj łóżku, ja was przykryję kocykiem, przyniosę ci kakao, bo właśnie sobie zrobiłam bardzo dużo, wypijesz i odpoczniesz, Mirando. Sasza nas uświadomi. Czy upoważniasz tego tu Saszę, żeby nam opowiedział twoją historię?

Miranda poczuła ulgę tak ogromną, że nieomal zwalającą z nóg. Naprawdę jakimś cudem znalazła się wśród przyjaciół. I – z całą miłością dla Goni, Dużego... Stasinka... – są to ludzie dorośli, dojrzali, którzy naprawdę mogą pomóc. I chyba chcą. Ta pani Lila... niesamowita staruszka. I taka trochę dobra wróżka z czarodziejską różdżką. Kakao... wygodne łóżko. Tak, niech Sasza opowie wszystko, ona musi odpocząć.

Stasinek wyszedł ze szpitala głęboko wstrząśnięty. Sytuacja zdecydowanie go przerosła. Już to, że Miranda nie chce oddać dziecka, było trudne do zaakceptowania. Fakt, że dziecko jego dziewczyny okazało się de facto synem jego własnej siostry, przekroczył jego możliwości percepcji, racjonalizacji i w ogóle wszystkiego. Student filozofii, który zawsze starał się do wszystkiego podchodzić rozumowo, był teraz całkowicie bezradny.

Najlepsze, co udało mu się wymyślić, to była narada z rodzicami. W tym celu ściągnął matkę z jakiejś budowy (dobrze, że nie wyjechała budować hotelu w Timbuktu!) i ojca z ważnego spotkania. Ton, którym z nimi rozmawiał, kazał im rzucić wszystko i przyjechać do domu. W domu nad butelką wody mineralnej gazowanej siedział ich syn, a w oczach miał rozpacz.

– Ja szybko zrobię nam wszystkim kawy – rzucił ojciec i popędził do kuchni. – Będzie się lepiej rozmawiało.

– Stasinku, ale nie wezwałeś nas tu dlatego, że cię dziewczyna rzuciła? – Matka wolała się upewnić, że sprawa jest grubszego kalibru. Rzucenie przez dziewczynę kaliber miało za mały, żeby schodzić z budowy w środku dnia.

– Nie, mamo. Chociaż niewykluczone, że to się samo zrobiło.

– Ooo – zmartwiła się matka. – A miałeś ją nam przedstawić na dniach...

– Miałem. Tato, chodź, do diabła z kawą!

– Już przecież zrobiłem. Mów, synu.

– Słuchajcie – zaczął syn i zamilkł.

– Popij – poradził życzliwie ojciec.

– I mów wreszcie, bo mnie szlag trafi – dodała matka. – Przecież my się denerwujemy!

– Już mówię. Słuchajcie. Czy Anita... o czymś was zawiadamiała?

– W jakim sensie? Mnie nie, a ciebie, Lonieczko?

– Też nie. Chodzi o to dziecko? Myślałam, że na razie zrezygnowali z prób in vitro, Anitka chyba była tym wyczerpana, miała jakieś wątpliwości...

– Nie wspominała wam, że wynajęła sobie cudzy brzuch?

– Matko święta! – przeraził się ojciec. – Jak to, cudzy brzuch?

– Tak to. Anita i Cypek wynajęli dziewczynę, żeby im to dziecko urodziła. Załatwili... tego... zapłodnienie in vitro, ta dziewczyna była w ciąży, normalnie, całe dziewięć miesięcy... no, prawie, bo urodziła chyba tydzień za wcześnie.

– Jezus Maria! – Matka, niewątpliwie bystra osoba, doznała pewnych skojarzeń i aż zakryła sobie dłonią usta, a oczy jej rozwarły się szeroko w przerażeniu. – Stasinek! Myśmy cię widzieli kiedyś w sklepie, przed świętami, z dziewczyną! I tak mi się wtedy wydawało, że ona jest w ciąży! W końcu pomyśleliśmy z ojcem, że to taka tunika jak teraz są modne, kiedyś się szyło podobne ciążówki, to niby maskuje brzuch... nieważne. Stasinku, oni wynajęli twoją dziewczynę? Ona urodziła im dziecko?

Stasinek ponuro skinął głową.

– Ja wiedziałem, że Mirka jest w cudzej ciąży, bo ona mi powiedziała, natomiast nie mówiła, dla kogo...

– Przecież to kompletnie nienormalne – mruknął ojciec, parząc się kawą, której wypił zbyt wielki łyk. – I chyba niemoralne. I co dalej?

– No i ona im teraz nie chce oddać tego dziecka.

Zapadła cisza. Pierwsza przerwała milczenie matka.

– A co oni na to?

– Jeszcze nie wiedzą. Słuchajcie, ja idę prosto od niej, ze szpitala. Dopiero dzisiaj się zgadało, że to dziecko... to jest Grabiszyńskich. Synek. Fajny, ja się tam nie znam, ale fajny...

Państwo Pindelakowie spojrzeli sobie w oczy i oboje, jak na komendę, pokręcili niedowierzająco głowami. Pierwszy odezwał się mąż.

– Pomijając wszystko, Lonieczko, jesteśmy dziadkami...

– O cholera, faktycznie. Czekaj. Stasiu, ona jest w szpitalu?

– Nie wiem. Ja ją tam zostawiłem.

– Kochani, jeśli Anitka nie wie i Cypek nie wie, to trzeba im natychmiast wszystko powiedzieć. To nie jest rozmowa na telefon. Jedziemy.

Pięć minut później Pindelakowie in corpore dzwonili do willi Grabiszyńskich.

Anita była w stanie kompletnej rozsypki. Siedziała z telefonem w ręce na kanapie i na przemian płakała oraz popadała w stupor. Cypek starał się ją pocieszać, jednak widać było, że sam nie wie, co robić.

– Anita, Cypek! Jak mogliście nic nam nie powiedzieć? Anitko!

– O czym? – Anita próbowała udawać, że nie wie, o co chodzi.

– Jak to, o czym? Że wynajęliście jakąś dziewczynę, żeby wam urodziła dziecko!

– A wy skąd wiecie, mamo?

Matka nie wytrzymała i trzasnęła pięścią w stół.

– Bo się okazało, że to dziewczyna Stasinka!

Anita jak żbik przyskoczyła do brata.

– Stachu! Gdzie ona jest? Uciekła ze szpitala, tyle się dowiedzieliśmy. Gdzie jest teraz?

– Jeżeli nie ma jej w szpitalu, to nie wiem. Ja ją zostawiłem w szpitalu. Anita, Cypek, jest jeszcze coś. Ona mówi, że wam tego dziecka nie odda.

~

– Zanim przyjechaliście, wydzwoniłam Noela i Różę – powiedziała pani Lila. – Zaraz powinni przyjść.

– Rada starszych – mruknął Sasza i uchylił się przed rączką gospodyni, która omal nie trzepnęła go przez łeb. – Ja to mówię z miłością, pani Lilu.

– Przecież wcale nas nie znasz, to co gadasz o miłości!

– Poznałem was na moim koncercie, nie pamięta pani? Poza tym Mareszka mi o was mnóstwo opowiadała. Panią, pani Lilu, to w ogóle uwielbiam...

– No dobrze. Tak mi mów. – Pani Lila była w gruncie rzeczy bardzo zadowolona. Ona też była skłonna pouwielbiać Saszę jako prawdziwego artystę, jednakowoż nie pora była na wzajemne oświadczyny. – Mareszko, daj im tego kakao albo herbaty, albo wina, co tam będą chcieli. Nie lubię narad na sucho. O, ktoś idzie!

Podreptała do drzwi i wpuściła mocno starszawą parę: mężczyznę o łagodnym wyrazie twarzy i kobietę o postawie i zachowaniu dragona.

– Chodźcie, chodźcie, trzeba koniecznie zrobić naradę bojową. I nie wiem, czy nie warto by zawołać Grzesia. Czuję, że bez niego i tak się nie obejdzie.

Nowo przybyli przywitali się serdecznie z Mareszką, Saszą i Pawłem, po czym gospodyni delikatnie uchyliła drzwi do pokoju obok i zebrani zobaczyli, kogo mieli zobaczyć. Pani Lila w krótkich żołnierskich słowach nakreśliła obraz sytuacji, nie da się ukryć, podbramkowej.

Jakoś nikt się nie kwapił do wygłaszania prawd objawionych. Cisza zadzwoniła w powietrzu.

– No, rzeczywiście, nie jest dobrze – mruknął Noel. – I powiadasz, Lilu, że ona nie chce dziecka oddać...

– Powiadam.

– Nie ma się co dziwić – sarknęła Róża. – Jak kobieta dziewięć miesięcy dziecko nosi, to przestaje mieć znaczenie, czyje to było, za przeproszeniem, jajo, czy jak tam się to nazywa, zygota. Dziewięć miesięcy! Urodziła, karmi. Znaczy, matka. Przynajmniej ona tak musi czuć. Na litość boską! Ona kocha tego dzieciaka!

– Sasza, ty znasz tych ludzi? Przepraszam, chyba nie jesteśmy na ty. Ale możemy być, co? Ja się ostatnio przyzwyczaiłam ze wszystkimi być na ty. To przez tych żeglarzy...

– Pani Lilu, to dla mnie będzie zaszczyt i radość. Lilu, chciałem powiedzieć. Mówisz o rodzicach Alika? Nie znam. Znam tylko Staszka, chłopaka Mirandy. I to przelotnie.

– No tak. Co powinniśmy zrobić waszym zdaniem? Bo tą dziewczyną ja się zaopiekuję, możecie być spokojni, Róża i Noel mi pomogą. Ale co robić? Mareszko?

– Może najpierw uzgodnijmy poglądy. Czy waszym zdaniem ona powinna dziecko oddać czy nie?

– Mareszko droga nasza. Tu nie ma dobrego wyjścia. – Noel skrobał się po wysokim czole łyżeczką do herbaty. – Ktoś zostanie nieszczęśliwy. Czy uważasz, że akurat my mamy prawo o tym decydować?

– No właśnie, a jakie jest prawo? Ktoś wie?

– Mnie się kiedyś coś obiło o uszy – niespodziewanie odezwał się milczący dotąd Paweł. – W jakichś wiadomościach. Gdzieś była już podobna historia, a może i niepodobna, nieważne. Zapamiętałem coś takiego, że matką według prawa jest ta kobieta, która urodziła. To by znaczyło, że jeśli Miranda nie zechce oddać dziecka, to nie odda. I tamci ludzie nic jej nie zrobią.

– My tak mówimy „ci ludzie", „tamci ludzie" – zauważył Noel. – Współczujemy Mirandzie, bo ją tu mamy pod ręką, i jej dziecko, jej nerwy i jej niepewność, i jej strach. Szkoda nam jej. A nie wiemy, co przeżyli i przeżywają tamci.

– No tak, masz rację, Noelu. – Pani Lila energicznie pokiwała głową. – Trzeba by się z nimi jakoś skontaktować. Oni prawdopodobnie teraz szaleją z niepokoju, bo nie mają pojęcia, gdzie jest Miranda i dziecko. Ich dziecko, bo dla nich to przecież ich synek. Różo, jakie jest twoje zdanie?

– Takie, że tu faktycznie nie ma dobrego rozwiązania. A powiedz, Lilu, czy ona, ta Miranda, upoważniła nas do jakiegoś działania w jej imieniu? Przecież ona jest dorosła, odpowiada sama za siebie.

– Dorosła! Dwadzieścia lat! Różo, spróbuj sobie przypomnieć, jak sto lat temu ty miałaś dwadzieścia lat! Jaka byłaś dojrzała!

– Właśnie, że byłam! Musiałam pomagać mamusi w utrzymaniu domu! I rozwiązywałam problemy!

– Na poziomie podstawowym! Zdobywanie pożywienia i takie tam różne. Moim zdaniem ta cała Miranda ma problem, którego nie jest w stanie sama rozwiązać!

– Czego nie jestem w stanie sama rozwiązać?

Miranda, zaspana i trochę rozczochrana, stała w drzwiach. Wszyscy zamilkli. Pierwsza oprzytomniała, oczywiście, pani Lila.

– Problemu. Nie bierz mi za złe, mała, ale wpakowałaś się w niezły kanał. – Starsza pani lubiła używać jędrnych wyrażonek przejętych od swoich młodocianych przyjaciół, z którymi pływała swego czasu pod żaglami. – I pociągnęłaś za sobą kilka osób.

– Nikogo nigdzie nie ciągnęłam. Mogę natychmiast stąd pójść.

– Czekaj. Nigdzie nie musisz chodzić. Nie zrobimy przecież niczego bez twojej akceptacji.

– Nie oddam mojego dziecka.

– Nikt ci go nie każe oddawać. Zrobisz, co uznasz za stosowne. My ci pomożemy, nie martw się. Tylko chcemy, żebyś nam powiedziała, jakie są twoje plany na najbliższą przyszłość. I na trochę dalszą też. Nie będziesz już spać?

– Nie, na razie nie.

– To siadaj z nami. Napij się kawy, to oprzytomniejesz.

– Jestem przytomna.

– Ale zaspana. Hej, kobieto, nie traktuj nas jak wrogów!

– Przepraszam.

Miranda usiadła przy stole tak, żeby utrzymać kontakt wzrokowy z Saszą. Właściwie tylko jego tu znała i wcale nie uważała, żeby było w porządku jakieś urządzanie sądu nad jej osobą.

Pani domu przyniosła jej filiżankę i nalała kawy z dzbanka stojącego na stole. Przedstawiła też dwójkę swoich przyjaciół.

Odliczając Saszę, pięć osób zamierza się nad nią pastwić! Pięć nieznajomych osób. Będą się wymądrzać i wydawać jej polecenia. O nie! I niech się wypchają swoją kawą!

– Ja... dziękuję za kakao i odpoczynek, już będę szła. Sasza, pomożesz mi zabrać rzeczy?

Sasza zrobił wielkie oczy. Odruchowo wstał, ponieważ wstała Miranda, ale nie bardzo wiedział, co powinien teraz zrobić. Sytuację uratował Noel.

– Pani Mirando – powiedział swoim łagodnym głosem. – Jeszcze moment, dobrze? Zaraz pani pójdzie, jeśli pani tylko będzie chciała. Proszę usiąść i odpowiedzieć mi szczerze na jedno pytanie. Zadane z życzliwości.

– A skąd pan ma do mnie tyle życzliwości? – zakpiła.

– Ja mam sporo życzliwości dla świata ogólnie, droga pani. W zasadzie pani los mnie ani ziębi, ani grzeje. Jest pani jednak przyjaciółką moich przyjaciół. Chciałbym pomóc pani uporządkować pewne rzeczy. Mogę pytać?

– Proszę – burknęła, ale nie usiadła. Noelowi to nie przeszkadzało.

– Dokąd pani stąd pójdzie?

– Do domu.

– Pani Mirando, nie bądźmy dziećmi. Gdyby pani mogła pójść do domu, toby pani do niego poszła prosto ze szpitala. Nie wołałaby pani naszego wspólnego przyjaciela Saszy na pomoc. Czy myślę logicznie?

Miranda nie odpowiedziała, tylko ukryła twarz w dłoniach. Ten cały Noel, stary piernik, miał obrzydliwą rację.

– Pani Mirando – ciągnął, najwyraźniej przyznając sobie przewodnictwo zebrania. – Nikt pani nie będzie do niczego zmuszał ani nakłaniał. Z jednym wyjątkiem. Powinna pani zawiadomić tych ludzi, którym pani miała urodzić dziecko, że oboje żyjecie i że nic wam nie grozi. Przecież pani im znikła z oczu i oni teraz prawdopodobnie szaleją z niepokoju. Proszę mi nie mówić, że pani to nie obchodzi. Przypuszczam, że nie jest pani pozbawiona uczuć ludzkich.

– A pan? Czy pan rozumie, że nie mogę im oddać mojego syna?!

– Zrobi pani, jak zechce. Proszę panią tylko, żeby pani do nich zadzwoniła.

Znowu zapadła cisza. Wszyscy z zapartym tchem czekali na to, co Miranda teraz zrobi.

Zanim zdążyła podjąć decyzję, jej telefon odezwał się sam, powodując nerwowe drgnięcie obecnych. Miranda spojrzała na wyświetlacz. Gdyby to była Anita albo Cypek, nie odebrałaby. Odkąd zreanimowała komórkę, miała takie telefony co pół godziny – odrzucała wszystkie. Tym razem dzwoniła Eliza Trumbiak.

Miranda była tak pewna, że to któreś z Grabiszyńskich, że kiedy zobaczyła inne nazwisko, machinalnie odebrała połączenie.

– Wreszcie! – zawołała Eliza, jak gdyby nie dzwoniła pierwszy raz, odkąd jej współlokatorka zniknęła. – Mira, co ty wyrabiasz?

– Nic nie wyrabiam. O co pani chodzi?

– O ile mi wiadomo, masz jakieś zobowiązania, prawda? Urodziłaś dziecko?

– Tak...

– No to gdzie się z nim podziewasz? Anita odchodzi od zmysłów! Natychmiast masz się z nią skontaktować! Pieniądze potrafiłaś wziąć, co? Natychmiast dzwoń do Anity!

Miranda wyłączyła telefon.

– To była ta kobieta?... – Pani Lila miała wypieki.

– Nie, to jej przyjaciółka. Pośredniczka.

– Jaka pośredniczka? Ach, rozumiem! Nie, nie rozumiem. Agentka jakaś? Rodzenie dzieci ekspresowo? Chcesz mieć dziecko, zgłoś się do nas?

– Coś w tym rodzaju.

Kolejny pat.

Tym razem rolę głosu rozsądku wzięła na siebie Mareszka.

– Słuchajcie – powiedziała. – Nic mądrego teraz nie wymyślimy. Proponuję rozejść się i pozostawić Mirkę w spokoju. Niech się zaaklimatyzuje... Pani Lilu, naprawdę może zostać u pani?

– Jasne, że może. Już ci to mówiłam!

– Sasza, zaopiekuj się Mirką. My będziemy w odwodzie, że się tak wyrażę. W każdej chwili do dyspozycji. Teraz nic tu po nas. Mirka, gdybyś czegoś potrzebowała, powiedz Saszy. Albo pani Lili. Kochani. Wychodzimy.

Ku zdumieniu Mirandy całe towarzystwo grzecznie wstało, pożegnało się i skierowało do wyjścia. Nie przypuszczała, że naprawdę ją zostawią w spokoju. Sądziła raczej, że będą naciskać, żądać szczegółów, proponować setki idiotycznych wyjść sytuacji – nie do przyjęcia dla niej. A tymczasem oni naprawdę sobie poszli. Została pani Lila. I został Sasza.

Pani Lila, zamykając drzwi za nimi, przytrzymała na moment Noela za rękaw.

– Nie wiem, mój drogi – szepnęła – czy tu się obejdzie bez pomocy twojego zięcia.

– I mnie się tak wydaje, Lileczko – odszepnął. – Pogadam z nim. Opiekuj się tym biedactwem. Na razie, kochana. Różyczko, uważaj na tych schodach! Daj rękę, dobrze? W razie gdybyś miała się osunąć...

– Oszalałeś, jakie osunąć! A zresztą trzymaj mnie lepiej, tu jest cholernie stromo. I te stopnie takie powygryzane!

– Jak to w starym budownictwie, moja droga...

Miranda nie słyszała tych rozmów. Alik zapłakał. Tym razem naprawdę chyba trzeba go przewinąć.

Eliza Trumbiak była wściekła. Jeśli ze wszystkimi klientami będą takie pierepały, to zakładanie agencji wynajmu sztucznych mamusiek nie ma najmniejszego sensu. Cholera, że też już za pierwszym razem takie kłopoty! Jeśli jeszcze ta mała kretynka wygada się przed Grabiszyńskimi i Anita dowie się, że najlepsza przyjaciółka wyciągnęła od niej dziesięć tysięcy za pośrednictwo... Eliza wzięła je wprawdzie od Mirandy, ale gdyby nie to, dziewczynie wystarczyłoby gołe pięćdziesiąt. Cholera jasna.

Czy będzie musiała oddawać tę dychę? Przecież wydała ją prawie w całości. W dwóch trzecich...

Eliza usiadła przy komputerze, weszła do internetu i ulżyła sobie na kilku ulubionych forach. To przywróciło jej do pewnego stopnia przytomność umysłu.

Nigdzie nie jest powiedziane, że jeśli za pierwszym razem nie wyjdzie, to dalej też będzie kiepsko. Trzeba się walnąć we własne piersi i przyznać, że raczej beztrosko podeszło się do sprawy. Zaniechało się kontroli. Nie trzymało się głupiej małolaty za rękę. No i dała ognia dziewucha, aż miło.

Nie, nie można się tak łatwo poddawać. Przede wszystkim dlatego, że to naprawdę byłby bardzo, ale to bardzo dobry dodatek do uczelnianej pensji. Trzeba tylko podejść do sprawy zawodowo, przemyśleć wszystkie możliwe pułapki, opracować dokładnie sposób działania i postępować dokładnie według przyjętych zasad.

Całkiem już uspokojona Eliza zrobiła sobie dużą filiżankę kawy i zasiadła do pracy.

Ciekawe, czy Wirginia nie dałaby się namówić na rodzenie cudzych dzieci. Trzeba by ją zagadnąć... Pytanie, czy na swoich trzech sponsorach wyciąga pięćdziesiąt tysięcy rocznie. Bo chyba raz w roku będzie można rodzić dziecko... A interesujące też, czy siostra Wirginii, ta mała wycieruska Roksana... chociaż ona jest jeszcze o wiele za młoda, ma jakieś piętnaście czy szesnaście lat. No to za jakiś czas dojrzeje. Chociaż siostrzyczki pewnie nie będą chciały psuć sobie figury, nawet za największe pieniądze. Mają bogatego tatusia. Na szczęście są biedne studentki i przede wszystkim – internet. W internecie jest pełno niezamożnych kobiet poszukujących paru groszy. Nawet lepsze będą starsze, takie z własnymi dziećmi – żeby nie ciągnęło ich do cudzych.

Będzie w czym wybierać. Trzeba tylko mieć zimną krew i nie zniechęcać się początkowym niepowodzeniem.

Takiej firmy nie planuje się na rok ani dwa. To jest inwestycja na życie!

Pani Kalina Grabiszyńska wściekła nie była, co to, to nie. Była jednak niezadowolona. Czuła, że coś się dzieje za jej plecami, i denerwowało ją, że nikt jej nic nie mówi. Przez wiele miesięcy wykazywała cierpliwość zgoła anielską, ostatnio jednak Anita miała oczy na słupkach, jakby była czymś szalenie podniecona, Cypek robił miny męczennika i odmawiał wszelkich zeznań, a Sławek najwyraźniej coś wiedział, ale nabrał wody w usta. Od kilku dni atmosfera w rodzinie jakby bardziej jeszcze zgęstniała, choć wydawałoby się to zupełnie niemożliwe. A teraz pani Kalina, przyglądająca się z przyjemnością pierwszym zielonym listkom na drzewach, zobaczyła przez okno własnego mieszkania, jak do drugiej połówki willi wpadają bez tchu starsi Pindelakowie wraz ze Stasinkiem.

Co tam się wyprawia?!

Pani Kalina sięgnęła po telefon i wydzwoniła męża.

– Kalinko, serce, nie bardzo mogę teraz rozmawiać, mów szybko...

– Dobrze. Sławku, czego ja nie wiem?

W słuchawce zapanowała cisza.

– Sławku?

– Tak?

– Czego ja nie wiem?

– A co wiesz? – spytał ostrożnie mąż.

– Sławek, zabiję cię za takie numery! Nic nie wiem. U dzieci coś się stało... chyba.

– Skąd wiesz?

– Pindelaki przyleciały w nerwach całe, widać to po nich było nawet z odległości. Sławek, proszę. Bo dostanę ataku!

– Nie waż się! Wszystko ci powiem, jak wrócę. Wieczorem. Teraz naprawdę nie mogę rozmawiać, za moment mam zabieg, już jestem umyty, pani Iwonka mi słuchawkę przy uchu trzyma. Kalinko, tylko nie rób żadnych głupot z sercem! Bo mogą nie zdążyć cię uratować! Pa. Do wieczora. I proszę, bez ataków!

Stanowczy ton męża zrobił na pani Kalinie pewne wrażenie. Może z tym sercem rzeczywiście przegięła kilka razy. Ostatnio były jakieś kłopoty z umiarowieniem. No to chyba rzeczywiście nie będzie ryzykować. Głupio byłoby na własne życzenie dostać zawału. Dobrze, zaniecha ataków serca. To nie znaczy jednak, że zgadza się pozostać w nieświadomości!

Może teściowa coś wie?

Zza drzwi pokoju babci Dobrochny dobiegał przenikliwy dźwięk trąbki. Widać skończył jej się inspektor Barnaby i przerzuciła się na „Vabank", którego obie części oglądała regularnie co miesiąc, jak twierdziła, dla zdrowia. Zastopowała uprzejmie DVD i chętnie odpowiedziała na pytanie synowej – że nic nie wie, niestety. Po czym na powrót oddała się kontemplowaniu uroku osobistego swoich dwóch ulubieńców, Kwinty i Duńczyka.

No tak, starsza pani, nawet jeśli coś wie, to i tak nie powie. Pani Kalina nie miała złudzeń. Owinęła się kaszmirowym szalem w ulubionym lawendowym kolorze (dzień był chłodny), opuściła mieszkanie, starannie zamykając za sobą drzwi, przemaszerowała przez ogródek i weszła do połówki willi należącej do dzieci. Minęła wejście do biura firmy „Mata chatę" i wspięła się na schody.

Z mieszkania dzieci dobiegały nerwowe damskie okrzyki. Pani Kalina zapukała i nie doczekawszy się zaproszenia, weszła.

W salonie na kanapie leżała w pozie dramatycznej Anita, wydająca te okrzyki, a mąż jej Cypek najwyraźniej usiłował ją jakoś pocieszyć i podnieść do pionu. Lonia i Marek Pindelakowie siedzieli przy stole, a miny mieli nietęgie. Ten ich przyjemny nawet synek Stasinek gapił się przez okno, jakby za nim spodziewał się znaleźć rozwiązanie problemu, który najwidoczniej wszystkich dręczył.

– Dzień dobry – powiedziała pogodnie pani Kalina i nie doczekała się odpowiedzi.

Usiadła przy stole i postanowiła poczekać. Kiedyś się odezwą ludzkim głosem.

Po chwili zrozumiała, że długo musiałaby czekać. Słychać było tylko pochlipywanie Anity i łagodne pomruki Cypka. Rodzinę Pindelaczą najwyraźniej opanował stupor.

– Hej – zagaiła pani Kalina tym samym życzliwym tonem. – Co się stało? Jakieś nieszczęście? Cypciu? Anitko? Co z wami?

Anita zaszlochała, a Cypek przytulił ją do piersi, spoglądając jednocześnie na matkę rozpaczliwym wzrokiem, niestety, bez słowa.

Pani Kalina poczuła się ździebko zniecierpliwiona. Powariowali wszyscy z kretesem.

Nabrała powietrza w płuca.

– Cypek! – ryknęła, aż jej syn podskoczył, a z nim cała reszta towarzystwa. Dla wzmocnienia efektu trzasnęła pięścią w stół. – Co jest grane? Mów natychmiast!

– Ja ci powiem, Kalinko – zaofiarował się, jakby oprzytomniawszy nieco, pan Marek Pindelak. – A co już wiesz?

– Nic! – warknęła rozeźlona już na dobre. – Nic, do diabła, nie wiem! Opowiadaj wszystko!

– Ja powiem – Cypek wysunął się przed szereg. Zostawił Anitę z nosem w poduszce i dzielnie stanął przed obliczem matki. – Nie mówiliśmy ci, mamo, żeby cię nie zdenerwować.

– Czego, do cholery?! – ryknęła matka, waląc po raz drugi pięścią w stół. – Czego mi nie mówiliście?! Zabiję kogoś za chwilę!

– Nie, nie, już mówię. No więc... wszystko zaczęło się od tego, że chcieliśmy mieć dziecko.

– Wszyscy chcą. I co?

– No tak, wszyscy. Naciskałaś na nas, o ile pamiętasz...

– Ja? – zdziwiła się pani Kalina dość fałszywie. Już chciała jakoś energiczniej zaprotestować, ale spojrzała w twarz własnego syna i zrozumiała, że nadeszła chwila prawdy. Naciskała, rzeczywiście – pamiętała to doskonale. No i co?

– Ty, mamo. Okazało się, że normalnie nam to nie wyjdzie, więc zdecydowaliśmy się na in vitro...

– Matko święta, czemuście mi nie powiedzieli?

Cypek wzruszył ramionami. Pani Kalina poczuła jakby ukłucie wyrzutów sumienia. Chyba faktycznie nieźle im dawała popalić w tamtym okresie, nic dziwnego, że nie lecieli do niej ze zwierzeniami.

– Ja przecież nie mam nic przeciwko in vitro – fuknęła. – To bardzo dobra metoda! Mamy tu znajomych lekarzy... a, właśnie, gdzieście to robili?

– W Białymstoku, mamo. Nieważne, i tak nam kilka prób nie wyszło. No i Anita... No i zdecydowaliśmy się wynająć osobę, żeby za Anitkę to dziecko urodziła.

Pani Kalina chciała im powiedzieć, że zwariowali, ale opanował ją właśnie stupor, mniej więcej taki sam jak Pindelaków. Nie będąc w stanie wykrztusić słowa, wpatrywała się to w syna, to w synową z niedowierzaniem.

– Żeby nie przedłużać opowiadania, mamo – ciągnął Cypek. – Ta osoba rzeczywiście zaszła w ciążę, z naszym zarodkiem, to znaczy z zarodkiem naszego dziecka. Miała urodzić w takiej prywatnej klinice, ale z tego co wiemy, zaczęła rodzić przed czasem, a na dodatek spadła ze schodów, trochę się potłukła i zawieźli ją na Unii. Ona tam urodziła, o czym nas nie zawiadomiła, a potem okazało się, że nie chce oddać dziecka. Wypisała się na własne życzenie dzień wcześniej, niż miała wyjść, i zniknęła.

– Kiedy zniknęła?

– Dzisiaj.

– Kontaktowała się z wami?

– Nie.

– To skąd wiecie, że nie chce oddać dziecka? Może tam się coś innego wydarzyło? Może ona chce dodatkowych pieniędzy za dziecko?

– Nie, żaden szantaż nie wchodzi w grę. Ona mówi, że je pokochała.

– Komu mówi, na litość boską?

– Okazało się, że to dziewczyna Stasinka. Powiedziała mu, że dziecka nie odda, a potem okazało się, kto jest kto.

Pani Kalina poczuła, że jeszcze ze dwie podobne rewelacje, a jej serce samo z siebie dostanie arytmii, bez udziału jej woli. Co im strzeliło do głowy, żeby przerywać próby in vitro? Przecież wiadomo, że to trzeba kilka razy... Czasem wiele razy. Jak mogli wynajmować dziewczynę Stasinka... ach prawda, nie wiedzieli, że to dziewczyna Stasinka. Ale dziewczyna. Młoda! Boże, co za brak wyobraźni... teraz za to płacą. Dziewczyna mogła faktycznie pokochać dzieciaka, jeśli się dziecko nosi dziewięć miesięcy, rodzi, karmi...

O cholera, toż ona tak czy inaczej jest babcią! Ona, Kalina!

– Ojciec wie?

Cypek kiwnął głową. No tak, wszyscy wiedzieli poza nią! Zabić to mało!

Czyżby była aż taką jędzą?

Zrobiło jej się przykro. I trochę wstyd.

Nie, nie może się nad sobą rozczulać. Gdyby nie zachowywała się jak idiotka, tylko jak normalna matka, toby niczego przed nią nie skrywano. Wywierała presję, a dzieci pewnie bały się, żeby ta presja nie była jeszcze większa, więc siedziały cicho. Sama sobie jest winna i nie ma co szklić!

– I co teraz zamierzacie zrobić?

– Właśnie zaczęliśmy się zastanawiać, kiedy przyszłaś – odpowiedział z westchnieniem jej syn. – Wygląda na to, że nie mamy specjalnej możliwości ruchu. Nie wiemy, gdzie ona jest. Do tego mieszkania, które wynajmuje, nie wróciła. Telefonów nie odbiera. Musimy czekać.

– Niedobrze – orzekła krótko pani Kalina. – Czas działa przeciwko nam.

Nikt się nie odezwał. Było jasne, że im dłużej dziewczyna będzie miała dziecko przy sobie, tym bardziej się do niego przywiąże.

– Naraziliście ją na cierpienie – powiedziała gniewnie pani Kalina.

– Anitę? – spytał niepewnie Cypek.

– Ty i Anita naraziliście na cierpienie tę dziewczynę, jak jej tam... Jak jej?

– Miranda Wiesiołek.

Pani Kalina z trudem powstrzymała jęk. Ludzie zupełnie nie mają wyczucia do imion! Dziwne nazwisko łatwiej znieść, nazwiska się nie wybiera, tylko je dziedziczy. Ale żeby dziecko nazwać Mirandą... Niby nawet ładnie, tylko dziwacznie. Ciekawe, co to za jedna.

Nieważne. Wygląda na to, że trzeba będzie przejąć inicjatywę. Bo ani jednej przytomnej osoby tu nie ma. Jeśli ona, Kalina Dolina-Grabiszyńska, czegoś nie zrobi, to oni będą tak czekać, aż dziecko skończy osiemnaście lat. No więc tak nie będzie. Ktoś tu musi myśleć logicznie! I działać!

Telefon Cypriana zadzwonił i wszyscy obecni w pokoju aż podskoczyli. Cypek rzucił okiem na wyświetlacz i podskoczył ponownie.

– Cicho bądźcie! – syknął. – To ona!

Anita odzyskała pion błyskawicznie. Pani Lonia złapała się za serce, ojciec Pindelak za głowę, a Stasinek za żołądek. Jedna pani Kalina zachowała spokój.

– Daj na głośnik – rozkazała teatralnym szeptem.

– Halooo – powiedział Cypek ostrożnie. – Pani Mirko, co z panią?

– Ze mną nic – odrzekł głos w telefonie, zniekształcony, ale wyraźnie należący do osoby młodej. – Dziecko też w porządku. Panie Cyprianie, czy Stasinek powiedział wam...?

– Mówił dziwne rzeczy. Pani Mirko, ja wiem, że po porodzie można mieć ten... no, jak mu tam... szok poporodowy. Rozumiem, że przeżyła pani swoje... ten wypadek na schodach, wszystko rozumiem. Mam nadzieję, że teraz doszła pani do siebie i możemy się umówić na... przekazanie dziecka. To synek, prawda?

– Tak, synek. Ale, panie Cyprianie, ja nie jestem w żadnym szoku. Ja tylko nie mogę państwu oddać Alika. To jest moje dziecko.

– Pani Mirko... – Cypek przemawiał najłagodniejszym tonem, na jaki było go stać. – Oboje wiemy, że to nieprawda. To dziecko Anity i moje. Z naszego... materiału genetycznego, cholera jasna...

Przerwał, uderzony tym, co sam powiedział. Materiał genetyczny! Boże, jak to brzmi!

– Panie Cyprianie! – Głos w słuchawce wciąż był spokojny. – Ja to dziecko nosiłam dziewięć miesięcy. Urodziłam je. Teraz je karmię własnym mlekiem. I pan mi powie, że on nie jest mój? To mój syn. Pana, owszem. Ale i mój. O wiele bardziej mój niż pani Anity. Ona dała tylko... materiał genetyczny. Ja jestem matką. Takie jest prawo, mówię to na wypadek, gdyby pan nie wiedział.

– Pani Mirko! Jakie prawo, na litość boską?!

– Obowiązujące. Ja przepraszam, ale sprawdziłam to. Te pieniądze państwu spłacę, na razie wydałam tylko kilka tysięcy, czterdzieści oddam od razu, a dziesięć w ratach jak zarobię. Bo te dziesięć od pani Elizy to już państwo sami muszą odzyskać...

– Jakie dziesięć?

– Za pośrednictwo. Dali jej państwo sześćdziesiąt tysięcy, z tego pięćdziesiąt dla mnie i dziesięć dla niej...

– Sześćdziesiąt było dla pani... Eliza mówiła, że pani tyle zażądała. Ona jest przyjaciółką mojej żony, nie brałaby od nas pieniędzy! Ale nie o to chodzi...

– O to też. Bo ja nie zamierzam zwracać tego, co ona zabrała. Proszę wybaczyć. Będziemy w kontakcie...

– Pani Mirko, proszę się nie rozłączać!

– Ale ja już wszystko powiedziałam...

W tym momencie Anita zerwała się z kanapy i wydarła z rąk męża słuchawkę.

– Oddaj mi dziecko! Natychmiast oddaj mi dziecko! Nie możesz go zatrzymać!

– Prawo jest po mojej stronie – powiedziała słuchawka i coś w niej brzęknęło.

Anita z impetem cisnęła komórką w kąt pokoju.

Pani Kalina chętnie trzepnęłaby ją w tej chwili po łapie, ale z żalem uznała, że nie może się do tego posunąć. Jest to, bądź co bądź, żona jej ukochanego syna, a ona sama jako teściowa już i tak się niespecjalnie popisała. Niemniej uważała, że Anita źle robi, pozwalając ponieść się emocjom.

Nazwijmy to po imieniu: histerii.

Pani Kalina nie znosiła histeryczek.

– Cypek – zwróciła się do syna, a właściwie do jego tylnej części. Przednia chwilowo znajdowała się pod komodą, pod którą poleciała komórka. – Wy ją jakoś lepiej znacie, tę Mirkę, czy tylko tak, za przeproszeniem, biznesowo?

– Biznesowo, mamo – odrzekł syn i wyczołgał się spod komody z telefonem w dłoni. – Stasinek zna ją chyba lepiej. Działa, ale Anitko, nie rób tego więcej.

– Czy moglibyście przestać mówić na mnie „Stasinek"? – spytał Stasinek tonem beznadziejnym. Wyglądał jak Hamlet świeżo po zobaczeniu ducha.

– Moglibyśmy, ale dlaczego? – zdziwiła się pani Lonia Pindelakowa.

– Taka forma świadczy o miłości rodzinnej – pocieszyła go pani Kalina. – Doceń to. Słuchaj, Stasinku. Słuchaj, bo to ważne. Musimy znaleźć tę twoją Mirindę... Mirandę...

– Już nie moją – mruknął ponuro.

– Nie gadaj! Zerwałeś z nią w takim momencie?

– Nie wiem, czy z nią zerwałem. Powiedzmy, że na razie nie mogłem z nią być. Sytuacja mnie przerosła. Znacznie.

– Powiedzmy, że rozumiem. Nie masz jakiegoś pomysłu, gdzie ona może być? Ta Miranda?

– Nie mam pojęcia.

– Spręż się umysłowo, młody człowieku i przestań myśleć o tym, co ciebie spotkało! Mamy tu ważniejsze sprawy! Z kim ona się przyjaźniła?

– Ze mną. Taką paczkę mieliśmy. Kilku kolegów, zwłaszcza jeden, koleżanka...

– Telefon do koleżanki poproszę. A ty dzwoń do tego kolegi i spytaj, czy nie pomagał Mirandzie!

Nieco zdziwiony taką aktywnością teściowej swojej siostry Stasinek podał jej numer Goni i sam zadzwonił do Dużego. Duży nic nie wiedział o sytuacji.

Pani Kalina już miała zacząć telefonować, ale spojrzała na pozbawione jakiejkolwiek energii towarzystwo i zbrzydziło ją. Wzięła swój lawendowy szal i wyszła do ogródka. Tam dopiero zadzwoniła do owej Goni.

– Halo, halo – zaczęła zachęcającym tonem, niczym akwizytorka garnków aluminiowych, zapraszająca na spotkanie połączone z pokazem tychże garnków i skromnym poczęstunkiem. – Pani Gonia? Nazywam się Kalina Grabiszyńska, dzwonię w sprawie pani Mirandy. Możemy chwilę porozmawiać?

– Tak – odpowiedziało jakieś miłe dziewczę. Jej głos spodobał się Kalinie. – Czy coś się stało z Mirką?

Kalina poczuła, że jest ponad jej siły rozmawiać o tym wszystkim przez telefon. Powiedziała o tym miłej dziewczynie.

– Pani jest teraz gdzieś w okolicy uniwerku? Może ja bym panią zaprosiła na kawę, bo naprawdę chciałabym się naradzić. Nie jest dobrze.

– Jestem na Ostrawickiej z psem...

– A to świetnie, ja mieszkam prawie naprzeciwko. Jak panią poznam?

– Po psie. To jest dog de Bordeaux. Zna pani tę rasę?

– Śliczne zwierzątka. Już do pani idę.

Trzy minuty później Gonia, siedząca w kącie poczekalni lecznicy dla zwierząt, ujrzała przed sobą piękną, acz starszawą damę owiniętą lawendowym szalem. Dama weszła do pomieszczenia i bezbłędnie posterowała w kierunku jej psa.

– Jaki piękny! Jaki wielki! Słodziaczku! Chory jesteś? Biedny piesek? Boli coś? Przepraszam, pani Gonia, prawda? Ja jestem Kalina Grabiszyńska.

Gonia kiwnęła głową. Słodziaczek tymczasem, wzruszony dobrym słowem, gorliwie podał damie łapę, potem obie, a potem wspiął się na tylne, żeby obdarzyć ją solennym całusem. Przyjęła to z aprobatą, wytarła się szalem i z rozmachem usiadła obok Goni.

– Cudny. Jak ma na imię?

– Perełka. To dziewczynka, dlatego taka pieszczocha. No chodź, Perełka, połóż się grzecznie koło pani.

Perełka posłusznie zwaliła się z głuchym łoskotem na podłogę.

– Co jej jest? – spytała pani Kalina, gładząc wielki łeb.

– Zjadła jakieś paskudztwo na spacerze, a delikatna jak ratlerek. Lubi pani psy?

– Pewnie, że lubię. Właściwie nie wiem, dlaczego nie mam. Kiedyś miałam, a potem już nie. Chyba to zmienię w najbliższym czasie. Pani Goniu, chciałam pogadać o pani Mirandzie. Stasinek mówił mi, że panie się przyjaźnią i że ona się pani ze wszystkiego zwierzała...

Stasinek nie mówił niczego takiego, ale pani Kalina uznała, że odrobinkę zablefować nie zaszkodzi. Gonia kiwała głową. Naprawdę miła z niej dziewczyna.

– Pani wie, że ona zgodziła się urodzić cudze dziecko...

– Tak.

– I że teraz nic chce tego dziecka oddać?

– Staszek coś mi tam wspominał. Pomagałam mu kupować rzeczy dla małego. Ale z Mirką się nie widziałam. Ona kiedy wychodzi z tego szpitala? Jutro chyba?

– Dzisiaj wyszła. Wyszła i znikła.

– Staszek miał ją jutro odebrać...

– Znikła dzisiaj. To pani chyba jeszcze jednej rzeczy nie wie... ja pani powiem, ale poproszę o dyskrecję absolutną. To dziecko jest, biologicznie rzecz ujmując, dzieckiem siostry Stasinka. My jesteśmy do pewnego stopnia rodziną. Ja jestem teściową Anity, jego siostry. Teraz Staszek nie wie, gdzie Miranda się podziała. Ona nawet dzwoniła do nas...

– Pani z tym buldokiem tera idzie!

Żurkowaty jegomość z małym kotkiem w objęciach stał nad nimi i ziejąc alkoholem, podawał życzliwie komunikat.

– Dziękuję, niech pan wejdzie teraz, dobrze? – Gonia była przejęta niebotycznie. Żurek przytulił kotka i uśmiechnął się dwoma zębami do ładnej dziewczyny.

– Jak pani chce, to pójdę – powiedział zgodnie.

– No i co? Mówiła pani, że Mirka dzwoniła...

– Tak, ale nie powiedziała, gdzie jest, tylko podała komunikat, że dziecka nie odda.

– Matko jedyna! W domu jej nie ma, co?

– Nie. Pani Goniu, kto by jeszcze mógł o niej coś wiedzieć?

Gonia spojrzała na panią Kalinę podejrzliwie. Dama machnęła ręką niecierpliwie.

– Pani Goniu, ja nie chcę na nią napadać i siłą jej tego dziecka zabierać. Chcę z nią porozmawiać. Chcę zobaczyć to dziecko. Musimy się naradzić, co zrobić. Ona teraz ma zamiar małego zatrzymać, ale czy będzie w stanie sobie z nim poradzić? Jest dobrze sytuowana?

– Ależ skąd. Przecież wzięła tę pracę... tę ciążę... bo nie miała za co żyć. Rodzice dają jej grosze. Może teraz dostanie jakieś stypendium, bo się dobrze uczy.

– No właśnie. Jeszcze będzie musiała oddać pieniądze, które wzięła od moich dzieci. Z czego? Pytam, z czego? No i nie zapominajmy, że z drugiej strony jest dwójka zrozpaczonych ludzi, biologicznych rodziców tego małego. Cholera, sama pani widzi, co się dzieje. Nie ma dobrego wyjścia. Nie ma. Zawsze ktoś będzie nieszczęśliwy. Trzeba się razem zastanowić, co zrobić, żeby nieszczęścia było jak najmniej. Pani Goniu, kto może wiedzieć, gdzie jest Miranda?

Gonia zastanowiła się przez chwilę. Ta cała pani Kalina-Dolina, czy jakoś tak, nawet jej się podobała. Może dzięki nader słusznemu stosunkowi do Perełki. Zresztą Perełka dała jej świadectwo moralności. Gdyby była fałszywą babą, psica nie rzucałaby się na nią z buziaczkami. No dobrze, niech będzie.

– Jeśli ktoś coś wie, to chyba tylko Sasza Winogradow.

– Ten od ruskich ballad? – zdziwiła się pani Kalina.

– Ten. Zna go pani?

– Byłam ze dwa razy na jego koncercie. I mówi pani, że oni się przyjaźnią?

– Ja też się z nim przyjaźnię – zakomunikowała Gonia z pewną dumą. – Mirka bardziej. Mogła go prosić o pomoc.

– Zadzwonimy do niego?

Perełka uznała, że ona jest w porządku...

Gonia sięgnęła po komórkę, jednocześnie pokazując korpulentnej damie z leciwą yoreczką, żeby weszła do gabinetu, który żurek z kotkiem właśnie opuścili.

– Halo, Saszka? Gonia przy aparacie. Saszeńka, ty wiesz, co się dzieje z Mirką?

– Wiem – odpowiedział głos Saszy poprzedzony jakby momentem namysłu.

– Schowałeś ją gdzieś?

– Chwilowo jest u przyjaciół mojej przyjaciółki. Chcesz z nią rozmawiać? Przysnęła, może lepiej dać jej spokój...

– Saszka, pogadaj z kimś, dobrze?

– Tego się obawiałem. Zaczyna się. Kurczę, Gonia, a z kim?

– Z teściową siostry Stasinka.

– Teściową siostry... czekaj. Dobrze, już wiem. No trudno, dawaj...

Pani Kalina z błyszczącymi oczami przejęła komórkę.

– Halo, halo! Panie Sasza! Ja się nazywam Kalina Dolina-Grabiszyńska. Jestem... o kurczę... jestem babcią tego małego. Niezależnie kogo uznamy za matkę, to ojcem jest mój syn. A poza tym podoba mi się, jak pan śpiewa, ale to już temat na zupełnie inne opowiadanie.

– Dziękuję – bąknął nieco oszołomiony Sasza Winogradow.

– Panie Sasza! Panie Aleksandrze, tak? Bo „panie Sasza" brzmi jakoś podejrzanie szmoncesowo. Będę z panem szczera. Moja rodzina właśnie dostaje małpiego rozumu. Obawiam się, że jestem jedyna przytomna. No, może jeszcze mój mąż, ale on właśnie jakieś zmarchy komuś wycina. Oni tę całą hecę z zastępczym brzuchem trzymali przede mną w tajemnicy, tak samo jak i to całe in vitro, może dlatego nie dałam się zwariować. Nie wiem jak pan, ale ja uważam, że obecna sytuacja jest nie do przyjęcia. Co pan na to?

Sasza był w zasadzie tego samego zdania, ale potok wymowy obcej damy sprawił, że zakręciło mu się w głowie.

– Panie Aleksandrze, spotkajmy się. Ja pana bardzo proszę. Bez mojego męża. Bez Pindelaków. Przede wszystkim bez mojego syna i jego żony, histeryczki. Niech mnie pan spróbuje zrozumieć. Ja strasznie chcę zobaczyć mojego wnuka i dziewczynę, która go urodziła. A co potem, to potem. No to jak?

– Jak pani to sobie wyobraża?

– Normalnie. Skoczę do domu, ubiorę się, bo ja tylko w szalu latam po ulicach, wezmę torebkę, zawołam taksówkę i podjadę, gdzie pan powie. Proszę się nie martwić, rodzina się nie dowie.

Jak widzimy, pod wpływem odkrycia, że została babcią, pani Kalina przestała myśleć altruistycznie i zaczęła załatwiać prywatę. Rzeczywiście jednak, w miarę jak do niej docierała ta prawda o nowym statusie, zmieniały jej się priorytety. Zresztą czuła się oszukana i pominięta przez kochaną rodzinkę. Kilka lat kręcili różne lody za jej plecami. No to teraz ona sobie pokręci.

Sasza chyba się zastanawiał.

– Panie Aleksandrze! Miał pan babcię?

– Kiedyś miałem... jeszcze w Rosji. Dobrze, spotkam się z panią. Przyjedzie pani do „Columbusa"?

– Za dwadzieścia minut będę – powiedziała, ucieszona, rozumiejąc, że on najpierw chce ją sobie obejrzeć, a potem ewentualnie zaprowadzi ją do wnuka.

Wnuka!

Pożegnała się serdecznie z Gonią i Perełką, która chciała jej się rzucić na szyję, co jednak zostało udaremnione, i popędziła do domu, nie troszcząc się o rodzinę zebraną wciąż w mieszkaniu młodych. Kwadrans później poganiała taksówkarza, żeby szybciej przedzierał się przez popołudniowe korki.

Sasza Winogradow siedział w jednej z lóż pod oknem, ale nie był sam. Towarzyszyła mu niewielka starsza kobietka z pięknie wymodelowaną grzywą wspaniale kolorowych włosów. Pani Kalina natychmiast poczuła bratnią duszę oraz ukłucie zdrowej damskiej zazdrości. Musi się dowiedzieć, do jakiego fryzjera chodzi starsza pani! Podeszła do nich krokiem dystyngowanym.

– Dzień dobry – powiedziała, pokazując w uśmiechu śnieżnobiałe ząbki. – Dobrze poznaję? To pan?

– To ja – odrzekł Sasza, wstając. – A to pani Lilianna Bronikowska.

– Chwilowo razem opiekujemy się Mirandą – powiedziała pani Lila, ściskając przybyłej dłoń prawie po męsku i obrzucając ją badawczym spojrzeniem. Wzajemna lustracja chyba wypadła pomyślnie, bo powitalny uśmiech obu pań znacznie się poszerzył.

– Pani Bronikowska... Czy ja dobrze myślę, że pracowała pani w którymś teatrze?

– We wszystkich. Naszych, tutaj. Czyta pani listy płac?

– Jasne – odparła swobodnie pani Kalina. – Znam na pamięć prawie całą orkiestrę naszej Filharmonii. I Opery. Lubię wiedzieć, kto jest kto. Nie zawsze zapamiętuję wszystko, ale coś mi tam zostaje...

– No proszę! – Pani Lila była zadowolona. Mało kto czytuje ostatnie strony programów teatralnych. Ludzie, którzy to robią, najwyraźniej szanują pracę innych. Dobrze to o nich świadczy.

Sasza dyskretnie chrząknął i pani Lila przypomniała sobie, że to spotkanie ma pewien ściśle określony cel.

– Sasza mówił, że chce pani porozmawiać z Mirandą i zobaczyć dziecko.

Pani Kalina energicznie pokiwała głową.

– Dziwi się pani? Przecież to mój wnuk, ten dzieciak! Pani go widziała?

– Tak. Bardzo miły. Śliczny. Po mamie. O, do licha. Chyba nie po tej... Zapędziłam się, przepraszam. Potwornie skomplikowane to wszystko.

– Zgadzam się z panią. I moim zdaniem... proszę mi wybaczyć szczerość, ja się znam na ludziach i od pierwszego spojrzenia wiele o nich mogę powiedzieć... Jeśli my w trójkę tego nie odkomplikujemy, to ja to czarno widzę. Moje dzieci, czyli rodzice biologiczni chłopczyka, są w kompletnej rozsypce, zresztą uważam, że synowi udzieliła się histeria jego żony, kiedyś był przytomniejszy.

– Kto z kim przestaje – wtrąciła domyślnie pani Lila.

– Oczywiście. Oni zresztą mają za sobą kilka lat nerwówki i nie ma co od nich zbyt wiele wymagać. Rodzice Anitki, mojej synowej, kochani ludzie i absolutnie nie histerycy, co to, to nie, ale też już nerwy mają na wierzchu. Ich syn... w ogóle lepiej nie mówić, Miranda była jego dziewczyną, więc też przeżywa. Pani łapie to wszystko?

– Łapię. – Pani Lila pokiwała z uciechą kolorową głową. – A gdzie w tym wszystkim pani mąż? Też taki, za przeproszeniem, nieprzytomny?

– Mój mąż przytomny, tylko siedzi cały dzień w pracy, zmarchy kobitkom wyrównuje i cycki silikonowe wszczepia... Sasza, niech pan się nie gapi, ja mam własne. Kiedyś miałam lepsze, ale chyba nie chcę sztucznych. Parę botoksów, to wszystko. No. Męża owszem, można zaangażować, tylko on musi wyjść ze swojej kliniki. Wtedy go włączymy. Słuchajcie, ta cała Miranda w jakiej formie psychicznej jest?...

– Niby się trzyma, a tak naprawdę porządnie dostała w kość – oświadczyła rzeczowo pani Lila. – Na moje oko jest na ostatnich nogach. O, są nasi przyjaciele!

Nieco zaskoczona pani Kalina zobaczyła zmierzające w ich stronę kolejne trzy osoby. Dwóch nie znała, a na widok trzeciej bardzo się ucieszyła.

– Grzesiu! A co ty tu robisz?

– Pani Lila mnie wezwała jako pogotowie psychologiczne – odrzekł wysoki, chudy, rudy i dosyć brzydki facet, stary przyjaciel jej męża i jej samej, doktor Grzegorz Wroński, znakomity psychiatra. Wycałował zaróżowione z uciechy policzki dawno niewidzianej a lubianej znajomej i przedstawił panią Różę Chrzanowską, damę o wyglądzie starej wiedźmy, oraz swego irlandzkiego teścia Noela Harta, slawistę świetnie mówiącego po polsku.

– Szczecin to jest wiocha z tramwajami, jak wiadomo – mruknęła pani Lila. – Wszyscy się znają. Mogłam się tego spodziewać, kiedy pani powiedziała o tym mężu lekarzu.

– Kalinko, a ty masz jakiś związek z tą historią?

– Grzegorzu, nawet nie pytaj! Jestem babcią!

– Coś takiego! Babcią tego dzieciaczka, jak rozumiem?

– A czyją, twoim zdaniem? To syn mojego Cypka! I Anity... Grzesiu, ty znasz całą historię?

– Noel mi opowiedział, co wiedział. Niedużo w sumie. Słuchajcie, może zbierzemy wszystkie nasze wiadomości złego i dobrego, bo zdaje się, że każdy ma jakiś inny zasób wiedzy...

Chwilę później sytuacja była mniej więcej jasna dla wszystkich. Pozostawał jeden drobiazg: znaleźć rozwiązanie. Wśród zainteresowanych zapadło milczenie. Chwilowo nikt nie miał pomysłu. Pierwsza odezwała się pani Kalina.

– Grzesiu, a właściwie po co cię twój teść w to zaangażował? Pan Noel, tak? Żebyś sobie na nią popatrzył, na tę Mirandę, czy ma wszystkich w domu? Czy może po to, żebyś stwierdził, czy przypadkiem nie należy jej tego dziecka zostawić? Bo zgodnie z prawem to ona jest górą, nie?

– Ja zostałem poproszony o konsultację psychologiczną, tajną, oraz jako ogólny głos doradczy. Głos rozsądku. Jak ci wiadomo, jestem rozsądny do spodu.

– I co ci mówi ten rozsądek?

– Że muszę z nią pogadać. A bez pogadania mówi mi on, że dziewczyna naprawdę pokochała małego, czemu dziwić się nie można, bo hormony zrobiły po prostu swoje. Wiadomo było, że zrobią. Będzie okrucieństwem żądać od niej, żeby teraz synka oddała. Ona czuje, że to jej dziecko.

– A czy nie będzie okrucieństwem wobec Anity nie oddać jej tego dziecka? – spytała rzeczowo pani Kalina. – Że o Cypku nie wspomnę, to przecież jego ojciec.

– Będzie. Ale tak czy inaczej to nie my zdecydujemy o tym, co się stanie. Decyzję podejmie Miranda.

Znowu zapadło milczenie. Tym razem przerwał je Grzegorz Wroński.

– Nie ma co piany bić, kochani. Chodźmy do niej. Czy idziemy całą wycieczką? Bo jestem przeciwny...

– Ja idę – oświadczyła pani Kalina z całą stanowczością. – Muszę zobaczyć wnuka i już. Przy okazji dam ci alibi. No, będę twoją zasłoną dymną. Przecież jej nie powiesz, że przyszedłeś na nią popatrzeć i postawić jej diagnozę. Będziesz moim mężem.

– Przepraszam cię, kochana, to nie jest najlepszy pomysł. Nie mogę udawać Sławka, bo prędzej czy później się pomylę. Ale mogę być twoim osobistym psychoterapeutą, bez którego się nie ruszasz z domu.

– Taką mam nerwicę? – zdziwiła się pani Kalina. – No, dobrze, ostatecznie mogłam nerwy stargać podczas tych wszystkich lat, kiedy Anita z Cypkiem starali się o dziecko. Grzesiu, czy ja mam mieć obsesję na punkcie wnuka?

– Obsesji bym nie ryzykował. Nerwowa jesteś i już. Możesz się załamać. No więc ty, ja i Lila. Sasza, Noelu, Różo. Możecie tu posiedzieć i poczekać na nas. Wrócimy i zdamy sprawę.

– Mnie to już nikt nie pyta, czy się zgadzam – fuknęła pani Lila. – Ale zgadzam się. Jesteś szefem, Grzesiu!

Kilka minut później Grzegorz i obie damy stali przed drzwiami mieszkania na pierwszym piętrze. Pani Kalina oddychała ciężko.

– Duszno ci – zauważył Grzegorz. – Jak serduszko?

Serduszko pani Kaliny sławne było w środowisku medycznym Szczecina.

– To nie serce – wysapała. – Boże, Grześ, jak ja się strasznie denerwuję! Słuchajcie, a jeśli ona znowu uciekła?

– Nawet mnie nie wkurzaj – warknęła pani Lila i wydobyła z kieszeni klucze. – O przepraszam, powiedziałam pani „ty". Ale może byśmy przeszły na „ty", jak pani uważa? Coś mi mówi, że mamy wiele wspólnego. Poza tym pasujesz do nas, też roślinna jesteś. Kalina kwitnie?

– Oczywiście – obruszyła się właścicielka roślinnego imienia. – Buldeneże to co, twoim zdaniem?

– Kalina? – zdziwiła się pani Lila. – A to dopiero. Buldeneże! Grzesiu, słyszałeś?

– Boule de neige. Kule śniegowe – rzucił psychiatra od niechcenia. – Pamiętajcie, moje kochane, że mam żonę ogrodniczkę. Idziemy.

Drzwi ustąpiły i można było wejść do domu. Serce Kaliny biło nieomal tak, jak w przypadkach specjalnie wywołanej arytmii.

– Gdzie oni są? – szepnęła, zasłaniając sobie usta dłonią.

– W tamtym pokoju. – Lila wskazała palcem zamknięte drzwi. – Chodźcie do salonu, a ja tam zajrzę.

Uchyliła drzwi, po czym zamachała gwałtownie dłonią w stronę Kaliny.

– Chodź tu, zobacz...

Kalina na miękkich nogach podeszła do niej, wyminęła ją i weszła do pokoju, w którym panował półmrok. Na łóżku spała młoda, ładna dziewczyna, trochę nawet w typie Anitki... a obok niej panoszył się kilkudniowy niemowlak, popiskujący zabawnie przez sen.

Syn Cypriana.

Wnuczek.

Miranda otworzyła oczy po nieomal godzinnej, pokrzepiającej drzemce i zobaczyła nad sobą nieznajomą damę, zdecydowanie w leciech, bardzo elegancką i płaczącą rzewnymi łzami. Ściekały jej po twarzy, a ona usiłowała je osuszać chusteczką higieniczną, kompletnie już zamoczoną.

Miranda usiadła natychmiast. Miała odruch, żeby chwycić Alika i przytulić go mocno, zabezpieczając jednocześnie przed... no właśnie? Przed czym? Dała sobie z tym spokój, ale nie spuszczała nieznajomej z oczu.

– Kim pani jest? – spytała lekko ochrypłym ze zdenerwowania głosem.

Dama chlipnęła i wyszeptała z podobną chrypką:

– Babką...

– Pani jest mamą Staszka?

Dama pokręciła głową.

– Cypriana. Przepraszam, dziecko, muszę usiąść.

Przysiadła na brzegu łóżka, nie spuszczając wzroku z Alika. Przez drzwi zajrzał tym razem jakiś obcy facet. Miranda znowu miała ten sam odruch – ochronić synka! Facet jednak nie zwrócił na niego najmniejszej uwagi,

– Kalinko, źle się poczułaś? Serce?

– Nie, Grzesiu, nie poczułam się źle. Wzruszyłam się, do diabła! – Babka Alika chlipnęła, wyjęła z torebki kolejną chusteczkę i zrobiła z niej użytek, rozmazując nieco tusz wokół oczu.

Alik obudził się i, jak to on, ryknął natychmiast.

– Głodny – chrypnęła babka.

Miranda pokręciła głową.

– Niedawno jadł. Pewnie się zsikał. Zmienię mu pieluchę.

– Dobrze – wyszemrała elegancka, nieco rozmazana babka, usuwając się nieco.

Miranda sprawnie zmieniła pampersa młodemu człowiekowi, który jak na komendę przestał się wydzierać, cmoknął śmiesznie, łypnął niebieskimi oczkami i zasnął jak aniołek.

– Mogę go wziąć na ręce?

Miranda chciała odmówić, ale jakoś jej ta babka nie wyglądała na to, że złapie Alika i ucieknie. Zresztą gdyby nawet chciała to zrobić, ona, Miranda zawsze zdąży podciąć jej nogi i zabrać dziecko.

Podała chłopca babce.

– Ale to ja jestem jego matką – zaznaczyła.

Babka wzruszyła tylko ramionami; ostrożnie, bo już trzymała bezcenne zawiniątko.

– Dziecko drogie – powiedziała. – Ty czy Anita... zostawmy to na razie. Tak czy inaczej ojcem jest Cypek. A ja jestem matką Cypka. Ten mały to mój wnuczek. Mój wnuczek. Nadałaś mu jakieś imię?

– Aleksander. Mówię na niego Alik.

– Alik. Ładnie. Alik, Aliczek. Śliczny jest. Podobny do Cypka... Cypek miał taki sam loczek na łysej pale...

W istocie, na łebku niemowlaka pysznił się jeden samotny loczek.

– Kto to jest... ten pan, co tu zaglądał?

– To mój zaprzyjaźniony lekarz. Bo widzisz, moja droga, ja w każdej chwili mogę dostać zapaści. On mnie pilnuje. Jakby co, to wiesz, reanimacja, te rzeczy. Ale ja żadnej zapaści nie dostanę od tego, że zobaczę mojego wnuczka. Och, kurczę! Alik! Naprawdę ładnie... Oddam ci go. Czekaj, muszę go pocałować w ten policzek... jaki różowiutki, niech mnie...

Zrobiła to delikatnie, żeby wnuka nie zbudzić, i oddała zawiniątko Mirandzie.

– Jestem trochę oszołomiona – wyznała. – Nie miałam pojęcia, że bycie babką jest takie poruszające.

– Może przejdzie pani do salonu, pani Lila da pani kawy albo herbaty, albo wody...

– Nie, nie trzeba. Wolałabym chwilę tu z tobą posiedzieć, pozwolisz?

– Czy chce mnie pani przekonywać, żebym oddała moje dziecko?

– A bo ja wiem, czego chcę? Chcę na niego popatrzeć.

Miranda nie zaprotestowała. Pani Kalina rozsiadła się na brzegu łóżka i zagapiła w pogodną i odprężoną twarzyczkę śpiącego niemowlęcia. W jej oczach znowu pojawiły się łzy. W tej samej chwili zadzwonił jej telefon. Mały ani drgnął.

Okazało się, że dzwoni szaleńczo zdenerwowany małżonek. Wylał z siebie mnóstwo słów świadczących o tym, jak bardzo się wystraszył jej zniknięciem – była przecież u dzieci, dowiedziała się o tym wszystkim, co tak skrupulatnie przed nią ukrywano, a potem gdzieś ją wywiało, a jeszcze potem nie odbierała telefonów...

– Nawet mi się wydawało, że dzwoni, ale byłam zajęta – powiedziała beztrosko pani Kalina. – Sławek, zgadnij, na kogo teraz patrzę...

– Kalinko! – Zgnębiony mąż był zdolny tylko do wydania z siebie kolejnego jęku.

– Na naszego wnuka – oznajmiła żona tryumfalnie. – Jest śliczny. Cały Cypek, ma taki sam loczek. Pamiętasz, jaki Cypek miał loczek?

– Nie pamiętam... Kalinko, jak się czujesz?

– Kwitnąco.

– Gdzie jesteś?

– A tego ci nie powiem. Mnie tu wpuszczono w zaufaniu. I nie mów mi tu nic o lojalności wobec dzieci, bo dzieci kilka lat mnie robiły w konia, aż ziemia jęczała. Ty też jesteś dobry! Też wiedziałeś. Pindelaki wiedziały. Pół Szczecina wiedziało. Tylko ja nie wiedziałam. No. Nic się nie przejmuj, Grześ Wroński tu jest, jak mnie szlag trafi, to on mnie odratuje. Lekarz w końcu, cha, cha! Sławciu! Siedź w domu i czekaj na mnie.

– Kalinko, co ty mówisz, myśmy cię chcieli chronić... A to dziecko jest przecież dzieckiem Anitki i Cypka... Jakby co, można zrobić badania genetyczne...

– Mam w nosie badania genetyczne. Mnie tam wszystko jedno, Anita czy ta dziewczyna tutaj... dla mnie ważne, że ojcem jest Cypek. Ojciec dyskusji nie podlega, patrz, to raczej wyjątkowo, zwykle jest odwrotnie...

– Kalinko, tak nie można mówić...

– Może i nie można, najwyżej się wycofam. Na razie patrzę na to dzieciątko i zaczyna mi się podobać bycie babką.

Żebyś ty wiedział, jak on słodko śpi! Ja mu nad uchem gadam, a on śpi!

– Cypek też był śpioch, pamiętasz?

– Noo, wreszcie mówisz jak człowiek! Słuchaj, ja kończę. Nic się nie denerwuj, będziemy rozmawiać, ale na razie ciesz się, mój mężu, bo masz pięknego wnuka. Pa!

Miranda słuchała tego dialogu (głos pana Bożysława z głośniczka całkiem nieźle się niósł) ze zdumieniem. Nie spotkała jeszcze nigdy osoby z takim charakterkiem. To, co dama mówiła, dawało jednak do myślenia. Rzeczywiście, tamci rodzice prawdopodobnie wystąpią o badania genetyczne. Według prawa – tej wiedzy Miranda trzymała się kurczowo – matką jest ta, która urodziła, niezależnie od całej genetyki świata. Ale ten cały Cypek, co miał loczek i był śpiochem jako niemowlak, może udowodnić, że jest ojcem Alika, i będzie rościł pretensje, jeden Bóg wie jakie. Będzie chciał się widywać, uczestniczyć w wychowaniu... a za nim będzie biegać jego niesympatyczna żona razem ze swoimi genami... Czy naprawdę tej szalonej kobiecie jest wszystko jedno, która z nich – Miranda czy Anita – jest matką jej wnuka? Jakim cudem przekabaciła Saszę i panią Lilę, że jej tu pozwolili przyjść? Z lekarzem? Jak ona, Miranda, poradzi sobie z tymi wszystkimi ludźmi?

Poczuła łzy w gardle. Alik otworzył oczy i swoim zwyczajem ryknął z miejsca. Miranda przystawiła go do piersi, zaczął ssać i uspokoił się natychmiast. Babka przez chwilę spoglądała na tę rodzajową scenę w niemym zachwycie, a potem podniosła się z łóżka.

– Nie przeszkadzajcie sobie – powiedziała. – Ja pójdę z nimi pogadać. – Wskazała brodą drzwi do salonu. – Pa, na razie.

Salon, jak się okazało, pękał w szwach od nadmiaru gości, ponieważ Róża, Noel i Sasza nie wytrzymali w „Columbusie” i przyszli na Zygmunta Starego. Nie było słychać ich rozmów w pokoju Mirandy – drzwi między pomieszczeniami były solidne, staroświeckie i podwójne. Kiedy świeżo upieczona babka przekroczyła próg, pięć par oczu wpatrzyło się w nią z dużym natężeniem.

– I co? – wyrwała się pani Lila.

– Słodki dzieciak – zameldowała pani Kalina, cała rozpromieniona.

– Ale ustaliłyście coś?

– A skąd!

Rozległ się zgodny, pięcioosobowy jęk zawodu.

– No, przestańcie! Co ja z nią miałam ustalać? Czy ja miałam głowę, żeby cokolwiek ustalać? Pierwszy raz w życiu zostałam babką! Czy ktoś z was jest babką? Sasza? Grzesiu?

– Ja jestem babką! – oświadczyła dumnie gospodyni.

– Ja też jestem babką – dodał niewinnie Noel. – Ja panią doskonale rozumiem.

– Gratulacje – mruknęła nieco zgryźliwie Róża. – A co z naszym problemem?

– Siedzieliście tu przecież i się naradzaliście! Nic wam nie wyszło? Grzesiu, ty tu jesteś naczelny konsultant i pogotowie ratunkowe. Co wymyśliłeś?

Grzegorz wzruszył ramionami.

– Niewiele. Na razie staram się pozbierać materiały do analizy, że tak powiem. Mam wrażenie, że się tu zrobił jakiś kocioł nie z tej ziemi. No i nie miałem okazji obejrzeć sobie młodej mamy, chociaż to wydawałoby się najważniejsze.

– Zaglądałeś przez drzwi – przypomniała mu Kalina.

– I widziałem ją tylko z wierzchu. Z wierzchu jest bardzo ładna. I bardzo młoda. Lepiej ty mi powiedz, jakie wrażenie odniosłaś. Ty z nią rozmawiałaś.

– Jak najlepsze – oświadczyła. – Nie powinnam tego mówić, ale tak naprawdę wcale nie wiem, czy nie wolałabym jej jako synowej. Z mojej Anitki zrobił się kłębek nerwów. Wiecie, że oni mówią, że to przeze mnie? – poskarżyła się. – Że niby ich naciskałam. To jakieś bzdury, potencjalni dziadkowie zawsze chcą mieć wnuki!

– Podejrzewam, że ta mała też jest kłębkiem nerwów – powiedziała Lila, nalewając wszystkim herbatę, którą zaparzyła, podczas gdy Kalina napawała się widokiem wnuczka. – Tylko się lepiej opanowuje niż twoja synowa, Kalino. Słuchajcie, ludzie, my dwie przeszłyśmy na „ty" i ja wam to samo proponuję, dla wygody. Wszyscy jesteśmy w miarę stare pierniki, to znaczy z tego samego pokolenia. No, mniej więcej. Sasza jest dużo młodszy, ale za to artysta, spadkobierca odwiecznych... no, odwiecznego czegośtam. Zresztą Sasza może ci mówić „proszę pani".

– Nie, nie. Z chęcią będę na „ty" z artystą i spadkobiercą. Czy jednak przybliża nas to do rozwiązania problemu? Grzegorzu?

– Niestety, nie. Jako wasz głos rozsądku powiem coś, co niekoniecznie wam się spodoba. Trzeba się rozejść i zostawić panią Mirandę w spokoju. To jedyna szansa, że przestanie bronić dziecięcia jak lwica i zacznie myśleć racjonalnie. W tej chwili ona widzi, że otacza ją stado harpii... przepraszam damy, ale staram się wejść w jej sposób odczuwania. Nie traci więc czasu na myślenie i analizowanie sytuacji, tylko zbiera siły do boju. Kiedy bezpośrednie niebezpieczeństwo minie, dziewczyna nie będzie miała nic lepszego do roboty jak pomyśleć o przyszłości. Chyba że jest idiotką...

– Absolutnie nie jest! – Sasza stanął w obronie inteligencji młodej przyjaciółki. – Znam ją kilka miesięcy, może niezbyt blisko, ale spotykaliśmy się kilka razy, współpracowaliśmy. To na pewno nie idiotka. To mądra dziewczyna. Doktorze, my też po imieniu? Powiedz, ona ma ten szok okołoporodowy? Może z tego cała bieda?

– Bardzo możliwe, zwłaszcza że urodziła przedwcześnie i w dodatku miała ten wypadek ze schodami. Tym bardziej trzeba jej dać szansę na wyciszenie. I wsparcie dać jej trzeba, koniecznie. Lilu, jak cię znam, dawanie wsparcia to twoja specjalność.

– Moja też! – Ten okrzyk był poczwórny, a wydali go Kalina, Róża, Sasza i Noel.

– Ja również jestem w tym niezły – uśmiechnął się lekarz. – Ale nie należy tworzyć wokół niej tłoku. Wspierajmy dziewczynę z daleka. Tu na miejscu Lila i Sasza wystarczą, żeby nie czuła się opuszczona. Lileczko, będę na twoje zawołanie, dniem i nocą. Teraz proponuję dokończyć tę nadzwyczajną herbatę, a potem, Kalinko, odwiozę cię do domu, jeśli pozwolisz.

– Pozwolę, tylko jeszcze raz rzucę okiem na mojego wnuczka. – Pani Kalina wstała z miejsca i pomaszerowała do pokoju Mirandy.

Spała, tak samo jak maluch z loczkiem. Ależ ona jest wykończona! Kalinie zrobiło się jej żal. Biedne dziecko. Nie powinna przyjmować tego zlecenia. Nie powinna!

Ale może bez tego Alik nigdy by się nie urodził?

Urodziłby się, gdyby Anita nie dostała histerii i nie przerwała prób in vitro.

Że też ludzie tak komplikują życie! Sobie i innym!

Kiedy doktor Grabiszyński skończył rzeźbić skalpelem oblicze jednej ze swoich stałych klientek (trzeba będzie zniechęcić ją do kolejnych operacji, bo zacznie wyglądać jak mumia), pobił rekord świata w prędkości przebierania się w normalne ciuchy i w nerwach cały, przekraczając szybkość dozwoloną w mieście, pojechał do domu. Zastał tam własną matkę, spokojnie rozwiązującą jolkę z „Gazety Wyborczej". Najwidoczniej „Vabanki" się skończyły. Kaliny nie było. Zadzwonił do niej, a ona, jak wiemy, odmówiła współpracy. Przeprosił matkę, która tylko machnęła lekceważąco ręką, i pognał do mieszkania dzieci. Anita wciąż palpitowała na kanapie, a Cypek usiłował ją pocieszać, trzymając za rękę. Lonia Pindelaczka robiła w kuchni kolację z tego, co znalazła w lodówce. Jej mąż, Marek, siedział w kącie salonu ze szklaneczką o charakterystycznym, kanciastym kształcie, ze złocistą zawartością. Stasinka nie było. Oddalił się w bliżej niesprecyzowanym kierunku, zapewne po to, żeby przeżywać wszystko od nowa i rozmyślać o tym, co się stało, co on właściwie czuje oraz jak powinien się zachować.

Przygotowany do ewentualnej akcji ratowniczej pan Bożysław wyjął z kieszeni pudełeczko, z pudełeczka pigułeczkę i dał ją Anicie. Nie czekając, aż pigułeczka zadziała, zażądał od syna uporządkowania danych.

Po chwili Anita zaczęła dochodzić do siebie, ale jej teść niewiele więcej wiedział niż wcześniej.

Lonia Pindelaczka podała na stół przyrządzony naprędce makaron tagliatelle z sosem śmietanowo-grzybowym. Makaron był nieco za bardzo rozgotowany (Lonia też była w nerwach!), ale sos świetny. O dziwo, wszyscy już poczuli się głodni. Dzień dzisiejszy obfitował we wrażenia.

Kiedy z makronu nie pozostało nic, w drzwiach salonu stanęła pani Kalina. Grzegorz odwiózł ją, jak obiecał, a ona wpadła tylko na chwilę zamienić dwa słowa z teściową, wciąż rozwiązującą jolkę (przy wierszu słoik – przyodziewek...), zmieniła płaszczyk na lawendowy szal i udała się spokojnie do mieszkania dzieci.

– Zeżarliście wszystko – skonstatowała na widok pustej misy z nędznymi resztkami sosu. – A ja właśnie poczułam, że jestem okropnie głodna. W dodatku piłam przed chwilą herbatę. Herbata na pusty żołądek...

– Mamo, na litość boską! – Cypek zerwał się od stołu i od razu usiadł z powrotem.

– Zaraz ci coś zrobię – zaoferowała się pani Lonia. – Tylko najpierw powiedz...

– Co ja wam mogę powiedzieć? – pani Kalina spokojnie zajęła miejsce za stołem. – Błagam, dajcie mi jakąś kromkę chleba, zjem ją z tym sosem. – Nawarzyliście nie lada piwa, moi kochani. I mówię to do wszystkich. Sławek, Lonia, Marek! Jak mogliście dopuścić do czegoś podobnego? Gdybym ja wiedziała cokolwiek wcześniej, ale mnie, niestety, nie dopuszczono do tajemnicy!

– Mamo – jęknął Cypek. – Myśmy nikomu nie mówili! Dopiero niedawno!

– Im niedawno, a mnie wcale. No dobrze. Nie będę się nad wami znęcać. Dziecko jest prześliczne. Dziewczyna najprawdopodobniej w szoku poporodowym, tak twierdzi Grzegorz. Znalazła schronienie i musi tam jakiś czas spokojnie pozostać...

– Z moim dzieckiem?! – zachrypiała Anita dramatycznie.

– A co, siłą jej odbierzesz? Zresztą ja wam na wszelki wypadek nie powiem, gdzie ona jest. Dobrzy ludzie nią się opiekują. Zrozumcie, ona musi odzyskać spokój! Dopiero wtedy będzie w stanie podejmować jakieś przytomne decyzje.

Streściła im mniej więcej teorię, którą na poczekaniu pół godziny temu stworzył Grzegorz. Chyba nawet do Anity dotarło, być może pod wpływem pożytecznej pigułeczki pana Bożysława. Niemniej trudno jej było zaakceptować konieczność bezczynnego czekania.

– Czy pan Grzegorz powiedział, że ona, jak się uspokoi, to odda dziecko?

– Tego nie powiedział – przyznała uczciwie pani Kalina. – Tylko że jak się poczuje bezpieczna, to będzie w stanie normalnie pomyśleć o przyszłości. A do jakich wniosków dojdzie, nie wiadomo. Kurczę! – Tu walnęła pięścią w stół aż zabrzęczały nakrycia. – Anita, Cypek, trzeba było myśleć, kiedy był czas po temu! Wasze szare komórki miały już swoje pięć minut! Matko jedyna, przecież mogliście spokojnie żyć, pracować i dalej próbować in vitro! Zachciało wam się radykalnych rozwiązań! Nie mieliście cierpliwości! No to teraz nie macie innego wyjścia, jak wziąć na wstrzymanie. I wcale nie ma gwarancji, że dziecko dostaniecie.

Miranda przebudziła się z drzemki i stwierdziła, że w domu jest cicho. Alik nie spał, ale nie marudził, wydawał jakieś śmieszne odgłosy, jakby podśpiewywał. Zamruczała do niego pieszczotliwie i wstała. Boże, jest cała połamana! Wszystko ją boli.

Drzwi się uchyliły i zajrzała przez nie pani Lila, dobra wróżka przynosząca kakao. Tym razem bez kakao.

– Jak żyjesz, dziecko? Nikogo już nie ma. Przygotowałam ci taką delikatną kolacyjkę, coś musisz jeść. Młody śpi?

– Nie śpi. Pewnie zaraz ryknie. Może ja mu dam jeść profilaktycznie?

– Może tak. A potem na luzie zjesz tę kolację. I popatrz mu w pieluszki, na wszelki wypadek.

Pieluszki okazały się mokre, więc pewnie awantura była tylko kwestią minut. Propozycję małego co nieco Alik przyjął z zadowoleniem. Kwadrans później Miranda położyła go z powrotem na łóżku, owiniętego w mięciutki kocyk, i poszła do salonu.

– Pani Lilu... – zaczęła nieśmiało.

– Jestem, jestem. – Dobra wróżka przydreptała z kuchni, z dzbankiem świeżej herbaty. – Mów, dziecko, niczego się nie bój.

– Myśli pani, że on tak może sam leżeć? Nie sturla się z łóżka?

– Absolutnie nie ma takiej możliwości, żeby się sturlał – odrzekła stanowczo starsza dama. – Nie w tym wieku. Patrz, jakie kanapeczki. Bułeczka, masełko, serek biały, miodzik, dżemik, samo dobre. I lekkie. Wiesz, że po bułeczki Sasza specjalnie poleciał do „Galaxy", żebyś miała świeże?

Nie wiedzieć czemu świeże bułeczki z mechanicznej piekarni w „Galaxy" sprawiły, że Miranda się rozpłakała. Siedziała przy estetycznie nakrytym stole i płakała za wszystkie czasy. Nie miała nawet siły odejść do swojego pokoju.

Pani Lila, jako doskonale wykwalifikowana dobra wróżka, doskonale wiedziała, co robić. Nie zrobiła nic. Pozwoliła dziewczynie płakać. Trochę to potrwało. Kiedy szlochy i chlipanie stały się cichsze i rzadsze, przyniosła Mirandzie pudełko chusteczek i odezwała się ciepłym głosem:

– Już ci lepiej, prawda? Siedź, kochana, nic się nie przejmuj, nie chodź do żadnej łazienki, wytrzyj nos, buzię trochę powycieraj z tego mokrego i popij gorącej herbatki. Teraz już nie będziesz płakać. Już jesteś dzielny zuch. Mnie się nie musisz krępować. Napłakałam się w życiu i wiem, jak to jest.

Miranda zużyła w tempie ekspresowym dwanaście chusteczek i uśmiechnęła się zapuchniętą twarzą.

– A ja myślałam, że pani nigdy w życiu nie musiała płakać...

– Bo co, bo się nie mażę? Bo w moim wieku wyglądam jak kobieta, a nie jak pomiotło? Dziecinko, w życiu trzeba swoje odpłakać. Nie ma cudów. Ale to jest pożyteczne i zawsze przynosi ulgę. Pamiętaj, kochana, tylko śmierć stawia nas przed problemem nie do rozwiązania. Cała reszta daje się jakoś opanować.

– Myśli pani? – W głosie Mirandy zabrzmiało powątpiewanie.

– Oczywiście. Jestem tego absolutnie pewna. Do ciebie się mówi „Mirando"?

– Zwykła Mirka wystarczy...

– No więc, Mirko moja, na razie zostawmy ważne sprawy na boku. Przyjdzie pora na ich rozstrzyganie, to będziesz główkować. W tej chwili musisz rozstrzygnąć, czy chcesz na ten serek miodu czy wolisz go posypać solą?

Czekanie na moment, kiedy Miranda wyjdzie z tego, co pani Kalina nazwała (za Grzegorzem) szokiem poporodowym, i dojdzie do zdrowego rozsądku, okazało się dla Anity i Cypriana najgorszą torturą, jaką do tej pory w życiu przeżyli.

Anita pękła następnego dnia koło południa. Był to normalny dzień roboczy, oboje młodzi Grabiszyńscy siedzieli więc w firmie przy komputerach i usiłowali pracować twórczo. Idzikowski i Henio Ryba i Sylwia Heniowa Rybowa przyglądali im się badawczo i kręcili głowami. Grabiszyńscy najwyraźniej byli gdzieś bardzo daleko.

O dwunastej osiemnaście Anita eksplodowała.

– Twoim zdaniem ja tak mam czekać, a ona będzie tymczasem przywiązywać się do mojego dziecka? Cypek, nie, nie i nie! Dzwonię po policję!

Trzęsącymi się rękami zaczęła wybierać numer. Cypek zerwał się z miejsca jak żbik i zabrał jej telefon.

– Oszalałaś? I co im powiesz?

– Prawdę! Że baba ukradła moje dziecko!

– Anita, ona to dziecko urodziła. Rozumiesz, urodziła! Poza tym i tak nie wiesz, gdzie jest.

– Niech jej szukają! Mama wie!

– Mama nie powie. Obiecała dyskrecję. Mama zawsze dotrzymywała słowa.

– Jesteś po jej stronie!

– Mamy? Tym razem chyba tak...

– Tej dziewczyny!

– Anitko, nie. Jestem po twojej stronie. Przecież to także moje dziecko. Właśnie dlatego musimy zachować zdrowy rozsądek!

– Mam gdzieś zdrowy rozsądek!

Anita wyrwała się z jego objęć i wybiegła. Po chwili słychać było jak pędzi po schodach na górę, do mieszkania. Cypek stał przy jej biurku z miną jednocześnie głupią i zrozpaczoną.

– Ej, Cypek – zagadnął go zdumiony wydarzeniem Henio Ryba. – Co jej się stało? Co wyście zrobili, na Boga?

– Wynajęliśmy studentkę, żeby nam urodziła dziecko – jęknął bezradnie Cypek. – Urodziła i teraz nie chce oddać.

– O, ja cię nie mogę! – Henio złapał się za głowę. – I co będzie?

– Nie wiem, co będzie! Będziemy walczyć. Podobno mamy małe szanse, jeśli ona się uprze. Ta dziewczyna.

– Ja bym się bał jeszcze o jedno – powiedział z namysłem Idzikowski. – Jakbyście je odzyskali, to znaczy odebrali tej dziewczynie, to... przepraszam cię, stary, że to mówię... Anita jest w porządku dziewczyną i bardzo ją lubię, ale wygląda na to, że się kompletnie rozsypała. Jesteś pewien, że ona będzie w stanie normalnie to dziecko wychować? Że nie będzie się o nie bezustannie trzęsła?

– Że będzie matką wariatką? Nie mam pojęcia, stary. Nie mam pojęcia! Nie wkurzaj mnie w ogóle! To jest moja żona!

Wygłosiwszy tę deklarację, Cypek udał się w ślad za żoną.

Henio Ryba, milcząca z wrażenia Sylwia i Idzikowski spojrzeli po sobie.

– Ona naprawdę się zmieniła, odkąd ją znamy – rzekł Idzikowski. – Na początku była normalna wariatka, jak my wszyscy. Potem, w miarę jak jej odbijało z tym dzieckiem...

– No tak. To inna kobieta, masz rację. To już nie nasza Anitka-pocieszka. Nerwy na wierzchu. Kawał histeryczki. Najgorszy materiał na matkę, jaki można sobie wyobrazić.

– Może nie powinniśmy tak mówić. Może jak dostanie to dziecko, to się uspokoi.

– Oby, stary. Oby. Ja im życzę jak najlepiej.

– Ja też.

– Jadwisiu kochana, tak się cieszę, że zgodziłaś się ze mną spotkać!

Pan Bożysław Grabiszyński pochylił się, aby ucałować dłoń rzeczonej Jadwisi. Dla społeczeństwa – pani sędzi Jadwigi Dynowskiej. Jak Pogórze Dynowskie – mawiała, kiedy ktoś nie mógł zapamiętać jej nazwiska. Pan doktor zaprosił panią sędzię, swoją byłą koleżankę z liceum, do restauracji „Bombaj” na hinduskie pierożki (niczego innego nie chciała, ale pierożków somosa zjadła trzy porcje) i małą prywatną konsultację.

– Sławciu, ja zawsze z przyjemnością, ale od razu ci powiem, że kiepskie wasze szanse. W sensie prawnym, oczywiście. Przepatrzyłam wszystkie przepisy, wszystkie kodeksy, wszystkie sprawy tego typu. Jeśli nie dojdziecie do ugody, to żadne badania genetyczne nie będą miały znaczenia. Od prawa rzymskiego, zawsze i wszędzie jest tak, że matką jest ta, która urodziła. Koniec, kropka. Żaden adwokat wam nie pomoże.

– No to załatwiłaś mnie w pierwszym zdaniu.

– W pierwszym akapicie. – Jadwisia zawsze była precyzyjna. I wygadana. W liceum, wstyd przyznać, koledzy nazywali ją Jadaczką. No i poszła na prawo, i wygadanie jej się przydało. – Boskie te pierożki. Żadnego mięcha nie chcę, wykluczone. Jeszcze jedno. Ugoda też ma małe szanse, jeśli jej nie zależy na pieniądzach. A z tego, co mi opowiadałeś, to ona raczej jest gotowa oddać te pieniądze, które już zainkasowała. To nie wróży najlepiej.

– Jakaś odrobina optymizmu?

– Jeśli ona naprawdę czuje się matką i chce być tą matką, to ja to kiepsko widzę. Cypek będzie mógł wystąpić o uznanie ojcostwa i przyznanie praw. Anita nie ma żadnych szans.

– Jadwiniu, oni zapłacili jej kupę pieniędzy, zawarli z nią umowę, ja ją nawet przyniosłem...

– Jak chcesz, to ja ci powiem, o co ty ją sobie możesz potłuc, tę umowę.

W przytulnie urządzonym mieszkaniu pani Lilianny Bronikowskiej, na cichej i spokojnej ulicy, nie nękana przez żadnych intruzów (komórkę wyłączyła) i troskliwie „zaopiekowana", Miranda powoli odzyskiwała równowagę. Pani Lila, konsekwentnie grając rolę dobrej wróżki, dbała o nią jak o własną córkę, czy może raczej wnuczkę (mogłaby mieć wnuczkę w tym wieku, gdyby jej syn Eduś w porę poczynił odpowiednie starania!). Przygotowywała jej śniadania i kolacje, obiadki i podwieczorki. Wszystko delikatne, lekko strawne, nieobciążające żołądka. Sasza wpadał dwa razy dziennie; rano przynosił pieczywo i drobne zakupy, potem przychodził w okolicach podwieczorku i zostawał do kolacji.

– Czemu to robisz, Sasza? – spytała go trzeciego czy czwartego dnia. Tym razem przyniósł gitarę, na której zamierzał grać małemu imiennikowi kołysanki.

– Skoro już mianowałem się twoim opiekunem... A czemu pani Lila to robi?

– No właśnie, tego to już zupełnie nie rozumiem. Sasza, nie wiem, jak ja wam się odwdzięczę.

– Nie masz większych problemów? – zaśmiał się.

Posmutniała. Poprawiła kocyk w żółte kaczeńce, którym nakryty był Alik. Sapnął tylko przez sen.

– Mam.

– O, zdrowiejesz?

– Czemu? – Nie zrozumiała.

– No bo jak jesteśmy chorzy, a ty nawet jeśli nie byłaś chora, to byłaś strasznie sfatygowana... Jak jesteśmy chorzy, to odsuwamy od siebie wszystkie myśli o przyszłości, o tym co będzie. Mamy przeżyć do jutra i to wszystko. A ty już się martwisz jakimiś problemami. Znaczy masz siły, żeby o tym myśleć. Nie miałaś. A masz.

– No tak. Wiesz, Sasza, ja w ogóle mam wrażenie, że nie żyłam ten cały tydzień. Będę musiała jakoś się pozbierać do kupy. Nie mogę całe życie mieszkać u pani Lili... Ona mnie żywi...

– I broni...

– Ach, żywią i bronią! Sasza, ty wiesz, że dopiero teraz do mnie to dotarło? Zawsze zastanawiałam się, co to jest żywia! Bronią się walczy, a żywią... o kurczę!

– Właśnie. Kurczę. Okazuje się, że jestem dobry do nauki waszej historii. Właściwie naszej, bo mam już wasze obywatelstwo. Zaczęłaś mówić ciekawe rzeczy. Mirando. Mów dalej. Jakie masz plany?

– A jakie ja mogę mieć plany? Znaleźć pracę, mieszkanie... może pani Lila mi wynajmie ten pokój, jak uważasz?

– Nie wiem, Mireczko. A studia?

– Na razie zawieszę.

– Urlop dziekański?

– No tak.

– Dziecko przewraca człowiekowi życie, tak słyszałem.

Miranda spojrzała na niego tak, że omal się nie rozpłakał na widok jej oczu.

– Sasza, ja go nie mogę oddać!

– Rozumiem. Oczywiście, że nie możesz. Pojedziesz z nim do rodziców?

Miranda zamilkła. Kiedy wyjeżdżała z rodzinnego domu na studia, które odpowiadały jej, ale nie jej rodzicom, usłyszała wiele nieprzyjemnych tekstów. Jeden z nich przestrzegał przed powrotem do domu z brzuchem albo z dzieciakiem. Nie brzmiało to jak żart. Ojciec był wściekły. Pewnie nadal jest, a jeśli nie, to będzie, jak zobaczy Alika. Co ona mu powie? Prawdę? Że została matką-surogatką? O, nie. Rozszarpałby ją, kazał oddać dziecko i wyrzuciłby z domu. Z całą pewnością. Zrobiła interes, wzięła pieniądze, zobowiązała się do czegoś. Wynocha. No więc co, że dziecko jest jej i Cypriana?

– Ciekawe, czy mogłabym zasądzić Cypka o alimenty – powiedziała z namysłem.

Sasza aż się żachnął.

– Mogłabyś to zrobić? Naprawdę?

W jego głosie było tyle zdumienia, że Miranda się zawstydziła. Tak, to by była wyjątkowa podłość.

Przecież ona poszła na te studia po to, żeby nie robić już złych rzeczy!

I nie wyszło.

Alika nie odda nikomu.

Sasza brząkał w zamyśleniu na gitarze.

– Mirando, powiedz mi, jak ty myślisz o nich?

– O kim? – spytała szorstko.

– O dawcach materiału genetycznego dla tego tu małego obywatela...

– Jak o dawcach materiału genetycznego – warknęła, gotowa bronić siebie i dziecka do upadłego.

– O, tygrysica się w tobie budzi – bąknął Sasza. – Daj jej na luz, tej tygrysicy. Niech śpi. My nie jesteśmy zwierzętami. Nie skaczemy od razu, żeby gardła przegryzać. No to jak jest naprawdę? Nigdy nie widziałaś w nich normalnych ludzi?

Miranda milczała. Sasza nadal od niechcenia trącał struny.

– Ja nie mówię, że nie jesteś matką Alika. Urodziłaś go, karmisz, kochasz. Jemu jest z tobą dobrze. To widać. Ale po drugiej stronie są normalni, młodzi ludzie. Bardzo chcieli mieć dziecko. Bardzo. Całe lata im nie wychodziło. Próbowali, kombinowali. Zrobili rzecz straszną, wynajęli ciebie i twój brzuch. Całe dziewięć miesięcy czekali, może kupowali ubranka, łóżeczko dla małego, butki, zabawki. Czytali książki o wychowaniu dzieci. Urządzali mu pokój. Bali się o ciebie i twoje zdrowie. Bo nosiłaś dziecko, które oni uważali za swoje i kochali jak swoje.

– To moje dziecko!

– W pewnym sensie tak. I prawo, jak mówisz, jest po twojej stronie. Ich świat się właśnie zawalił.

– Sasza, dlaczego ty mnie dręczysz? Myślałam, że jesteś moim przyjacielem!

– Jestem, Mireczko. Jestem. Właśnie dlatego mówię ci o tym wszystkim. Jestem od ciebie prawie dwa razy starszy. Więcej widziałem, więcej przeżyłem, więcej wiem...

– Nie mów do mnie jak do dziecka!

– Mówię do ciebie jak do przyjaciółki, inteligentnej dziewczyny, która żyje w świecie prawdziwym, nie wymyślonym. Odkąd zostałaś matką Alika, żyjesz w takim nieprawdziwym świecie, z którego wymazałaś Anitę i Cypka, i ich rodziny. Jeżeli nie przypomnisz sobie, że oni istnieją, nie będziesz nigdy miała czystego sumienia.

– Jak możesz! Dopiero po tym, co mi powiedziałeś, będę miała kłopoty z sumieniem!

– Ludzie dorośli miewają kłopoty z sumieniem. Ale dokonują wyborów, Mirando. A potem z tym żyją.

– Chcesz, żebym żyła w poczuciu winy?

– Nie, kochana. Chcę, żebyś żyła bez poczucia winy.

Nie patrzył na nią. Brząkał na gitarze.

Alik spał smacznie, jak to najedzony i suchy niemowlak.

– Dorośli ludzie biorą też na siebie odpowiedzialność za przyszłość swoich dzieci – powiedział jeszcze Sasza i wstał. – Idę do domu, kochana moja. Wpadnę jutro z bułeczkami, jak zwykle. Patrz, młody się budzi. Daj mu jeść, zanim się rozedrze.

Zniknął za drzwiami. Lekko oszołomiona Miranda spojrzała na Alika. Jego mały nosek lekko poczerwieniał. Zaraz wrzaśnie... Jedzonko. Nie wrzasnął. Zaaprobował. Ssał spokojnie, przysypiając. Mały sybaryta.

Sasza chciał wyjść po angielsku, zamykając za sobą zatrzaskowy zamek, ale pani Lila dopadła go już przy drzwiach.

– Sasza! Podsłuchiwałam! Czemuś ty jej zrobił taki wykład? Toż ona teraz nie zaśnie!

– Zrobię jej jeszcze drugi – odrzekł i pocałował ją w czoło. – Znikam. Jesteś wspaniałą dobrą wróżką, tak twierdzi Miranda, i powinnaś mieć czarodziejską różdżkę do spełniania życzeń. Chociaż właściwie na cholerę ci różdżka, spełniasz i bez niej.

– A ten drugi to o czym jej zrobisz? – Wróżka, nie wróżka, pani Lila lubiła być dobrze poinformowana.

– O przyszłości Alika.

– No tak. – Pani Lila pokiwała głową ze zrozumieniem. – Jeśli mała zdecyduje się go zatrzymać, to praktycznie nie będzie miała jak go wychować. Nawet jeśli my jej pomożemy, załóżmy, że ja jej ten pokój dam za darmo, stać mnie, kurza twarz, ścierką nakryta...

– To niewiele rozwiąże, Lilianno nasza kochana. Ja trochę znam jej sytuację rodzinną, na tatusia i mamusię ona liczyć nie może, chłopak ją zostawił, jest kompletnie sama. Dwudziestolatka, bez zawodu, bez wykształcenia, bez pieniędzy, mało tego: w długach. My jej możemy pomóc, ale nie zapewnimy jej utrzymania. Jej i dziecku.

– Tak, oczywiście. Patrz, Saszeńka, a tam jest rodzina zamożna i tylko czeka na tego dzieciaczka, sądząc z tej stukniętej babki to fajni ludzie jacyś, może jej się, Mirandzie znaczy, pokazali ze złej strony, ale mały miałby u nich jak pączek w maśle...

– Właśnie, Lilu. Ona przy najlepszych chęciach nie da mu tego, co mogą dać tamci.

– Boże, Boże... To straszne, tak kalkulować! A jeszcze może być tak, że za jakiś czas dotrze do niej, co straciła, bo przecież ona traci w tej chwili swoją jedyną szansę na zostanie kimś w życiu... Teraz go kocha, a kiedyś może znienawidzi... Sasza, Sasza, bardzo się o nią boję. Bardzo!

Miranda wprawdzie nie podsłuchiwała, jak pani Lila, cudzych rozmów, i nie wiedziała, o czym szeptała w drzwiach dwójka przyjaciół, była jednak dziewczyną inteligentną i naprowadzona przez jedno zdanie Saszy, sama zaczęła się zastanawiać nad przyszłością Alika. Doszła mniej więcej do podobnych wniosków, bo dojść do nich musiała.

Karmiła małego i rozmyślała. Najchętniej zaczęłaby znowu płakać albo może i krzyczeć... ale czas płaczu i krzyków już dla niej minął. Jak wiemy, zawsze była rozsądną dziewczyną i umiała dodać dwa do dwóch. Teraz, patrząc na swojego Alika, myślała nie tylko o przyszłości, jaką oboje mają przed sobą jako matka i syn. Wnioski były oczywiste.

Nie zapewni mu takich warunków do rozwoju jak tamta rodzina.

Tamta rodzina!

Jeśli zatrzyma małego, będzie miał tylko ją, matkę. Jej rodzice na pewno go nie zaakceptują. Może jakieś kontakty z ojcem, z tamtą babką... zwariowaną.

Jeśli go nie zatrzyma, Alik będzie miał matkę, ojca, dwie babki, dwóch dziadków, może jakichś pradziadków, wujka Stasinka, cholerny świat... Poza tym spokojny, zamożny dom, o wiele lepsze perspektywy na przyszłość.

A jeśli on kiedyś się dowie prawdy i spyta ją – jakim prawem pozbawiła go tego wszystkiego? Prawem miłości – czy egoizmu?

Gorycz... nie do opisania.

Co ona jest winna, że nie może mu tego dać?

Faktem jest, że nie może. Z trudem utrzymuje samą siebie, i to tylko dlatego, że ma niewielkie wymagania.

Wniosek jest jeden i jest on obrzydliwy. Zatrzymanie małego przy sobie będzie przede wszystkim aktem egoizmu. Miłość nie usprawiedliwia wszystkiego. Zresztą tam też czeka na niego miłość. Będzie ich wytęsknionym, wyczekanym dzieckiem.

No i uczciwie mówiąc – biologicznie rzecz ujmując – on jest ich...

Alik zakończył kolację, beknął jak zadowolony mandaryn, przewrócił oczkami i zasnął.

Miranda położyła go na łóżku, owinęła kocykiem i jednak się rozpłakała.

W tym samym czasie na piętrze willi przy Wojska Polskiego Cyprian Dolina-Grabiszyński robił pranie mózgu swojej żonie Anicie. Jako człowiek z natury delikatny pranie też robił delikatne.

Zaczął samokrytycznie.

– Byłem ostatnim kapciem, pierdołą i kretynem, to prawda. Powinienem był sam myśleć, a nie z wygodnictwa ulegać tobie i zgadzać się na wszystkie twoje pomysły. W życiu nie powinienem się był zgodzić na to wynajmowanie brzucha! Tak nawiasem, Anitko moja, ty świadomie dałaś swojej przyjaciółce te dziesięć tysięcy?

– Elizie? A skąd!

– A jakbyś tak dobrze poszperała w zakamarkach pamięci, jak to piszą w powieściach, to nie było czasem tak, że ona cię naprowadziła na tę myśl twórczą?

– Nie chcę teraz o tym mówić!

– Masz rację, to teraz nie jest ważne. Ważne jest, jak przekonać dziewczynkę, żeby nam oddała dziecko.

– Musi oddać.

– Nie musi, ale myślmy pozytywnie. Załóżmy, że nam odda. Anita, czy ty w ogóle jesteś gotowa, żeby być matką? Ja przepraszam, że ci w ogóle o tym mówię, ale przecież tu nie chodzi o te wszystkie ubranka i inne gadżety, które ostatnio kupiliśmy.

– A o co ci chodzi, mądralo?

– O twój stan psychiczny. Nie patrz tak na mnie. Nie obrażaj się. Ty ostatnio jesteś jak granat z wyciągniętą zawleczką. Może nie?

– Chcesz powiedzieć, że nie będę umiała zająć się dzieckiem?

– Nie wiem. Wydaje mi się, że takie małe potrzebuje przede wszystkim spokoju. Kiedy ostatnio byłaś spokojna? Powiedz to sama sobie, ale uczciwie...

– Uczciwie to nie pamiętam.

– No właśnie.

– I co z tego?

– To, że jak się sama będziesz dalej szarpać i denerwować cały czas, że ci ktoś dziecko ukradnie albo że ono umrze, albo że nie wiem co jeszcze... Rozumiesz. To będzie tylko kwestią czasu, że mały wpadnie w taką samą nerwicę jak ty. Słuchaj. Nic nie mów. Ja zakładam, że uda nam się dziecko odzyskać. Chciałbym, żebyś zgodziła się na wizytę u wujka Wrońskiego.

– Ten psychiatra to twój wujek?

– Przyszywany. Kolegowali się z ojcem na studiach. To będzie jak w rodzinie. Anitka, ja cię będę wspierał jak jasny gwint, tylko musisz mi to obiecać. Powinienem dawno cię na to namówić, może nie doszłoby do tego całego nieszczęścia.

Anita, podobnie jak Miranda, nie była kretynką. Była osobą naprawdę inteligentną. Zebrała teraz wszystkie swoje siły umysłowe oraz psychiczne (mocno nadwerężone wydarzeniami ostatnich dni, miesięcy i lat) i przyznała Cypkowi rację. Na razie w myślach. Rzeczywiście, miewała już takie chwile, że samej z sobą trudno jej było wytrzymać. Granaty z wyciągniętymi zawleczkami nie nadają się do wychowywania małych dzieci.

Postanowiła zgodzić się na spotkanie z tym całym Wrońskim. O ile pamiętała z przelotnych kontaktów, facet nie był jakiś obrzydliwy.

– Na razie musimy zrobić wszystko, żeby odzyskać naszego synka.

– Na razie możemy tylko czekać.

~

Pani Kalina siedziała przed staroświecką toaletką i z przyjemnością szczotkowała włosy – zupełnie jak amerykańska gwiazda filmowa wczesnych lat sześćdziesiątych. Jej mąż w satynowej piżamie (lata pięćdziesiąte) przyglądał jej się z uznaniem. Kalinka naprawdę doskonale wygląda... nie tylko jak na swój wiek, ale całkiem obiektywnie. Babcia Kalinka, niech ja skonam!

– Wiesz, co sobie pomyślałam?

– Ja rzadko wiem, co ty naprawdę myślisz – westchnął.

– Chciałbyś zobaczyć naszego wnuka?

– Przecież mówiłaś, że nie powiesz i tak dalej...

– Nie mogłam inaczej przy wszystkich. Anitka zaraz by dostała małpiego rozumu. Ale tak sobie myślę, że dwójki starszych państwa ta mała, Miranda, się nie przestraszy.

– Starszych państwa! Nigdy tak nie mówiłaś o nas, kochanie!

– Dla niej jesteśmy kacopyrze. Mumie egipskie. Ekshumy. Sławek, ona ma dwadzieścia lat. Śliczna jest jak obrazek, nawiasem mówiąc. O której będziesz jutro miał czas, żeby tam skoczyć? Stęskniłam się już za naszym małym Aliczkiem!

~

Pani Lila była kobietą doświadczoną i mało co mogłoby ją zdziwić. Kalina ante portas... w towarzystwie przystojnego dżentelmena, zapewne męża, była najzupełniej przewidywalna.

– Tak myślałam, że długo nie wytrzymasz – powiedziała Lila z uciechą i otworzyła szeroko drzwi. – Wchodźcie, proszę. Pan jest pewno dziadkiem Alika?

– Podobno – odrzekł troszkę zmieszany pan Bożysław. Przedstawił się elegancko małej kobietce o kolorowej czuprynie. Kalinka coś wspominała, że ta Lila jest raczej nietypowa.

W mieszkaniu pachniało wanilią.

– Upiekłam dzisiaj ciasteczka – oznajmiła gospodyni. – Jak mam w domu młode osoby, to od razu muszę zrobić coś konstruktywnego.

– A jak Mirka i mały?

– Kwitną. Ja proponuję, żebyśmy z panem Bożysławem...

– On jest Sławek, Lilu, skoro my jesteśmy po imieniu, to i on może, prawda?

– Jasne. No więc my ze Sławkiem siądziemy sobie do stołu, a ty najpierw idź do Mirki sama. Ona już cię zna. Nie trzeba jej denerwować niepotrzebnie. Mały trochę marudził, potem przestał i teraz oboje sobie odpoczywają. Sławek pójdzie tam później.

– Lilu, myślisz o wszystkim. To ja lecę. Sławek, pomóż Lili zrobić herbatę. Dla mnie kawę, jeśli można, do tych ciasteczek!

Miranda nie spała. Siedziała w fotelu od oknem, trzymając małego w ramionach. Słońce sączyło się zza firanek.

– Wyglądasz jak jedna z tych renesansowych Madonn – oznajmiła jej pani Kalina na powitanie. – Leonarda albo Rafaela, albo nie wiem kogo. Tylko jesteś od nich o wiele ładniejsza.

– Postanowiłam go oddać – zrewanżowała się wiadomością Miranda.

Dopiero teraz przybyła spostrzegła, że dziewczyna ma podkrążone oczy i usta wygięte ku dołowi, jakby za moment miała się rozpłakać. Jej oczy jednak pozostawały suche, a głos nie drżał.

– Jezus, Maria, dziecko kochane, co się stało?! – Pani Kalina cisnęła trzymaną w ręce torebkę na łóżko i podbiegła do okna. – Skąd ta nagła decyzja?

– U was będzie mu lepiej.

– Matko Boska! – Pobożność pani Kaliny wzrastała z każdą chwilą. – Ale przecież...

– Niech mi pani nie każe teraz wszystkiego tłumaczyć, proszę. Niech go pani od razu weźmie. Zanim się rozmyślę. Proszę, niech go pani weźmie.

– Dziecinko...

– Niech go pani weźmie.

Pani Kalina ostrożnie przejęła z rąk Mirandy zawiniątko z dzieckiem. Miranda nawet nie spojrzała na małego. Odwróciła twarz do widoku ulicy za oknem.

Pani Kalina nachyliła się do niej impulsywnie i pocałowała ją w czubek głowy. Potem wycofała się do salonu. Na widok żony z wnuczkiem w objęciach pan Bożysław, wzruszony, zerwał się z krzesła.

– Miranda oddała mi dziecko – wygłosiła nieprawdopodobny komunikat żona. – Lilu, proszę, idź do niej. Niech ona teraz nie będzie sama.

– Matko jedyna! – zawołała pani Lila i pognała do pokoju obok.

– Patrz!

Pan Bożysław ostrożnie odwinął rąbek kocyka i spojrzał prosto w oczy swojego pierworodnego (i prawdopodobnie jedynego) wnuka. Alik obudził się, być może czując, iż chwila jest dziejowa.

– Jest wspaniały. Kalinko, ona naprawdę ci go oddała?

– Jak widzisz. Żal mi jej strasznie. O wiele bardziej niż Anity, muszę ci wyznać w tajemnicy. Nie mów tego Cypkowi. Czy zwróciłeś uwagę na taki drobiazg, że rodzice jeszcze go nie widzieli, a dziadkowie owszem? Masz, potrzymaj go sobie.

– Trochę się cykam – wyznał szczęśliwy dziadek. – Daj. Mój Boże, Kalinko, pamiętasz, jak mi dałaś Cypka pierwszy raz? Dokładnie tak samo...

– Też mi się to przypomniało. Potrzymaj go, a ja zadzwonię do nich, niech się przygotują. Halo... Cypek! Tu mama. Słuchaj uważnie. Wracamy do domu z waszym dzieckiem. Czy jesteście na to gotowi?... Nie „o Jezu", tylko tak jest. Za kwadrans będziemy. No, za dwadzieścia minut. Pa.

Wyłączyła komórkę z miną zadowolonego kota.

– Szoku dostał – zawiadomiła męża. – Jedziemy. Trzeba się pożegnać...

W tej samej chwili gospodyni zajrzała do salonu.

– Idźcie już – zakomenderowała. – Lepiej będzie. Ciasteczka zjemy kiedy indziej. Napiekę na waszą cześć. Do widzenia.

– Nawet jej nie zobaczyłem, tej Mirandy – poskarżył się pan Bożysław. – A taki byłem ciekaw!

– Nic się nie martw – pocieszyła go żona. – Ja ci to kiedyś zorganizuję. Ja się tu zaprzyjaźniłam.

Trzy dni później w samo południe Sasza Winogradow i Miranda Wiesiołek siedzieli na ławeczce pod drzewami na koronie Wałów Chrobrego i pławili się w gorącym wiosennym słońcu.

– Bardzo dobrze zrobiłaś, Mireczko – powiedział ciepło Sasza.

Odkąd Miranda oddała Alika jego babce, nie rozmawiali ze sobą. Pani Lila nie dopuszczała do niej nikogo, wychodząc ze słusznego założenia, że dziewczyna musi ochłonąć i dojść do siebie. Dzisiaj jednak zrobiło się tak pięknie i ciepło, że sama zadzwoniła do Saszy i poprosiła go, żeby zabrał Mirkę na jakiś spacer.

– Wiem, że dobrze. Chciałeś, żebym tak zrobiła, prawda?

– Inaczej zawsze już żyłabyś z wyrzutami sumienia.

Miranda przez chwilę nie mówiła nic. Potem westchnęła ciężko.

– Wiesz, Sasza, kiedyś z chłopakami i z Gonią byliśmy u Japońca na suszi i tak się zgadało na temat ryby fugu... Słyszałeś o rybie fugu, Saszeńka?

– To ta trująca?

– Ona nie cała jest trująca, tylko częściowo. Samo mięsko można jeść i podobno jest bardzo dobre. A gdzieś tam w wątpiach ma taki pęcherzyk z trucizną. Trzeba strasznie uważać, żeby to się nie pomieszało. A ja jak taka bezmyślna kuchta... wrzuciłam całą tę rybę do garnka i ugotowałam zupę. Wszyscy się potruli...

Sasza popatrzył uważnie na dziewczynę i ogarnął ją ramionami.

– Moja droga, jeśli ktoś tu zachował się jak bezmyślna kuchta, to raczej tamta kobieta, Stasinkowa siostra... Ja bym powiedział, że to ona ugotowała tę zupę. A ostatecznie nikt się nie otruł... tego... na dobre. Wszyscy żyją. Tylko niektórych brzuchy rozbolały, że użyję subtelnej metafory...

– Nie pocieszaj mnie.

– Właśnie że będę cię pocieszał. Mireczko, nie chciałbym tu wyjść na starego grzyba, ale powiem ci... całe szczęście, że jesteś taka młoda. Będziesz miała kiedyś swoje dzieci i będziesz dla nich najlepszą matką na świecie. Sam bym ci chętnie zrobił, ale czuję się przy tobie o wiele za stary... czemu się śmiejesz? Oczekiwałem gwałtownych zaprzeczeń.

– Kocham cię, Sasza!

– Ja też cię kocham, siostrzyczko. Bardzo mi było źle, kiedy cierpiałaś. Jeszcze cierpisz, co? Tęsknisz za nim?

Skinęła głową i oczy jej się odrobinę zaszkliły.

– Przejdzie. To powiedzenie o czasie brzmi trochę idiotycznie i w ogóle jest takie strasznie wyświechtane, ale to prawda. Przejdą ci smutki, Mirando.

Pocałował ją w policzek.

– Będziesz miała nowe – dodał, śmiejąc się. – Ale i radości będzie wiele. Zobaczysz. Swoje trzeba przejść.

– Pani Lila mówiła to samo. Swoje trzeba odpłakać.

– Ano właśnie. Masz jakieś wiadomości o małym?

– Jego babcia dzwoniła. Nie wiem, skąd ona wiedziała, że ja na taki telefon czekam. Wszystko z nim jest w porządku. Trochę marudził, bo przechodził na sztuczne karmienie. Tego szkoda, mojego mleka... Jutro mam umówioną wizytę u lekarza, dostanę coś na zatrzymanie laktacji. Te wszystkie ubranka i rzeczy, które miała pani Lila, pojechały do niego. Wczoraj. Pan Cyprian przyjechał. Nie chciałam go widzieć.

– Nie dziwię ci się. A jak formalności?

– Oni wszystko załatwią. Moje zrzeczenie, adopcję, zmianę nazwiska. Ach, wiesz co? Ta ich babka zażądała, żeby mu zostawili imię. Jako memento. Ja nie wiem, czy to najlepszy pomysł...

– Oczywiście, że najlepszy. Aleksander to piękne imię.

– To prawda. Słuchaj, masz pojęcie, że pani Lila zaproponował mi, żebym u niej zamieszkała? Mówiła, że odkąd pani Mareszka się wyprowadziła, czuje się samotnie. A do Stolca nie chce, do swojego syna. Ona chyba nie przepada za synową.

– To się teściowym zdarza. Słuchaj, kochana, a Stasinek się do ciebie odzywał?

– Tak. Kazałam mu spadać.

– Tak po prostu?

– Tak po prostu.

– Nie dasz mu szansy?

– Miał szansę. Wtedy, kiedy najbardziej potrzebowałam jego pomocy. Na co mi facet, który ucieka, jak się robi za trudno?

– Silna jesteś.

– Jestem. Nie mam innego wyjścia. Muszę sobie radzić sama.

– Ej, mała. Bądź sprawiedliwa. Nie musisz sama. Masz mnie, masz Gonię, masz Lilę. Ona cię bardzo polubiła, wiesz?

– Ona też tak mówiła.

– Bo to prawda. Chcesz, to zawołam Gonię i pomożemy ci się wynieść z tego mieszkania na Krzywoustego.

– Cyyypek! Przewiń Juniora, na pewno się sfajdał okropnie...

– A ty co robisz?

– Butelkę! Butelkę! On zaraz będzie robił awanturę o żarcie. Cypek, błagam cię!
– Dobrze, już przewijam. O matko, ależ...
– Nie opowiadaj! Nie opowiadaj, bo mnie zemdli!
– Podobno w naszej młodości nie było pampersów. To jak oni żyli?
– Nie wiem. Moim zdaniem to jest niemożliwe. Skończyłeś? Bo idę z flaszką!
– Chodź. On już dziób otwiera, zaraz będzie wrzeszczał.
– A niech sobie wrzeszczy. Zaraz go zatkam.
– Fajny z niego miś, nie? Widziałem w sklepie taki rowerek...
– Cypek, ty jesteś nienormalny.
– No. Ale i tak was kocham.

Eliza Trumbiak ze złością zatrzasnęła drzwi za trojgiem młodych ludzi objuczonych tobołami. Bezczelna Miranda odmówiła odremontowania pokoju, który zajmowała. Sprzątnęła po wierzchu i powiedziała, że nie zniszczyła pokoju tak, żeby trzeba w nim było malować ściany. Rzuciła na stół pieniądze za ostatni miesiąc i po prostu poszła. Cholerna idiotka, wypaplała Grabiszyńskim o dziesięciu tysiącach.

A propos... pani doktor odpaliła komputer i zajrzała na stronę agencji „Nasze dziecko". Proszę, proszę! Dwie osoby pytają o możliwość wynajęcia brzucha na ciążę. Trzy kobiety zgłaszają się jako ewentualne matki-surogatki.

Pierwsze koty za płoty! To bardzo mądre przysłowie.

Aaaaa, jeszcze jedna śmieszna wiadomość. Siatkarka wycofała się z uprawiania sportu. Kolejna idiotka. Przez kilka wpisów internetowych!

Boże, jacy ludzie są słabi! Palcem trącisz, a się przewracają.

Wróciła na stronę swojej agencji.

Szanowni Państwo! Z prawdziwą przyjemnością postaramy się rozwiązać Wasze problemy. Mamy już pewne doświadczenia w tym względzie i jesteśmy pewni, że najdalej za rok będą Państwo trzymać w objęciach własne, wytęsknione dziecko. Prosimy o kontakt telefoniczny pod numerem...

Podać własną komórkę?

Nie. Lepiej nie.

A właściwie dlaczego? Prowadzenie takiej agencji nie jest zabronione. Prawo na ten temat się nie wypowiada.

Wpisała numer.

Jeszcze te surogatki. Przyda się więcej kandydatek.

A dziesięciu tysięcy nie odda.

W interesach należy być twardym zawodnikiem!